Roberto Tartaglione • Angelica Benincasa

B2

Grammatica della lingua italiana Per Stranieri

regole • esercizi • letture • test

INTERMEDIO – AVANZATO

Progetto grafico e copertina: Lucia Cesarone
Impaginazione: Gabriel de Banos
Disegni: Roberto Ghizzo
Redazione: Carlo Guastalla, Chiara Sandri

Printed in Italy
ISBN 978-88-6182-407-2
prima edizione: novembre 2015

Ringraziamenti
Vanno ringraziate alcune persone che ci hanno supportato nella realizzazione di questo scritto.
In primo luogo un grazie di cuore va a **Silverio Novelli**, vecchio amico, collaboratore della Treccani per l'area "lingua e linguaggi" e autore di saggi e libri sulla lingua italiana fra cui il recente "Si dice non si dice dipende". La sua "benedizione" su alcune affermazioni fatte in questa grammatica ci conforta già da ora per quando dovremo rispondere a qualche obiezione su espressioni che abbiamo indicato come consentite o tollerate e che qualche critico pedante riterrà certamente indegne di un libro di grammatica.
Un grazie tutto speciale va a **Giulia Grassi**, storica dell'arte e collaboratrice di Matdid per la sezione archeologica, che ha fornito spunti e indicazioni di carattere storico assolutamente puntuali e precisi.
Non possiamo dimenticare **Helena Kovacs** che si è sobbarcata il doppio del lavoro alla Scuola d'Italiano nel periodo in cui gli autori del libro vivevano concentrati solo sulle faccende grammaticali e **Benoit Bernard** che si è occupato di **Emma** e **Vittoria** mentre la mamma era costantemente davanti al computer. Il merito (o la colpa) che questo libro sia arrivato alle stampe è anche loro.
Ancora un grazie va ad **Adriano Tartaglione** per il pratico *software* che ha inventato su nostra richiesta per verificare velocemente a che punto del dizionario di frequenza d'uso fossero i lemmi utilizzati nelle nostre letture. Semplice ed efficacissimo.
Ringraziamo **Sandra Djordjevic**, direttrice di *Scudit Belgrado* e **Federica Gallina**, direttrice della *Scuola d'Italiano* di Oslo, per i suggerimenti in base alla loro esperienza didattica con studenti slavi e scandinavi. Utilissime le indicazioni dell'amica **Petra Patoc** che, unendo una talentuosissima competenza linguistica a un'età che la rende ancora vicina a quando di italiano era studentessa, ci ha fatto pensare a qualche "trabocchetto linguistico" a cui noi non avevamo dato peso.
Un altro grazie va a **Daniela Mancini** e **Tommaso Marani** autori del recente "Il congiuntivo": con Daniela in particolare ci siamo incontrati e scontrati quotidianamente sulle più diverse questioni grammaticali che via via spuntavano fuori durante la scrittura di questo libro.
Ringraziamo ancora il paziente lavoro di revisione editoriale dell'Alma Edizioni e in particolare **Carlo Guastalla**: e se l'introduzione a questo libro non supera le 25 pagine lo si deve a lui. Preziosi i consigli degli studenti francesi di *Scudit Paris* che hanno pazientemente svolto molti degli esercizi e letto gran parte delle letture: **Cécile Adam, Kate Guyonvarch, Annick Margottet** e **Nicole Delivery**.
E soprattutto ringraziamo gli insegnanti vecchi e nuovi di ***Scudit Scuola d'Italiano***, che da anni sperimentano nelle loro classi molti dei materiali presenti in questo libro: **Arianna Fioravanti, Marina Giorgini, Alessandra Petrolati, Giulia Pucciarini, Paola Quadrini, Matilde Ronzitti, Giovanna Virgilio** e **Sonia Arlacchi** (collaboratrice di *Scudit Paris*).
Elencare i mille motivi per cui dire grazie a **Gianclaudio Macchiarella** richiederebbe un volume a parte.

LMA Edizioni
del Cadorna, 44
nze
644

Indice

Introduzione

LA STRUTTURA

La nostra Grammatica della lingua italiana Per Stranieri è divisa in due volumi (A1/A2 e B1/B2). Ogni volume comprende:

1. **un percorso grammaticale**, con schemi grammaticali a difficoltà progressiva, che introducono ogni capitolo;
2. **esercizi** che seguono le varie illustrazioni grammaticali in ogni capitolo;
3. **letture di riepilogo** ogni tre o quattro capitoli, che riassumono le questioni affrontate fino a quel punto;
4. riquadri con **curiosità** sulla lingua italiana, trucchi per la memorizzazione e **consigli** per l'uso dei vari aspetti della lingua nella vita quotidiana;
5. le **videolezioni** di grammatica di Roberto Tartaglione disponibili su **www.ALMA.tv**, la tv di ALMA Edizioni dedicata alla lingua e alla cultura italiana.

L'intenzione è quella di fornire uno strumento agile di studio e di consultazione, in cui non si è obbligatoriamente costretti a seguire una progressività (che pure è cara agli autori).
Non sarebbe fuori luogo per esempio considerare filo conduttore del libro proprio le **venti letture**. Graduate grammaticalmente, controllate lessicalmente, varie nei contenuti, brevi così da non richiedere eccessivo sforzo di "traduzione", dosate in modo da offrire un panorama delle strutture linguistiche che si vanno via via acquisendo. In teoria (ma solo in teoria, ovviamente) seguendo solo il "percorso letture" si potrebbe avere un quadro – se non esaustivo – almeno relativamente ricco della dimensione formale, di quella semantica e di quella pragmatica della lingua italiana, dosato per livelli.

LA GRAMMATICA

Gli schemi grammaticali sono anche loro "progressivi": gli argomenti trattati sono perciò frazionati in base all'importanza, cioè alla **frequenza d'uso**. Un **indice finale** permette però di ricostruirne facilmente l'unità.

La progressione è più o meno quella consolidata nei manuali di italiano per stranieri.
Qualche accorgimento che abbiamo seguito – per quanto riguarda almeno l'illustrazione dei tempi e dei modi verbali - va comunque segnalato. Infatti abbiamo:

- **"accostato" la trattazione di passato prossimo e imperfetto indicativo:** i due tempi verbali vanno acquisiti in tempi non troppo distanti fra loro per evitare una "predilezione" particolare per uno di loro;
- **posticipato l'illustrazione del futuro indicativo**, per evitare che l'uso meccanico del "futuro per parlare di domani" diventi prevalente sul futuro che esprime altre volontà comunicative;
- **introdotto "il discorso indiretto" nelle sue forme più semplici abbastanza presto**. La capacità di reinterpretare le parole altrui non è da emarginare a "fine corso";
- **considerato il congiuntivo come "uno dei tanti" argomenti grammaticali utili** a chi impara l'italiano, ma non "il cuore della lingua". Troppo spesso abbiamo visto gli studenti concentrarsi un po' troppo su questo modo verbale e i corsi di livello medio o alto trasformarsi in una lotta verso l'acquisizione del congiuntivo. Ecco: abbiamo cercato di evitare questo;
- **approfondito in modo particolare l'uso dei modi infiniti**. La ricerca spasmodica del "congiuntivo giusto" porta talvolta a trascurare forme e sintagmi che ne possono perfino evitare l'uso e che rendono la lingua assai più scorrevole e fluida;

- **"maltrattato" il passato remoto e il trapassato remoto**, emarginandoli all'ultimo capitolo. Del resto, se il passato remoto è ancora vivo e vegeto in alcune situazioni, è anche vero che il trapassato remoto pare stia solo aspettando che il suo certificato di morte venga stilato da qualche linguista pietoso.

Queste scelte, dettate per lo più dalla pratica didattica, non impediscono agli insegnanti di usare un determinato capitolo quando lo ritengono più opportuno. In un corso che voglia approfondire la lingua scritta o letteraria, nessuno vieta che il capitolo sul passato remoto venga utilizzato prima di quando la nostra "numerazione dei capitoli" richiederebbe.

GLI ESERCIZI

Per **gli esercizi** abbiamo cercato di essere vari nella tipologia: ma trattandosi di un libro di grammatica, pensato anche per autoapprendimento, abbiamo minimizzato le tipologie che esigono la "partecipazione di gruppo", privilegiando quelle a "risposta chiusa". Gli esercizi dopo le letture, a differenza degli altri, non sono riferiti a un solo argomento grammaticale, ma riprendono un po' tutto quanto si è visto in precedenza e mirano in particolare alla "fissazione" di formule, strutture, frasi chiave e automatismi e sono, volutamente, più ripetitivi.

Negli esercizi il lessico è meno ancorato al "dizionario di frequenza d'uso" che nelle letture. Alcune famiglie di parole (colori, parti del corpo, festività, ecc.) era opportuno comparissero insieme, senza dar peso al fatto che "Natale" abbia una frequenza maggiore di "Capodanno" o che "domenica" sia più frequente di "venerdì".

LA DIMENSIONE CULTURALE

Un ultimo aspetto che ci pare non aver trascurato è quello che riguarda **la "dimensione culturale"** nell'apprendimento dell'italiano. Convinti come siamo che lo studio della lingua italiana abbia sempre una motivazione di carattere culturale (sia essa intesa come amore per l'arte, come curiosità turistica, come passione gastronomica o come necessità integrativa per esigenze di lavoro) abbiamo cercato di accennare a un po' tutti quegli aspetti che servono a "definire una cultura". Se qualche volta siamo stati ironici (trattando per esempio la storia di Nerone come la tratterebbe un giornale scandalistico nella lettura 10 del vol. 1) o abbiamo giocato con l'assurdo (come nella lettura 8 del vol. 2: *Al ristorante, domani*), abbiamo evitato di riferirci ad argomenti troppo "sensibili" come religione o caratteristiche etniche. Cosa che, pur facendo parte del nostro italico senso dell'umorismo, potrebbe urtare la sensibilità dell'orecchio straniero: abbiamo ironizzato quindi solo su noi stessi, sulla nostra storia, cultura o atteggiamento mentale.

LE FONTI

Per quanto riguarda citazioni di frasi o di brani riportati nel testo, abbiamo sempre indicato l'autore. Se in qualche caso abbiamo dimenticato di farlo, segnalatecelo e rimedieremo. Come materiali didattici di italiano per stranieri l'unico "fondo" a cui abbiamo attinto è quello di **Matdid**, materiali di Scudit Scuola d'Italiano Roma, in www.matdid.it . Ma trattandosi di materiali nostri qualche volta non ne abbiamo riferito l'autore, consapevoli che nessuno avrebbe potuto aversene a male.

Gli autori

1. I PRONOMI COMBINATI

1.1 I PRONOMI COMBINATI

Se in una stessa frase c'è la possibilità di usare un pronome riflessivo (**mi, ti, si, ci, vi, si**), un pronome indiretto (**mi, ti, gli, le, ci, vi, gli**) o un **ci** + i pronomi diretti **lo, la, li, le** o + particella **ne**, si formano i pronomi combinati.	***Mi*** dai ***una penna***? = ***Me la*** dai? Lui si è innamorato ***di Luisa***. = Lui ***se ne*** è innamorato.
Nei pronomi combinati normalmente il primo elemento non finisce con **-i** ma con **-e**.	mi + lo → ***me lo***; ti + la → ***te la***; si + le → ***se le***; ci + li → ***ce li***; vi + ne → ***ve ne***; ci + ne → ***se ne***
I pronomi indiretti **gli** (singolare), **le**, **gli** (plurale) + **lo, la, li, le, ne** formano un pronome combinato costituito da una parola unica: **glielo, gliela, glieli, gliele, gliene**.	Scrivo una lettera ***a Paolo***. = ***Gli*** scrivo una lettera. = ***Gliela*** scrivo. Scrivo una lettera ***a Maria***. = ***Le*** scrivo una lettera. = ***Gliela*** scrivo.

1.2 IN SINTESI

mi	+	lo	=	**me**	+	**lo**
ti		la		**te**		**la**
si		li		**se**		**li**
ci		le		**ce**		**le**
vi		ne		**ve**		**ne**

	+	lo	=	**glielo**
gli (sing.)		la		**gliela**
le		li		**glieli**
gli (plur.)		le		**gliele**
		ne		**gliene**

si impersonale + **si** riflessivo	**ci si**

1.3 TRE REGOLE SUI PRONOMI COMBINATI

1. Devono stare **prima** del verbo coniugato.	■ ***Ti*** sei ricordato ***quella storia***? ● Sì, ***me la sono ricordata***.
2. Con verbo all'**infinito** o al **gerundio** i pronomi combinati possono (ma non devono necessariamente) formare una sola parola con l'infinito o con il gerundio.	■ Devo portare ***quel libro a Maria***? ● Sì, ***glielo*** devi portare. / devi portar***glielo***. ■ Mi porti ***i libri***? ● ***Te li*** sto portando. / Sto portando***teli***.
3. Quando sono prima di un passato prossimo o di un **tempo composto**, la vocale finale del participio passato (**-o / -a / -i / -e**) si concorda con genere e numero del pronome diretto o del **ne** (vedi Vol. **1**, cap. **11**).	■ Hai regalato ***dei fiori a tua moglie***? ● Sì, ***glieli ho regalati***. ■ ***Mi*** hai comprato le mele? ● Sì, ***te ne*** ho ***comprate due***.

Esercizi

1 Collega le domande con le risposte giuste, come nell'esempio.

1 *Compri le caramelle a Vittoria?* → D
2 Compri il motorino a Helena? A
3 Compri i biglietti ai tuoi genitori? C
4 Compri le medicine a Daniela? D
5 Compri i libri a tuo fratello? C
6 Compri il computer a tua figlia? A
7 Compri le sigarette a Roberto? D
8 Compri la casa al tuo professore d'italiano?
9 Compri le mele alla nonna?
10 Compri il libro alle ragazze?

A Sì, glielo compro.
B Sì, gliela compro.
C Sì, glieli compro.
D Sì, gliele compro.

1. D • 2. A • 3. C • 4. D • 5. C • 6. A • 7. D • 8. B • 9. D • 10. A

2 Collega le domande con le risposte giuste, come nell'esempio.

1 *Mi dai il pane?* → E
2 Ci dai le chiavi?
3 Le dai i libri?
4 Gli dai le penne?
5 Ci dai i soldi?
6 Mi dai le foto?
7 Le dai la birra?
8 Mi dai la borsa?
9 Gli dai l'indirizzo?
10 Ci dai la valigia?

A Sì, ve le do.
B Sì, ve li do.
C Sì, te le do.
D Sì, te la do.
E *Sì, te lo do.*
F Sì, ve la do.
G Sì, glielo do.
H Sì, gliela do.
I Sì, gliele do.
L Sì, glieli do.

1. E • 2. A • 3. L • 4. I • 5. B • 6. C • 7. H • 8. D • 9. G • 10. F

3 Rispondi alle domande dell'esercizio usando il passato, come nell'esempio.

1 Compri le caramelle a Vittoria? *Gliele ho già comprate!*
2 Compri il motorino a Elena? Glielo ho già comprato
3 Compri i biglietti ai tuoi genitori? Glieli ho già comprati
4 Compri le medicine a Daniela? Gliele ho già comprate
5 Compri i libri a tuo fratello? Glieli ho già comprati
6 Compri il computer a tua figlia? Glielo ho già comprato
7 Compri le penne a Roberto? Gliele ho già comprate
8 Compri la casa al tuo professore d'italiano? Gliela ho già comprata
9 Compri le mele alla nonna? Gliele ho già comprate
10 Compri il libro alle ragazze? Glielo ho già comprato

4 Rispondi alle domande dell'esercizio usando il passato, come nell'esempio.

1 Mi dai il pane? Te l'ho già dato!
2 Ci dai le chiavi? Ve l'ho già date
3 Le dai i libri? Glili ho già dati
4 Gli dai le penne? Glile ho già date
5 Ci dai i soldi? ve li ho già dati
6 Mi dai le foto? Te le ho già date
7 Le dai la birra? Gliela ho già data
8 Mi dai la borsa? Te la ho già data
9 Gli dai l'indirizzo? Glielo ho già dato
10 Ci dai la valigia? Ve la ho già data

5 Completa le risposte, come nell'esempio.

Es. Maria: Chi **ti** ha regalato **questi guanti**? (Marco)
Risposta: **Me li** ha regalat**i** Marco.
Maria: **Li** voglio pure io!

1 Maria: Chi le ha scritto questa lettera d'amore? (Raul Bova)
Risposta: Glila ha scritto Raul
Maria: la voglio pure io!

2 Maria: Chi vi ha comprato i biglietti per il concerto? (i nostri genitori)
Risposta: Ce li ha comprato i nostri genitori
Maria: Li voglio pure io!

3 Maria: Chi le ha preparato questa bella cena? (il suo fratellino)
Risposta: Gliele ha preparato
Maria: Le voglio pure io!

4 Maria: Chi ti ha dato duecento euro? (il mio fidanzato)
Risposta: me l'ha dato il mio fidanzato
Maria: Lo voglio pure io!

5 Maria: Chi ti ha consigliato questo ristorante? (mia sorella)
Risposta: me lo han consigliato mia sorella
Maria: Voglio andarlo pure io!

6 Chi gli ha spiegato i pronomi combinati? (l'insegnante di italiano)
Risposta: Glieli ha spiegato l'insegnante
Maria: Voglio capirli pure io!

7 Chi ha fatto queste belle foto a Luca? (sua madre)
Risposta: Gliele ha fatto sua madre
Maria: Le voglio pure io!

8 Chi vi ha raccontato la favola di Cappuccetto Rosso? (nostro padre)
Risposta: Ce la ha raccontato nostro padre
Maria: Voglio ascoltarla pure io!

6 **Leggi il dialogo tratto dal film *La vita è bella* di Roberto Benigni. Alcuni pronomi sono sottolineati. Sottolinea tu i pronomi combinati.**
Attenzione: ci sono molte ridondanze pronominali (vedi Vol. 1, cap. 23).

Roberto: Hai visto? Sei contento? Hai visto che posto? Sei un po' stanco?

Giosuè: Sì, non **mi** è piaciuto il treno.

R: Nemmeno a me **mi** è piaciuto. Allora al ritorno si piglia l'autobus. Oh!, noi al ritorno prendiamo l'autobus! Con le sedie, con le sedie!... Gliel'ho detto.

G: È meglio.

R: Anche secondo me. Hai visto? Tutto organizzato. Hai visto che fila di gente?

G: Me lo dici babbo che gioco è?

R: Bravo... come che gioco è... il gioco... noi siamo tutti concorrenti... Hai capito, no? È tutto organizzato. Poi **ci** sono gli uomini di qua, le donne di là. Poi **ci** sono i soldati, **ci** danno gli orari. È difficile, non è facile facile. E poi se uno sbaglia **lo** rimandano subito a casa. Subito! Quindi bisogna stare attenti Giosuè eh! Però se si vince si prende il primo premio.

G: Me lo dici che premio è?

R: Il primo premio te l'ho detto.

Zio: È un carro armato.

G: Ma io ce l'ho già un carro armato.

R: Un carro armato vero, nuovo, nuovo.

G: Vero? No!!!

R: Sì, non te lo volevo dire.

G: Dove va lo zio?

R: Altra squadra... tutto organizzato no? Ciao zio!

G: Ciao!... Un carro armato!!

R: Eh! Che **t**'avevo detto eh? Giosuè! Una cosa eccezionale! Che posto! Andiamo, andiamo, andiamo, sennò **ci** fregano il posto... Oh! Noi siamo prenotati... due singole... Vieni, vieni... permesso, permesso. Ecco qua! Dormiamo qua. Ci stringiamo. Giosuè!?

G: Babbo, qua è bruttissimo, puzza, voglio andare dalla mamma.

R: Poi **ci** andiamo.

G: Ho fame.

R: Poi mangiamo.

G: E poi sono cattivi cattivi. Urlano.

R: Urlano perché il premio è grosso. Un carro armato vero fa gola a tutti, sai? Devono essere duri.

G: Ce la danno la merenda?

R: La merenda?... Basta chiedere! Sono tutti amici! **C**'è coso... (Bartolomeo) Bartolomeo? **Ti** volevo chiedere una cosa. È già passato quello che dà pane e marmellata?... Porca miseria! S'è fatto tardi! Per un secondo! Ripassa però per il secondo turno.

7 **Inserisci nella tabella i pronomi <u>sottolineati</u> e i pronomi combinati presenti nel testo dell'esercizio 6. Poi spiega a cosa si riferiscono, come nell'esempio.**

Pronomi diretti	Pronomi indiretti	CI	Pronomi combinati
	mi (a me Giosuè)		

8 **Scegli i pronomi corretti.**

Una telefonata promozionale.

Telefonista: Pronto, buongiorno Ingegner Sempronio, ***La / la / gli*** chiamo per offrir***gli / Le / La*** un'occasione straordinaria!

Ingegner Sempronio: Ma... chi parla?

Telefonista: Sono Federico e come ***Le / glielo / gli*** stavo spiegando, in questo periodo siamo nella sua città e ***La / Le / gli*** offriamo di vedere gratuitamente e senza impegno i nostri bellissimi tappeti persiani, lavorati artigianalmente da artisti del settore.

Ingegner Sempronio: Io ***La / Le / gli*** ringrazio, Lei è molto simpatico... non ***gliela / la / Le*** vorrei attaccare il telefono in faccia, ma non ***si / mi / ne*** interessa proprio.

Telefonista: Un momento, un momento! ***Le / La / Te lo*** dicevo: se Lei mi dice il giorno e l'ora che ***gli / Le / la*** è più gradita posso fissare un appuntamento con il nostro rappresentante!

Ingegner Sempronio: ***Le / La / Ne*** ringrazio per l'informazione, ma mi sa che non ***gli / si / Le*** è chiaro che non ***mi / ne / gli*** servono tappeti persiani! Mi sono spiegato, spero.

Telefonista: Io capisco benissimo, ma è un'occasione che non si ripresenterà facilmente. Può veder***ne / gli / li*** senza impegno e poi pensar***lo / ci / ne*** tutto il tempo che vuole. Il nostro corriere ***gli / glieli / li*** porterà a casa solo in seguito, quando deciderà di comprar***gli / li / glieli***, senza spese di spedizione!

Ingegner Sempronio: Ma allora non ***gli / Le / La*** entra in testa! Non ***lo / li / ne*** voglio il suo maledetto tappeto persiano!

Telefonista: Ma le piace l'arte? Non ***Le / La / gliele*** va di avere in casa un oggetto prestigioso?

Ingegner Sempronio: Ma io non devo spiegare a Lei se l'arte mi piace o no! Ha capito? Non ***gli / La / Le*** entra in testa che non voglio comprare i suoi stramaledetti tappeti? Basta ora! Non voglio ripeter***glielo / le / gliela*** più!

Telefonista: Ma io lo dico per Lei, visto che non ***gli / ne / Le*** costa niente! Lei ***li / gli / glieli*** vede soltanto e poi mi dice se non ***gli / Le / gliel'*** ho trovato un'occasione veramente d'oro!

Ingegner Sempronio: Non ***mi / ne / si*** lascia vie d'uscita, devo sbatterle il telefono in faccia! Buonasera!

9 Leggi questo post trovato su Facebook e sottolinea le forme impersonali con i verbi riflessivi.

Io sono del sud - Al sud è vietato correre: non ce n'è motivo. Perché il mondo va sempre più lento di te. Al sud si mangia solo quando tutti sono a tavola, non a orari da ospedale; e ci si alza da tavola pieni, sazi. Al sud il caffè è offerto e il bicchiere d'acqua non si paga mai. Al sud quando piove la "botta d'acqua" dura un'ora al massimo. Poi smette sempre. Al sud una partita di calcetto si organizza in due ore e dicono tutti di sì: nessuno ha mai "da fare", sono sempre tutti pronti a divertirsi. Al sud, quando si incontra qualche conoscente per strada, ci si ferma, ci si saluta e ci si parla, a piedi o in macchina, a costo di bloccare il traffico. Un abbraccio è sempre meglio di un cenno del capo.
Il sud, nel suo essere economicamente ed esternamente indietro è affettivamente e interiormente molto, molto avanti.

Mi piace - Commenta - Segui post - Condividi - 46 minuti fa

10 Leggi le domande sul testo dell'esercizio 9 e completa le risposte.

1 Perché al sud non si corre? — Perché non _______ è motivo.
2 Quando è normale alzarsi da tavola? — _______ alza quando uno è sazio.
3 Cosa si fa quando si incontra un conoscente? — _______ ferma e _______ saluta.
4 Se incontri qualche conoscente, parli con lui? — _______ parlo sempre!
5 In quanto tempo organizzano una partita di calcetto? — _______ organizzano in due ore!
6 Ci sono differenze fra nord e sud? — _______ sono parecchie.
7 Hai mai abitato nel sud dell'Italia? — No, non _______ ho mai abitato.
8 Hai un amico del sud? — Sì, _______ ho.
9 Hai amici del sud? — Sì, _______ ho due!

11 Leggi l'inizio di questi quattro romanzi italiani e completali con i pronomi necessari.

1 Non tutti i giorni _______ può svegliare ridendo, come diceva quel tale in coma.
Giovanni Arpino, *Il fratello italiano.*

2 "E lei come si chiama?" "Aspetti, _______ ho sulla punta della lingua."
Umberto Eco, *La misteriosa fiamma della regina Loana.*

3 Se tu te ne sei scordato, egregio signore, _______ ricordo io: sono tua moglie.
Domenico Starnone, *Lacci.*

4 _______ è venuta una faccia da scema. Non _______ n'era accorta, ma _______'ha vista stamattina nello specchio del parrucchiere, mentre una delle ragazze _______ asciugava i capelli a spazzolate, e l'estetista intanto era lì a avvolger_______ al collo una salvietta per preparar_______ alla depilazione: _______ chiamano "i baffetti", loro, con innocenza brutale, e invece lei ha sempre girato intorno a questa ombra nerastra e fastidiosa fra naso e labbra senza avere il coraggio di nominar_______.
Carmen Covito, *La bruttina stagionata.*

lettura 1. COM'È CHE TI CHIAMI?

Il soprannome può piacere o non piacere, ma quando uno te lo dà, devi tenertelo. E magari può succedere che poi diventi famoso proprio con quel soprannome invece che con il tuo vero nome, cosa questa che è capitata a molti artisti.
Antonio Allegri, per esempio: lo chiamavano il *Correggio*. Jacopo Carucci è diventato famoso come il *Pontormo*. Francesco Mazzola è conosciuto invece come il *Parmigianino*. Se dico "Michelangelo Merisi", capite di chi sto parlando? Lo conoscono tutti: è il *Caravaggio*!
Fino a qui niente di male: sono tutti soprannomi collegati alla città di origine dei vari artisti (e non sono solo questi, ma ce ne sono molti altri: il *Perugino*, il *Veronese* e altri ancora! Ci si abitua a tutto… non è difficile abituarsi a questi soprannomi).
Ma il soprannome non dipende solo dalla città di origine. Qualcuno se lo è guadagnato per motivi differenti. Ve lo immaginate perché Jacopo Benci è passato alla storia come il *Pollaiolo*, e perché Jacopo Robusti è conosciuto come il *Tintoretto*? Per il mestiere dei loro padri, uno venditore di polli, l'altro "tintore" di stoffe.
Anche *Masaccio* è un soprannome. Tommaso di Giovanni Cassai se lo è meritato perché era un tipo molto trascurato. *Giorgione* (Giorgio da Castelfranco) probabilmente perché era molto alto. *Domenichino* (Domenico Zampieri) perché era il più giovane nella bottega dove lavorava.
Il soprannome di Giovan Francesco Barbieri, invece, era il *Guercino*: glielo avevano dato perché i suoi occhi non guardavano nella stessa direzione (uno strabismo provocato, si dice, da uno spavento preso da bambino).
Giovanni Antonio Bazzi era un pittore molto allegro che amava circondarsi di ragazzi giovani e belli. Il suo soprannome (e ancora oggi lui è famoso così) era il *Sodoma*. Bisogna dire però che questo soprannome non lo disturbava per niente. Anzi, ci si era abituato, lo trovava divertente e lui stesso se ne vantava e si firmava spesso così.

Esercizi

1 **A quale dei pittori nominati nel testo corrisponde, secondo te, questo disegno?**

2 **Dare un soprannome a qualcuno. Segui l'esempio.**

Es. Io *ti* ho dato *un soprannome*. — Io _te l'_ ho dato.

1. Tu *mi* hai dato *un soprannome*. — Tu _me lo_ hai dato.
2. Io ho dato *un soprannome a Marco*. — Io _glielo_ ho dato.
3. Io ho dato *un soprannome a Maria*. — Io _glielo_ ho dato.
4. Loro hanno dato *un soprannome a noi*. — Loro _ce lo_ hanno dato.
5. Chi *vi* ha dato *questo soprannome*? — Chi _ve lo_ ha dato?
6. Io ho dato *un soprannome ai miei amici*. — Io _glielo_ ho dato.
7. Io *mi* sono dato *un soprannome*. — Io _me lo_ sono dato.
8. Tu *ti* sei dato *un soprannome*. — Tu _te lo_ sei dato.
9. Lui *si* è dato *un soprannome*. — Lui ________ è dato.
10. Lei *si* è data *un soprannome*. — Lei ________ è dato.

3 **Tenersi un soprannome. Segui l'esempio.**

Es. Io *mi* devo tenere *questo soprannome*. — Devo _tenermelo!_

1. Tu *ti* devi tenere *questo soprannome*. — Devi ____________
2. Lui *si* deve tenere *questo soprannome*. — Deve ____________
3. Lei *si* deve tenere *questo soprannome*. — Deve ____________
4. Noi dobbiamo tener*ci* *questo soprannome*. — Dobbiamo ____________
5. Voi dovete tener*vi* *questo soprannome*. — Dovete ____________
6. Loro devono tener*si* *questo soprannome*. — Devono ____________

4 **C'È / CI SONO + NE. Segui l'esempio.**

Es. In Italia ci sono molti soprannomi? — Sì, _ce ne sono molti._

1. A Roma ci sono molti monumenti? — _Sì ce ne sono molti_.
2. In Sicilia ci sono molte industrie? — No, _ce ne sono_ poche.
3. In centro ci sono molte discoteche? — No, _ce ne sono_ una sola.
4. A Firenze ci sono poche gallerie d'arte? — _Sì ce ne sono poche_.
5. A Roma c'è una sola Università? — No, _ci sono_ numerose.
6. In questo paese c'è un cinema? — Sì, _c'è_ uno molto bello.

5 VANTARSI + NE. Segui l'esempio.

Es. Il Sodoma *si* vantava del *suo soprannome*. — Lui se ne vantava.

1. Io *mi* vanto *del mio soprannome*. — Io ______ vanto.
2. Tu *ti* vanti *del tuo soprannome*. — Tu ______ vanti.
3. Lei *si* vanta *del suo soprannome*. — Lei ______ vanta.
4. Noi *ci* vantiamo *dei nostri soprannomi*. — Noi ______ vantiamo.
5. Voi *vi* vantate *dei vostri soprannomi*. — Voi ______ vantate.
6. Loro *si* vantano *dei loro soprannomi*. — Loro ______ vantano.

6 IMMAGINARSI + LO, LA, LI, LE. Segui l'esempio.

Es. Io *mi* sono immaginato *il motivo*. — Io me lo sono immaginato.

1. Tu *ti* sei immaginato *questa storia*. — Tu ______________.
2. Lui *si* e immaginato *le conseguenze*. — Lui ______________.
3. Lei *si* è immaginata *i fatti*. — Lei ______________.
4. Noi *ci* siamo immaginati *la realtà*. — Noi ______________.
5. Voi non *vi* siete immaginati *il pericolo*. — Voi ______________.
6. Loro non *si* sono immaginati *i rischi*. — Loro ______________.

7 Impersonale + riflessivo. Segui l'esempio.

Es. *Uno*, normalmente, *si abitua* a tutto. — Ci si abitua a tutto.

1. *Uno*, normalmente, la mattina *si veste*. — La mattina ______________.
2. *Uno* la sera *si incontra con gli amici*. — La sera ______________.
3. *Uno* non *si può ricordare sempre tutto*! — Non ______________.
4. *Uno* quando sente certe cose *si arrabbia*. — Quando si sentono certe cose ______________.
5. Con il brutto tempo *uno si deprime*. — Con il brutto tempo ______________.

8 Completa le frasi con un pronome diretto, indiretto o combinato.

1. Il soprannome, quando uno te lo dà, devi tener______.
2. Antonio Allegri, per esempio: ______ chiamavano *il Correggio*.
3. Michelangelo Merisi ______ conoscono tutti: è *il Caravaggio*!
4. Questi sono soprannomi collegati alla città ma ______ sono molti altri.
5. Non è difficile abituarsi a questi soprannomi: e poi ______ abitua a tutto.
6. Il soprannome qualcuno ______ è guadagnato per il mestiere del padre.
7. Voi ______ immaginate perché Jacopo Benci è conosciuto come *il Pollaiolo*?
8. Anche Masaccio è un soprannome. Lui ______ è meritato perché era molto trascurato.
9. Anche *il Guercino* è un soprannome: ______ avevano dato perché era strabico.
10. Antonio Bazzi lo chiamavano *il Sodoma* e lui ______ era abituato.
11. Non solo *il Sodoma* si era abituato! Questo soprannome ______ piaceva!
12. Antonio Bazzi lo chiamavano *il Sodoma* e lui ______ vantava.

Esercizi

9 In ogni frase c'è un errore: prova a trovarlo e a correggerlo.

1. Il soprannome può piacere o non piacere, ma quando uno te lo dà devi tenerselo.
2. Antonio Allegri, per esempio: chiamavano *il Correggio*.
3. Se dico "Michelangelo Merisi", capite di chi sono parlando? Lo conoscono tutti.
4. Si ci abitua a tutto... non è difficile abituarsi a questi soprannomi.
5. Ma il soprannome non dipende solo della città di origine.
6. Qualcuno ce lo è guadagnato per motivi differenti.
7. *Pollaiolo* e *Tintoretto* si chiamavano così per il mestiere di loro padri.
8. *Domenichino* si chiamava così perché era più giovane della bottega dove lavorava.
9. Il Bazzi era chiamato *il Sodoma*, ma questo soprannome non si disturbava per niente.
10. Lui stesso se lo vantava e si firmava spesso così.

10 Completa con le preposizioni.

1. Molte persone hanno un soprannome e questa cosa è capitata anche ____ molti artisti.
2. Se dico "Michelangelo Merisi", capite ____ chi sto parlando?
3. Alcuni sono soprannomi collegati ____ città di origine dei vari artisti.
4. Ci si abitua ____ tutto...
5. Il soprannome non dipende solo ____ città di origine.
6. Il padre del *Pollaiolo* era un venditore ____ polli.
7. *Domenichino* era il più giovane ____ bottega dove lavorava.
8. Gli occhi del *Guercino* non guardavano proprio ____ stessa direzione.
9. Lo strabismo del *Guercino* era stato provocato ____ uno spavento preso da bambino.
10. Giovanni Antonio Bazzi amava circondarsi ____ ragazzi giovani e belli.

11 **PIACERE**, **DISPIACERE**, **SERVIRE**, **INTERESSARE** e **ANDARE** + pronomi indiretti.

1. A te piace il tuo soprannome? — No, ____ per niente!
2. A tua sorella è piaciuta quella torta? — Sì, ____ moltissimo.
3. Ai tuoi figli piaceva giocare con il computer? — Sì, ____, naturalmente.
4. A Paolo è dispiaciuto partire? — Sì, ____.
5. Dispiace a tua moglie se passo da te stasera? — Ma no, ____ per niente.
6. Ti dispiace aiutarmi un po'? — Ma no, naturalmente, ____.
7. Vi interessa la politica? — Sì, ____ molto.
8. La politica interessa a tuo marito? — No, ____.
9. La politica interessa a tua moglie? — Sì, ____ abbastanza.
10. Ti servivano soldi? — No, ____ delle buone idee.
11. Vi sono serviti i miei consigli? — No, ____.
12. A tua moglie serve la macchina? — No, ____ un motorino!
13. Ti va un caffè? — No grazie, adesso ____.
14. Non vi andava di tornare a casa? — Eh no, ____ per niente!
15. A loro non va di restare? — No, ____.

2. I NOMI IRREGOLARI

2.1 NOMI MASCHILI IN *-O* CON PLURALE FEMMINILE IN *-A*

Alcuni nomi maschili (singolare in **-o**) al plurale terminano con **-a** e **diventano femminili**.

il paio → **le paia**	Due ***paia*** di scarpe.
il centinaio → **le centinaia**	Alcune ***centinaia*** di persone.
il migliaio → **le migliaia**	Molte ***migliaia*** di dimostranti.
l'uovo → **le uova**	Cinque ***uova*** fresche.
il riso (da *ridere*) → **le risa**	Le sue ***risa*** si sentono fino a qui.

2.2 NOMI MASCHILI CON DOPPIO PLURALE (IN *-I* MASCHILE E IN *-A* FEMMINILE)

Alcuni nomi maschili hanno un **doppio plurale**: uno regolare in **-i** e uno irregolare in **-a** (con cambio di genere, da maschile a femminile). I due plurali non si usano indifferentemente perché si riferiscono a cose diverse.

il braccio	→ **i bracci / le braccia**	Le ***braccia*** di una persona e i ***bracci*** della prigione.
il ciglio	→ **i cigli / le ciglia**	Le ***ciglia*** degli occhi e i ***cigli*** della strada.
il corno	→ **i corni / le corna**	I ***corni*** portafortuna e le ***corna*** del toro.
il dito	→ **i diti / le dita**	I ***diti*** mignoli e le ***dita*** della mano.
il labbro	→ **i labbri / le labbra**	I ***labbri*** di una ferita e le ***labbra*** della bocca.
il lenzuolo	→ **i lenzuoli / le lenzuola**	Due ***lenzuoli*** bianchi e le ***lenzuola*** fresche.
il muro	→ **i muri / le mura**	I ***muri*** lungo una strada e le ***mura*** della città.
l'osso	→ **gli ossi / le ossa**	Due ***ossi*** per il cane e le ***ossa*** del corpo umano.

Spesso questi nomi con plurale in **-a** si riferiscono a un insieme, come a un concetto **collettivo**.	Prendi i due ***lenzuoli*** nuovi. (in generale) Ecco le ***lenzuola***! (la coppia per preparare il letto)
Un po' diverso: il frutto → **i frutti / la frutta** (singolare).	I ***frutti*** di un albero. Mangiare molta ***frutta***.

2.3 ALTRI NOMI (E AGGETTIVI) IRREGOLARI

Come **i nomi e gli aggettivi** in **-ista** che hanno singolare invariabile in **-a** e plurale maschile e femminile in **-i / -e** (*il / la giornalista*, *i giornalisti*, *le giornaliste*), ci sono in italiano altri nomi e aggettivi che funzionano allo stesso modo.

l'atleta	→ **gli atleti / le atlete**	l'israelita	→ **gli israeliti / le israelite**
il / la belga	→ **i belgi / le belghe**	il / la moscovita	→ **i moscoviti / le moscovite**
il / la cipriota	→ **i ciprioti / le cipriote**	l'omicida	→ **gli omicidi / le omicide**
il / la collega	→ **i colleghi / le colleghe**	il / la patriota	→ **i patrioti / le patriote**
l'idiota	→ **gli idioti / le idiote**	il / la pediatra	→ **i pediatri / le pediatre**

Esercizi

1 Collega le espressioni alle spiegazioni giuste, come nell'esempio.

1 *Hanno incrociato le braccia.*
2 È il suo braccio destro.
3 Gli ho dato un dito e si preso un braccio.
4 Si contano sulle dita di una mano.
5 Facciamo le corna!
6 Non capisce un corno!
7 Non ha battuto ciglio.
8 È un altro paio di maniche.
9 Si è rotto l'osso del collo.
10 Gli ha rotto le ossa.
11 È tutt'ossa.
12 Sputa l'osso!
13 Deve sempre trovare il pelo nell'uovo.
14 Ci ha rotto le uova nel paniere.
15 Ti aspetto a braccia aperte.
16 Ha le braccia (braccine) corte.

A Sono pochissimi.
B È una cosa completamente diversa.
C *Hanno scioperato.*
D È molto pignolo, troppo critico.
E È molto magro.
F Gli ha dato molte botte, lo ha picchiato.
G È il suo migliore collaboratore.
H È rimasto impassibile.
I Non vedo l'ora di averti qui.
L Ha rovinato il nostro piano.
M Non capisce proprio niente.
N Ha approfittato della mia disponibilità.
O Devi dirmi quello che sai.
P Si è fatto molto male.
Q È un po' avaro.
R Speriamo nella fortuna.

1. C • 2.__ • 3.__ • 4.__ • 5.__ • 6.__ • 7.__ • 8.__ • 9.__ • 10.__ • 11.__ • 12.__ • 13.__ • 14.__ • 15.__ • 16.__

2 Completa con le vocali opportune.

1 Alla dimostrazione hanno partecipato alcun___ migliaia di persone.
2 Le antich___ mura di Roma sono ancora oggi quasi interamente visibili.
3 Per colazione mi sono fatto due uova sod___.
4 Il dottor Bianchi è un pediatra espertissim___.
5 Un prodotto belg__ di altissima qualità è sicuramente la cioccolata.
6 Antonio è un mio vecchi___ collega di lavoro.
7 Sandro Pertini era un famoso politico socialist___.
8 L'inverno moscovit___ per me è un po' freddino.
9 In centro c'è un ottimo ristorante vietnamit___.
10 Con questo rossetto avrai le labbra ross__ che hai sempre sognato!

Le mura di Roma

3 Scegli il sostantivo giusto.

1 L'edificio della prigione ha quattro ☐ bracci. ☐ braccia.
2 Un ortopedico è un dottore esperto in ☐ ossi. ☐ ossa.
3 Gli operai hanno imbiancato ☐ i muri ☐ le mura della camera.
4 Antichi strumenti musicali sono ☐ i corni ☐ le corna delle Alpi.
5 Quando è nervoso qualche volta sbatte ☐ i cigli. ☐ le ciglia.
6 Loro sono ☐ membri ☐ membra del Parlamento.
7 Certi discorsi mi fanno cadere ☐ i bracci. ☐ le braccia.
8 Ha lasciato la moglie perché lei gli ha messo ☐ i corni. ☐ le corna.

3. L'IMPERATIVO

3.1 LE FORME DELL'IMPERATIVO

	Parl -are	Scriv -ere	Sent -ire
(tu)	parl **-a** (→ non parlare!)	scriv **-i** (→ non scrivere!)	sent **-i** (→ non sentire!)
(lui / lei)	parl **-i**	scriv **-a**	sent **-a**
(noi)	parl **-iamo**	scriv **-iamo**	sent **-iamo**
(voi)	parl **-ate**	scriv **-ete**	sent **-ite**
(loro)	parl **-ino**	scriv **-ano**	sent **-ano**

Esclusivamente nella seconda persona (imperativo con il *tu*) la forma negativa si rende con **non** + **infinito**.

(tu) leggi! / (tu) ***non leggere***!
(tu) mangia la pasta! / (tu) ***non mangiare*** la pasta!
(voi) uscite! / (voi) non uscite!

3.2 IL SENSO DELL'IMPERATIVO

L'imperativo esprime un vero "ordine" o anche un invito, un consiglio, una concessione o, qualche volta, una supplica.
I diversi gradi di forza dell'imperativo possono essere marcati dal **tono di voce** o da qualche termine che chiarisce le nostre intenzioni: in particolare possiamo usare **dai!**, **forza!**, **un po'!**, **su!**, ecc.

Torna subito a casa!
Prendete carta e penna e scrivete.
Non mangiare troppo che ti fa male!
Ascolta la mia preghiera, ti prego!
Aiutate questi bambini, vi supplico!
Vieni un po' qui, tu...
Su, prova ancora!
Entra pure.

3.3 FORME IRREGOLARI DELL'IMPERATIVO

	Tu	lui / lei	noi	voi	loro
andare	**va' (vai)**	vada	andiamo	andate	vadano
avere	**abbi**	abbia	abbiamo	**abbiate**	abbiano
dare	**da' (dai)**	dia	diamo	date	diano
dire	**di'**	dica	diciamo	dite	dicano
essere	**sii**	sia	siamo	**siate**	siano
fare	**fa' (fai)**	faccia	facciamo	fate	facciano
sapere	**sappi**	sappia	-	**sappiate**	sappiano
stare	**sta' (stai)**	stia	stiamo	state	stiano
volere	-	voglia	-	**vogliate**	vogliano

3.4 IMPERATIVO DIRETTO E PARTICELLE PRONOMINALI

L'imperativo diretto (cioè con **tu**, **noi** e **voi**) attira i pronomi atoni (diretti, indiretti, combinati, riflessivi e anche le particelle pronominali **ci** e **ne**) e forma con loro una sola parola. L'imperativo indiretto (**lei**, **loro**) si comporta invece normalmente e la particella pronominale sta regolarmente davanti alle forme verbali.

	verbi in -ARE + ne	verbi in -ERE + ne	verbi in -IRE + ne	Verbi riflessivi
tu	parla**ne**	scrivi**ne**	senti**ne**	ricorda**ti**
lui / lei	**ne** parli	**ne** scriva	**ne** senta	**si** ricordi
noi	parliamo**ne**	scriviamo**ne**	sentiamo**ne**	ricordiamo**ci**
voi	parlate**ne**	scrivete**ne**	sentite**ne**	ricordate**vi**
loro	**ne** parlino	**ne** scrivano	**ne** sentano	**si** ricordino

Con le forme **va'**, **da'**, **di'**, **sta'**, **fa'**, l'aggiunta di un pronome provoca il raddoppiamento della consonante.

Va' a casa → ***Vacci!***
Da' un libro a me → ***Dammelo!***
Di' la verità → ***Dilla!***

3.5 L'IMPERATIVO COME SEGNALE DISCORSIVO

L'imperativo di alcuni verbi è usato come modo per "richiamare l'attenzione" quando si comincia a parlare.

guarda / guardi / guardate
pensa / pensi / pensate
scusa / scusi / scusate / scusino
senti / senta / sentite
vedi / veda / vediamo / vedete / vedano

Guardi... possiamo vederci domani?
Pensa, non lo incontravo da due anni!
Mi ***scusino***, i signori vogliono ordinare da bere?
Sentite, adesso non ho tempo.
Vediamo... oggi che giorno è?

e inoltre...

3.6 L'IMPERATIVO IN FORMULE ESCLAMATIVE

L'imperativo è usato in numerose formule esclamative o "frasi fatte".

abbi / abbia pazienza!
figurati / si figuri / figuratevi!
guarda guarda!
ma dai!
ma va'!
senti senti!
si immagini!
stammi / statemi bene!

Hai 50 anni? Ma ***va'***? Non lo immaginavo!
Non devi ringraziarmi, ***figurati***!
Guarda guarda chi è arrivato!
Ciao, ci vediamo, ***stammi bene***!

3.7 L'IMPERATIVO CON VALORE FUTURO

L'imperativo ha sempre un piccolo "valore futuro" (se do un ordine, questo riguarda il "dopo"); allo stesso modo il tempo futuro può avere un valore di imperativo; l'ordine espresso con un futuro è molto autorevole e solenne.

Tu ***farai*** quello che dico, chiaro?
Primo comandamento: non ***avrai*** altro Dio all'infuori di me.

Esercizi

1 **Abbina le immagini dei divieti agli imperativi negativi e collega il divieto al luogo dove si può trovare, come nell'esempio.**

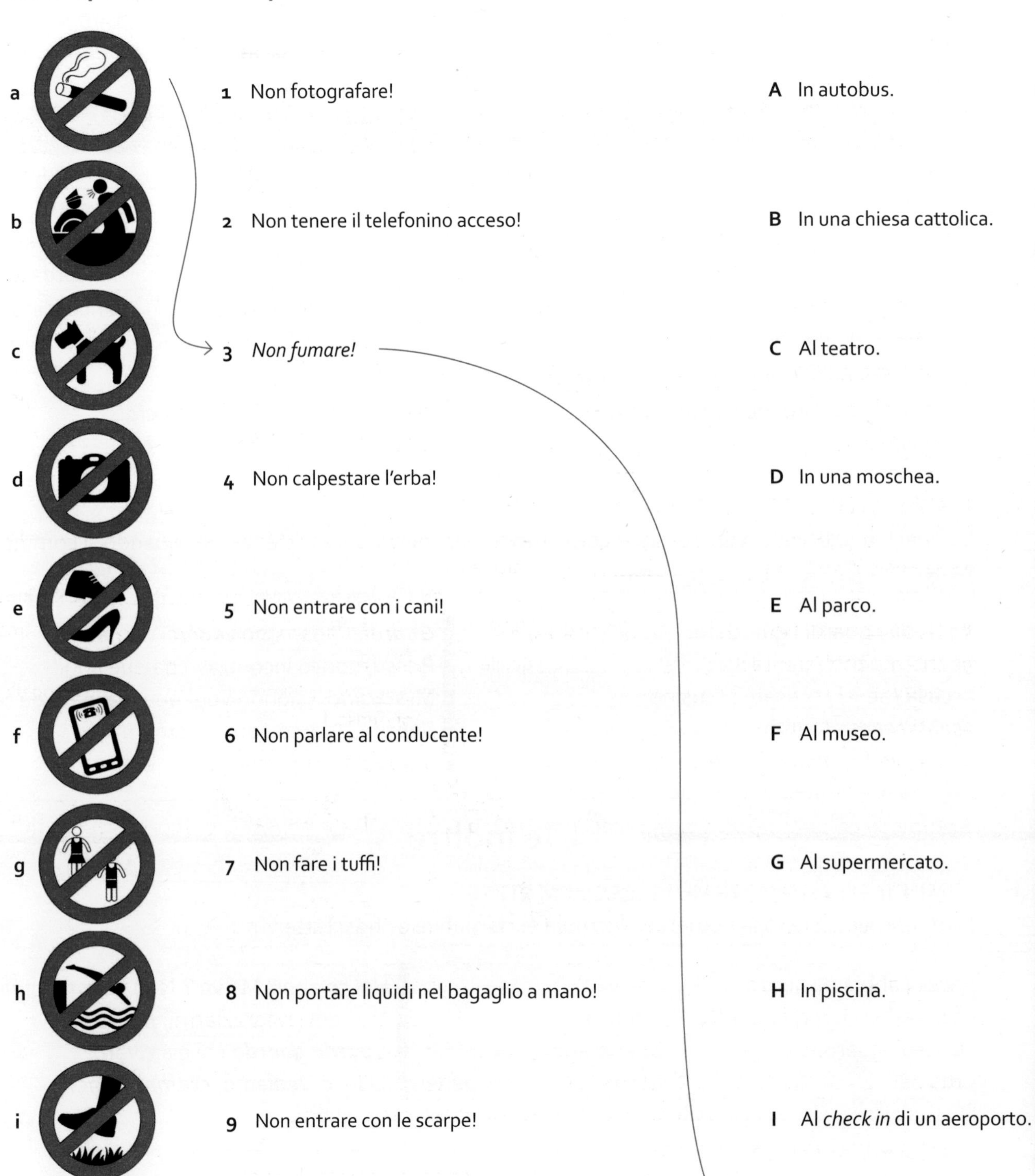

a
b
c
d
e
f
g
h
i
l

1 Non fotografare!
2 Non tenere il telefonino acceso!
3 *Non fumare!*
4 Non calpestare l'erba!
5 Non entrare con i cani!
6 Non parlare al conducente!
7 Non fare i tuffi!
8 Non portare liquidi nel bagaglio a mano!
9 Non entrare con le scarpe!
10 Non entrare con i pantaloncini corti o in minigonna!

A In autobus.
B In una chiesa cattolica.
C Al teatro.
D In una moschea.
E Al parco.
F Al museo.
G Al supermercato.
H In piscina.
I Al *check in* di un aeroporto.
L *Nei locali pubblici.*

a. 3 / L • b.__/__ • c.__/__ • d.__/__ • e.__/__ • f.__/__ • g.__/__ • h.__/__ • i.__/__ • l.__/__

Esercizi

2 **Trova il verbo all'imperativo nel titolo del giornale dell'11 giugno 1940.**

Il Popolo d'Italia

L'ORA SEGNATA DAL DESTINO È SCOCCATA

POPOLO ITALIANO CORRI ALLE ARMI!

L'intervento dell'Italia annunziato dal Duce

3 **Completa con le forme dell'imperativo, come nell'esempio.**

Es. (Tu devi parlare) → Parla!

1 (Tu devi partire) → Parti con me!
2 (Lei deve restare) → Resti a casa!
3 (Noi dobbiamo comprare) → Compriamo una nuova macchina!
4 (Voi non dovete parlare) → Non parlate!
5 (Tu devi leggere) → Leggi il libro!
6 (Voi non dovete interrompere) → No interrompite!
7 (Lei non deve prendere) → Prendi la medicina di mattina!
8 (Tu devi pensare) → Pensa prima di parlare!
9 (Noi non dobbiamo cantare) → Non cantiamo quella canzone!
10 (Voi non dovete dormire) → Non dormite!
11 (Lei deve tenere) → ~~Tiena~~ Tenga il resto!
12 (Tu devi venire) → ~~Venga~~ Vieni in Italia!
13 (Tu devi uscire) → Esci un po' la sera!
14 (Noi dobbiamo bere) → Beviamo un caffè!
15 (Voi dovete spegnere) → Spegnite quel computer che è tardi!
16 (Lei deve cercare) → Cerchi di capire!
17 (Lei deve inviare) → Invi una email al mio indirizzo!
18 (Tu devi trattenere) → ________ le lacrime!
19 (Tu devi finire) → Finisci pure con calma il lavoro!
20 (Lei deve scegliere) → Scegli il modello che preferisce!

4 **Completa con l'imperativo regolare, alla forma affermativa e negativa come nell'esempio.**

Es. Non devi entrare con le scarpe. / Devi entrare senza scarpe.
Non entrare con le scarpe! / Entra senza scarpe!

1 Tu non puoi entrare nello stadio senza il biglietto. / Devi entrare nello stadio con il biglietto.
________________ / ________________

2 Tu non devi guardare la Tv dopo le 23:00. / Devi guardare la Tv fino 23:00.
________________ / ________________

3 Voi non dovete lavorare dopo le 19:00. / Dovete lavorare fino alle 18:30.
________________ / ________________

4 Lei non deve fumare in camera da letto. / Deve fumare in terrazza.
________________ / ________________

5 Voi non dovete tornare a casa dopo le 24:00. / Dovete tornare a casa entro le 24:00.
________________ / ________________

6 Lei non deve accendere il telefonino quando è al cinema. / Deve accendere il telefonino quando è fuori dal cinema.
________________ / ________________

7 Noi non dobbiamo mangiare gelati se vogliamo dimagrire. / Dobbiamo mangiare gelati se vogliamo ingrassare.
________________ / ________________

Esercizi

5 Collega le esclamazioni della colonna di sinistra con il consiglio giusto nella colonna di destra, come nell'esempio.

1 *Ho fame!*
2 Ho perso l'autobus e sono in ritardo!
3 Ho la febbre!
4 Mi annoio!
5 Ho bisogno di affetto!
6 Ho sete!
7 Piove!
8 Non sopporto mia suocera!
9 Lavoro troppo!
10 Ho un po' di soldi in banca!

a Prendi un taxi!
b Non dirlo mai a tuo marito!
c Bevi un bicchiere d'acqua!
d Chiedi al tuo capo una settimana di ferie!
e Non dimenticarti l'ombrello!
f Organizza un bel viaggio!
g Compra un cane!
h Compra le medicine!
i *Mangia!*
l Esci con gli amici!

1._I_ • 2.__ • 3.__ • 4.__ • 5.__ • 6.__ • 7.__ • 8.__ • 9.__ • 10.__

6 Questo è l'inizio di un famoso romanzo di Italo Calvino. Completalo con i verbi all'imperativo diretto con il *tu*.

ITALO CALVINO
SE UNA NOTTE D'INVERNO UN VIAGGIATORE

Stai per cominciare a leggere il nuovo romanzo *Se una notte d'inverno un viaggiatore* di Italo Calvino. (*Rilassarsi*) _______________. (*Raccogliersi*) _______________. (*Allontanare*) _______________ da te ogni altro pensiero. (*Lasciare*) _______________ che il mondo che ti circonda sfumi nell'indistinto. La porta è meglio chiuderla: di là c'è sempre la televisione accesa. (*Dire + lo*) _______________ subito agli altri: "No, non voglio vedere la televisione!". (*Alzare*) _______________ la voce se no non ti sentono.

da *Italo Calvino, Se una notte d'inverno un viaggiatore*

7 Completa con le forme dell'imperativo (irregolare a sinistra, riflessivo a destra), come nell'esempio.

Es. (Lei deve essere gentile) → Sia gentile!

1 (Lei deve dire) → __________ tutta la verità!
2 (voi dovete sapere) → __________ tacere!
3 (tu devi essere)→ __________ gentile!
4 (tu devi avere) → __________ pazienza!
5 (noi dobbiamo dare) → __________ un consiglio a Federica!
6 (Lei deve stare) → __________ attenta!
7 (voi dovete essere) → __________ contenti!
8 (noi dobbiamo dire) → __________ quello che pensiamo!
9 (Lei deve darmi) → __________ del tu!
10 (tu devi fare) → __________ un favore a tuo padre!

Es. (Tu ti devi pettinare) → Pettinati!

11 (tu ti devi pentire) → __________!
12 (voi vi dovete ricordare) → __________!
13 (noi non ci dobbiamo dimenticare) → __________!
14 (tu non ti devi arrabbiare) → __________!
15 (voi dovete lavarvi) → __________ le mani!
16 (noi dobbiamo metterci) → __________ a lavorare !
17 (tu devi riguardarti) → __________!
18 (voi non vi dovete fermare) → __________!
19 (noi non ci dobbiamo arrendere) → __________!
20 (tu devi calmarti!) → __________!

8 Leggi i consigli e trasforma le frasi dalla forma di cortesia (Lei) in quella amichevole (tu).

Per sembrare più giovane...

1 ***Dichiari*** cinque anni più di quelli che ***ha***.

____

2 ***Riempia*** la ***sua*** conversazione di parole inglesi, anche se non ***parla*** inglese.

____

3 ***Si ricordi*** che i cd non esistono più.

____

4 Prima di ***iscriversi*** a un social network, ***impari*** a modificare le ***sue*** foto con Photoshop.

____

5 Prima di ***mettersi*** l'orecchino al naso, ***ci pensi!***

____

6 Non ***dica*** troppo spesso "L'importante è essere giovani dentro".

____

7 Non ***si metta*** la tuta da ginnastica di ***suo*** figlio. Addosso a ***Lei*** sembra un pigiama.

____

8 Non ***si tatui*** la lupa di Roma sul torace... in poco tempo sembrerà una mucca da latte.

____

9 Non ***canticchi*** le canzoni di Jovanotti per ***mostrarsi*** aggiornato.

____

10 Non ***mostri*** il bordo delle mutande sopra quello dei pantaloni.

____

da *internazionale.it*

9 Completa le frasi nella colonna destra con l'imperativo affermativo e negativo + pronomi, come nell'esempio.

1	Vorrei ballare il tango tutta la notte!	Ballalo	pure tutta la notte se ti piace.
		Non ballarlo	tutta la notte che domani devi andare a lavorare presto!
2	Vorrei mangiare una torta intera!	______________	! Non ti farà certo male, per una volta!
		______________	tutta che poi starai male!
3	Vorrei regalare dei fiori a mia moglie.	______________	! Finalmente un pensiero gentile!
		______________	! Penserà subito che l'hai tradita!
4	Vorrei andare all'estero per un anno.	______________	! Si vive una volta sola!
		______________	! Si sta tanto bene a casa...
5	Vorrei regalare una moto a Luca.	______________	! Luca merita proprio un premio!
		______________	! Luca è già abbastanza viziato.
6	Vorrei sposarmi.	______________	! La famiglia è una cosa bellissima.
		______________	! Goditi la vita finché puoi.
7	Vorrei tagliarmi i capelli.	______________	! Stai male con i capelli lunghi.
		______________	! Stai male con i capelli corti.
8	Vorrei fare sport.	______________	! Fa bene alla salute e allo spirito.
		______________	! Sei vissuto grasso e vuoi morire magro?
9	Vorrei cambiare lavoro.	______________	! È bello fare nuove esperienze!
		______________	! Quando ne trovi un altro?
10	Vorrei dire a Marco quello che penso.	______________	! Gli amici servono per questo.
		______________	! Rischi di rompere l'amicizia.
11	Vorrei darti un consiglio.	______________	! Ne ho tanto bisogno.
		______________	! Ho bisogno di soldi, non di consigli.
12	Vorrei spiegarti una cosa.	______________	! Magari così capisco qualcosa anch'io.
		______________	! Non c'è niente da capire.

Esercizi

10 **Completa la tabella con i verbi all'imperativo e i pronomi, come nell'esempio.**

La dieta perfetta. Dodici suggerimenti.

	NOI	VOI	LEI
Es. Sostituire le proteine della carne.	sostituiamole	sostituitele	Le sostituisca
1 Inserire i cereali nella dieta.			
2 Prendere due porzioni di cereali al giorno.			
3 Tenere sotto controllo la vitamina B12.			
4 Evitare la mancanza di ferro.			
5 Mangiare frutta secca.			
6 Consumare due porzioni di frutta al giorno.			
7 Non aggiungere zuccheri alle spremute.			
8 Non consumare troppe uova.			
9 Aumentare le proteine vegetali.			
10 Prevenire le malattie.			
11 Non seguire una dieta "fai da te".			
12 Parlare della dieta con un medico.			

e inoltre...

11 **Per ogni situazione inserisci una formula esclamativa della lista (alcune sono "interscambiabili" fra loro).**

abbi pazienza | figurati | guarda guarda | ma dai | ma va' | senti senti

1 È colpa mia? _______________! Lo sanno tutti che è colpa di Michele!
2 ■ Lo sai che sono stato in Lapponia? ● _______________? Non ci credo!
3 Aspetta cinque minuti per favore, ho quasi finito! _______________, solo un attimo!
4 ■ La sai l'ultima? Marco e Maria si sono lasciati! ● _______________!
5 _______________ chi si rivede!
6 ■ Grazie per il tuo aiuto! ● Ma niente, _______________, è stato un piacere!

12 **Completa con le forme dell'imperativo il testo dei "Dieci Comandamenti" biblici.**

1 (Non devi avere) _______________ altro Dio all'infuori di me. (futuro con valore imperativo)
2 (Non devi nominare) _______________ il nome di Dio invano.
3 (Ti devi ricordare) _______________ di santificare le feste.
4 (Devi onorare) _______________ il padre e la madre.
5 (Non devi uccidere) _______________.
6 (Non devi commettere) _______________ atti impuri.
7 (Non devi rubare) _______________.
8 (Non devi dire) _______________ falsa testimonianza.
9 (Non devi desiderare) _______________ la donna d'altri.
10 (Non devi desiderare) _______________ la roba d'altri.

4. I PRONOMI RELATIVI

4.1 I PRONOMI RELATIVI *CHE* E *CUI*

Il pronome relativo più importante in italiano è **che**. Ha valore di **soggetto** o di **oggetto** in una frase dipendente e non è mai preceduto da preposizione.	Lei ha un marito ***che*** lavora sempre. Questo è un ristorante ***che*** tutti conoscono.
Se il pronome relativo non è soggetto o oggetto (in generale quando è introdotto da preposizione) si usa la forma **cui**.	Vorrei presentarti la persona ***di cui*** ti ho parlato. Questa è una domanda ***a cui*** non so rispondere. Questa è una cosa ***in cui*** credo molto.
In cui (locativo) è spesso sostituito da **dove**; **in cui** (temporale) è spesso sostituito da **quando** e nel parlato anche da **che**.	La città (***in cui***) ***dove*** vivo è Roma. È uno di quei giorni ***che*** ti prende la malinconia (*Domani è un altro giorno*, Ornella Vanoni).

4.2 IL PRONOME RELATIVO *IL QUALE*

I relativi **che** (soggetto) e **cui**, entrambi invariabili, nella lingua scritta possono essere sostituiti dal relativo (variabile) **il quale, la quale, i quali, le quali**.	Ho parlato con dei tecnici informatici ***i quali*** (= che) hanno confermato le mie idee. Loro sono persone ***alle quali*** (= a cui) non devo certo dare spiegazioni.

4.3 IL PRONOME RELATIVO-INDEFINITO *CHI*

Il pronome relativo **chi** significa **quelli che, la gente che**: ha un valore indefinito ed è **sempre singolare**. Si usa anche con preposizione.	***Chi*** ha troppi soldi spesso è infelice, dicono. Devi andare ***da chi*** può aiutarti! ***A chi*** me lo chiede gentilmente non dico mai di no.

e inoltre...

4.4 *IL CHE* E *PER CUI*

Il che si usa per dire **questo fatto, questa cosa che ho detto**.	Mi ha chiesto scusa. ***Il che*** mi ha fatto davvero piacere.
Per cui si usa come sinonimo di **per questo, perciò**.	Credo di essere stato chiaro. ***Per cui*** non credo di dover dire altro.

4.5 IL RELATIVO-POSSESSIVO

Nella lingua scritta o nel parlato "di alto livello", si usa **cui** con valore di possessivo relativo, nella formula "**articolo determinativo** + **cui** + **nome**".	L'artista, ***le cui*** opere sono in molti musei del mondo, è nato a Palermo. (*Le cui opere* significa "le opere dell'artista, le sue opere")

Esercizi

1 **Inserisci i pronomi relativi della lista nelle frasi. Poi abbina a ogni frase uno degli oggetti rappresentato e scrivine il nome.**

che	che	che	chi	di cui	a cui	a cui
da cui	in cui	con cui	con cui	su cui	per cui	

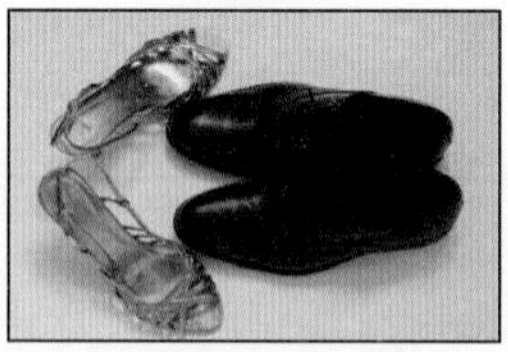

1 Piacciono a tutti, ma per tradizione l'uomo ______ sei innamorata te li regala a San Valentino. [ ]

2 È un ingrediente ______ si fanno molti cocktail, ma è anche un ottimo aperitivo. [ ]

3 Noi italiani lo beviamo spesso al bar, ma questo è lo strumento ______ lo prepariamo a casa. [ ]

4 È una firma della moda italiana ______ ha avuto rapporti anche con la celebre cantante Madonna. [ ]

5 Anche ______ non sa guidare deve ammettere che è proprio bella: il Cavallino Rampante è il simbolo che la rappresenta. [ ]

6 É un'automobile della Fiat. Il prezzo economico e il design sono le qualità ______ ha avuto molto successo. [ ]

7 La pastasciutta è un piatto ______ gli italiani lo mettono volentieri dopo averlo grattugiato. [ ]

8 Si chiamava "Supercrema": la parola inglese "nut " è il nome ______ deriva il marchio attuale. [ ]

9 È così buono che in Italia lo mangiamo anche d'inverno. La persona ______ lo chiediamo si chiama "gelataio". [ ]

10 La persona ______ la usa si chiama "centauro" (un famoso centauro italiano? Valentino Rossi!). [ ]

11 È il contenitore ______ si mette l'acqua per cucinare la pasta, ma può essere anche un vero capolavoro di design. [ ]

12 Agli uomini servono solo per camminare. Per molte donne sono spesso una tentazione ______ non si può resistere. [ ]

13 È una cosa ______ aiuta a vedere meglio il mondo ma qualcuno ne fa uso solo per avere una faccia più interessante. [ ]

Esercizi

2 **Leggi l'articolo e scegli i pronomi relativi corretti.**

L'Italia si racconta attraverso il design

L'Italia raccontata attraverso gli oggetti del design ***che / da cui*** hanno reso celebre la produzione del nostro paese.
È quanto offre la mostra itinerante "*Oggetti d'Italia. Design, ritratto del bel paese nel mondo*". L'esposizione riassume l'unicità del design italiano e identifica vecchie e nuove tendenze ***che / in cui*** si muove la ricerca di progetto, in particolare quella animata dai giovani *designer* italiani.
Per individuare gli oggetti più rappresentativi dell'identità italiana è stato formulato un sondaggio ***che / a cui*** i nostri lettori possono partecipare rispondendo alle seguenti domande:

1. Qual è secondo te l'oggetto ***che / di cui*** ha maggiormente segnato l'immaginario collettivo degli italiani dagli inizi del '900 ad oggi?
2. Qual è secondo te l'oggetto ***che / con cui*** i paesi esteri identificano l'Italia?
3. Qual è secondo te l'oggetto ***che / su cui*** rappresenta in misura maggiore l'Italia nel panorama contemporaneo del design mondiale?

da *Il Sole 24ORE* del 4 ottobre 2015

3 **Prova a scrivere le descrizioni degli oggetti utilizzando i pronomi relativi, come nell'esempio. Poi abbina le descrizioni alle immagini.**

1 _b_ I coltelli
Sono gli strumenti con cui si taglia la carne.

2 __ La zuccheriera
____

3 __ Lo schiaccianoci
____

4 __ Lo scolapasta
____

5 __ Il cavatappi
____

6 __ Il coperchio
____

7 __ Il temperamatite
____

8 __ L'oliera
____

a
b
c
d
e
f
g
h

4 Inserisci nel testo i pronomi relativi della lista.

a cui	che	con cui	da cui	di cui	in cui	in cui

Se c'è un'immagine _______ rappresenta bene come erano "i giornalisti di una volta" è questa: un giovane Indro Montanelli (uno dei più grandi giornalisti italiani) fotografato nel momento _______ scrive un suo articolo.
Sulle ginocchia ha la sua *Olivetti Lettera 22*.
Eh sì, forse protagonista di questa fotografia non è Montanelli, ma proprio la Olivetti, questa macchina da scrivere _______ si sono serviti tutti gli scrittori e i giornalisti dal dopoguerra fino... al computer.
Nel 1950 infatti un ingegnere e un *designer* (Giuseppe Beccio e Marcello Nizzoli) _______ Adriano Olivetti aveva dato il compito di creare una macchina da scrivere nuova, moderna, leggera, trasportabile e pratica, progettano questo modello _______ poi nasceranno altri modelli sempre più belli e moderni.
Ma la *Lettera 22* (_______ Indro Montanelli ha continuato a scrivere tutta la vita, anche dopo dopo l'arrivo del computer) rimane la "mamma" di tutte le macchine da scrivere. E dal 1959, il *Museum of Modern Art* di New York, _______ sono presenti i migliori prodotti di *design*, ha accolto la *Lettera 22* nella sua collezione permanente.

5 Completa le frasi su Indro Montanelli con i pronomi relativi.

1 Indro Montanelli è un famoso giornalista ______ ha scritto con la *Olivetti Lettera 22* per tutta la vita.
2 La *Olivetti Lettera 22* è un oggetto ______ Indro Montanelli non si è mai separato.
3 Montanelli è un signore ______ ha fatto il giornalista dagli anni Trenta fino al 2001.
4 Non era certamente di sinistra: questo è il motivo ______ nel 1977 le Brigate Rosse gli hanno sparato.
5 Ma non era neanche di destra e Berlusconi era un uomo ______ non andava d'accordo.
6 Era un po' anarchico e forse l'unica cosa ______ credeva era la libertà individuale.

6 Leggi la lista delle dieci cose per cui vale la pena vivere secondo lo scrittore Roberto Saviano e sottolinea i pronomi relativi.

Le dieci cose per cui vale la pena vivere

1. La mozzarella di bufala aversana.
2. Billy Evans che suona *Love Theme From Spartacus*.
3. Portare la persona che più ami sulla tomba di Raffaello Sanzio e leggerle l'iscrizione latina che molti ignorano.
4. Il gol di Maradona del 2 a 0 contro l'Inghilterra ai mondiali del Mexico '86.
5. L'Iliade.
6. Bob Marley che canta *Redemption Song* ascoltato nelle cuffie mentre passeggi libero.
7. Tuffarsi, ma nel profondo, dove il mare è mare.
8. Sognare di tornare a casa dopo che sei stato costretto a star via molto, molto tempo.
9. Fare l'amore.
10. Dopo una giornata in cui hanno raccolto firme contro di me, aprire il computer e trovare una mail di mio fratello che dice: "Sono fiero di te".

La tomba di Raffaello, Pantheon, Roma

7 E secondo te quali sono le 10 cose per cui vale la pena vivere?

e inoltre...

8 **Inserisci nella pubblicità il pronome relativo corretto, scegliendo tra le strutture della lista.**

articolo determinativo + *cui*	*che*
preposizione + *cui*	

Le Ziguli

Sono caramelle rotonde e colorate, senza conservanti né coloranti ________ gusti di frutta fanno la gioia di molti bambini dagli anni Sessanta ad oggi.

Le italianissime Ziguli sono prodotte dall'azienda Falqui ________ le ha immesse sul mercato attraverso le farmacie, per dare una certa sicurezza di un prodotto adeguato ai ragazzi.

Ogni confezione di Zigulì, ________ si trovano le 36 mitiche palline, contiene vera polpa e succo di frutta: oltre ai classici gusti, le Zigulì sono prodotte anche con aggiunta di vitamina C e multivitaminiche, ragione ________ molte mamme le comprano come rimedio preventivo contro i raffreddori stagionali.

Quando si usa "cui"?

Cui si usa più nello scritto che nel parlato; è comunque molto presente in alcune costruzioni standardizzate comuni anche nel parlato.

Es. *Il motivo **per cui** parlo; nel momento **in cui** rispondi; ho molti amici stranieri **tra cui** un iraniano; una persona **di cui** non so niente; un argomento **su cui** posso dire molto*; ecc.

Ho sentito questa frase: "Paese che vai, usanze che trovi". Ma è corretta?

È un vecchio modo di dire che "in teoria" contiene un errore di grammatica, ma in pratica è accettato. In teoria, appunto, si dovrebbe usare *in cui* o *dove* collegato al verbo *andare*. Ma in questo caso, e solo in questo caso, il *che* è accettato.

9 **Spiega con altre parole i modi di dire, come nell'esempio.**

Es. Chi tardi arriva male alloggia.

Puoi dirlo a un amico che è sempre in ritardo. Per esempio: Hai due biglietti per il teatro, uno in prima fila, uno all'ultima fila della platea. Di solito sei gentile, ma questa volta hai deciso di occupare la poltrona in prima fila.

1 Chi dorme non piglia pesci.
2 Chi trova un amico trova un tesoro.
3 Can che abbaia non morde.
4 Chi va piano va sano e va lontano.
5 Chi troppo vuole nulla stringe.
6 Paese che vai usanze che trovi.
7 Chi ben comincia è a metà dell'opera.
8 Chi tace acconsente.

lettura 2. DI MAMME CE N'È UNA SOLA

Da "Dalla parte delle bambine" di Elena Gianini Bellotti, direttrice del Centro Nascita Montessori, Milano 1973. Un libro che ha rappresentato una specie di Vangelo per le femministe italiane.

Madre Betta, vuoi levarti il cappottino?
Betta *(Non risponde ma sorride)*
Madre Lo vuoi tenere il cappottino?
Betta Sì.
Madre È bello vero questo giochino?
Betta *(Non risponde ma sorride)*
Madre Te lo leva la mamma il cappottino?
Betta *(Non risponde)*
Madre Dillo alla mamma se ti scappa la pipì[1].
Betta Sì.
Madre Vieni che ti porto a fare pipì.
Betta *(Fa no con la testa)* Non mi scappa.
Madre Sei sicura che non ti scappa?
Betta *(Non risponde)*

Nel frattempo passo davanti a Betta che alza gli occhi a guardarmi e sorride.

Betta Dove vai?
Io Al bagno a fare pipì *(è la pura verità)*.
Betta *(Sorride divertita)*
Io *(Uscendo dal bagno)* Posso sedermi vicino a te?
Betta *(Annuisce felice)*
Madre Chi è questa signora? *(Betta non risponde ma guarda e sorride)*
Madre Ti piace questa signora?
Betta Sì *(e mi sorride apertamente)*.
Madre Hai detto come ti chiami a questa signora? *(Betta non risponde)*
Madre Perché non fai vedere la tua borsettina a questa signora? *(Betta esegue)*
Madre Cosa c'è nella tua borsettina?
Betta Lo specchio.
Madre Glielo dici come ti chiami a questa signora? *(Betta tace)*
Madre *(Rivolta a me)* Strano, è una chiacchierona... *(rivolta a Betta)* Non tenere un piedino sopra l'altro, le scarpine nuove si sciupano! *(Betta esegue)*
Madre Hai detto a questa signora quanti anni hai?
Betta *(Facendo segno con le dita)* Due.
Io Sei una bambina grande allora.
Madre Sì, ma qualche volta fa ancora pipì nelle mutandine questa bambina.
Io *(Faccio finta di non aver sentito)*
Madre Ti scappa la pipì Betta?
Betta No.
Madre Allora il cappottino lo tieni? *(Betta tace)*

---

[1] ti scappa la pipì? → hai bisogno di fare la pipì?

1 Scegli la forma corretta.

1 Betta, ***non togli / non toglie / non togliere*** il cappottino!
2 Betta, ***dimmi / mi dici / mi dice*** quanti anni hai!
3 Betta, ***levati / ti levi / levarti*** il cappottino!
4 Betta, ***vieni qui! / viene qui! / venire qui!***
5 Betta, ***non rispondimi / non rispondi / non rispondermi*** male!
6 Betta, ***ti siedi / sederti / siediti*** vicino a me!
7 Betta, devi tenere i piedi a posto: ***tenerli / tienili / li tieni*** a posto!
8 Betta, ***dici / di' / dica*** a questa signora come ti chiami!
9 Betta, ***faccia / fa / fa'*** vedere a questa signora la tua borsettina!
10 Betta, ***non sciupare / non sciupa / non sciupano*** le tue scarpine!
11 Betta, ***non fa' / non fai / non fare*** la pipì nelle mutandine!

2 Tipici ordini per bambini dati da una mamma (italiana?). Trasformali su un quaderno, come nell'esempio.

Es. Devi studiare matematica! → *Studia matematica! Studiala!*

1 Devi lavarti le mani!
2 Devi metterti la maglietta di lana!
3 Devi dire grazie!
4 Devi salutare!
5 Non devi parlare ad alta voce!
6 Devi chiedere scusa!
7 Devi fare i compiti!
8 Devi lasciare passare le signore quando apri la porta!
9 Non devi dire le parolacce!
10 Non devi stare tutto il giorno davanti al computer!
11 Devi andare a trovare la nonna!
12 Devi lavarti i denti prima di andare a letto!
13 Non devi intervenire quando parlano i grandi!
14 Devi asciugarti i capelli!
15 Non devi fare il bagno dopo mangiato!
16 Devi andare a letto!
17 Devi telefonarmi quando arrivi!
18 Non devi stare due ore al telefono!

3 Scrivi vicino a ogni nome il diminutivo appropriato, come negli esempi.

Es. Cappotto → *Cappottino* - Occhi → *Occhietti* - Portone → *Portoncino*

1 Betta ____________
2 Mamma ____________
3 Gioco ____________
4 Signora ____________
5 Borsetta ____________
6 Piede ____________
7 Scarpe ____________
8 Mutande ____________
9 Bagno ____________
10 Borsa ____________
11 Specchio ____________
12 Tavolino ____________
13 Macchina ____________
14 Pranzo ____________
15 Pollo ____________
16 Libro ____________
17 Scarponi ____________
18 Bottone ____________
19 Pallone ____________
20 Peperone ____________
21 Padrone ____________
22 Furgone ____________
23 Camion ____________
24 Boccone ____________

4 Rispondi con CE L'HO, CE LI HO, CE LE HO, CE NE HO.

1 Hai il telefonino? Il telefonino? Sì, ____________ in tasca.
2 Hai una macchina? La macchina? ____________ in garage.
3 Hai il computer? Il computer? Certo che ____________.
4 Hai soldi? I soldi? Pochi. E ____________ in banca.
5 Hai i fazzoletti? I fazzoletti? Vediamo, forse ____________ ancora uno!
6 Hai qualche caramella? Le caramelle? ____________ sempre le caramelle io!
7 Hai delle penne per me? Penne? Mi sa che ____________ un paio.
8 Hai un minuto per me? Per te ____________ sempre un minuto!
9 Hai tempo libero? Tempo libero? Purtroppo ____________ sempre troppo poco.
10 Hai un accendino? Un accendino? Mi dispiace, non ____________.

5. GLI INDEFINITI

5.1 GLI INDEFINITI: DEFINIZIONE

Gli indefiniti sono **aggettivi** o **pronomi** (qualche volta anche **avverbi**) che si riferiscono a qualcosa di **non determinato** (nel numero, nella qualità o nella quantità).

Certe persone sono oneste, ***altre*** non lo sono.
Nessuno è perfetto!
Nessun cittadino deve soffrire la fame.

In molti casi lo stesso indefinito può essere aggettivo e pronome: è aggettivo quando accompagna un nome; pronome quando può "stare da solo".

Alcune (aggettivo) persone parlano italiano.
Alcuni (pronome) parlano italiano.

5.2 LISTA DEGLI INDEFINITI

Aggettivo	Pronome	Esempio
qualche	-	***Qualche volta*** sei antipatico.
-	qualcuno / qualcuna	***Qualcuno*** di voi parla francese?
-	qualcosa / qualche cosa	***Qualcosa*** non funziona.
-	uno / una	Ho conosciuto ***una*** molto carina.
alcuno / alcuna / alcuni / alcune	alcuno / alcuna / alcuni / alcune	Voglio dirti ***alcune*** novità.
certo / certa / certi / certe	certi / certe	***Certe volte*** mi fai arrabbiare.
quale / quali	quale / quali	***Quale libro*** vuoi leggere?
altro / altra / altri / altre	altro / altra / altri / altre	Ci sono ***altre scatole*** da portare?
qualunque	-	***Qualunque giorno*** va bene.
-	chiunque	***Chiunque*** può capire la verità.
qualsiasi	-	Io mangio ***qualsiasi cosa***.
ciascuno / ciascuna	ciascuno / ciascuna	***A ciascuno*** il suo (romanzo).
ogni	-	***Ogni giorno*** è uguale all'altro.
-	ognuno	***Ognuno*** fa quello che vuole.
tutto / tutta / tutti / tutte	tutto / tutta / tutti / tutte	***Tutti*** studiano volentieri.
nessuno / nessuna	nessuno / nessuna	Chi ha parlato? ***Nessuno***?
-	niente	Non c'è ***niente*** da fare.
-	nulla	Non c'è ***nulla*** di male!
poco / poca / pochi / poche	poco / poca / pochi / poche	***Pochi*** lavorano in campagna.
parecchio / parecchia / parecchi / parecchie	parecchio / parecchia / parecchi / parecchie	In città vedo ***parecchi turisti***.
molto / molta / molti / molte	molto / molta / molti / molte	***Molte*** volte non ti capisco.
troppo / troppa / troppi / troppe	troppo / troppa / troppi / troppe	***Troppi*** di voi hanno sbagliato.
tanto / tanta / tanti / tante	tanto / tanta / tanti / tante	Ti devo raccontare ***tante*** cose!

5.3 NOTE SUGLI INDEFINITI

Gli aggettivi **ciascuno**, **nessuno**, **qualche**, **qualunque**, **qualsiasi** e **ogni** sono seguiti da **sostantivo singolare**, anche se l'idea è di una quantità plurale.	***Ciascuna persona***, ***qualsiasi uomo***, ***qualunque animale***, ***ogni essere vivente*** ha diritto a essere rispettato.
I pronomi **chiunque**, **ciascuno**, **nessuno**, **niente**, **nulla**, **ognuno**, **qualcosa / qualche cosa**, **qualcuno**, **uno**, sono sempre singolari (come il pronome relativo-indefinito *chi*).	***Niente*** è sicuro nella vita! Qualcuno ***sta*** facendo il furbo. Nessuno ***ha*** protestato.
Gli indefiniti quantitativi (**molto**, **parecchio**, **poco**, **tanto**, **troppo**) usati come avverbi sono invariabili.	Una persona ***poco*** diplomatica. Lei è ***parecchio*** stanca.
Sono **sempre avverbi** le forme indefinite come **assai** (= molto), **un po'**, **abbastanza**, **appena**.	Per oggi ho lavorato ***abbastanza***. Sono ***assai*** felice di questa notizia. Sei ***un po'*** nervoso in questo periodo.
Nelle frasi interrogative **qualcuno** e **nessuno** così come **niente** e **qualcosa** qualche volta sono interscambiabili.	***Nessuno*** mi ascolta? = ***Qualcuno*** mi ascolta? Ricordi ***qualcosa***? = Ricordi ***niente***? C'è ***qualcuno***? = C'è ***nessuno***? Hai visto ***qualcosa***? = Hai visto ***niente***?
Tutto, in funzione di aggettivo, è sempre seguito dall'articolo determinativo. Attenzione: la formula **tutto che* non esiste. Si deve usare **tutto quello che**.	***Tutte le*** sere va a dormire a mezzanotte. Con ***tutti i*** soldi che ha, non cambia mai le scarpe! Questo è ***tutto quello che*** ho. ***Tutti quelli che*** studiano in questa scuola sono stranieri.
Ciascuno e **nessuno** - come aggettivi - hanno le forme simili a quelle dell'articolo indeterminativo.	Ness***un*** uomo, ness***una*** donna, ness***uno*** stato; ecc. ***Ciascun partecipante*** deve pagare una quota. ***Nessuno champagne*** è più buono del mio Prosecco.

1 Completa i testi con gli indefiniti delle liste corrispondenti.

Angelica, italiana, e il marito Benoit, francese, con le loro figlie Emma e Vittoria, sono in fila per prendere l'aereo che li porterà di nuovo a Parigi dopo una vacanza in Italia. L'aereo è in ritardo di un'ora.

nessuno	niente	qualche	qualcosa	troppo

Benoit (*pronuncia la R alla francese!*): _______________ minuto va bene ma un'ora è davvero _______________! Voglio proprio scrivere una lettera al dirigente di questa compagnia e dire che così non va! Ma tanto _______________ mi risponderà... uffa! Che faccio? Non ho _______________ da fare! Ho già letto tutti i giornali... bah, vado al bar a mangiare _______________.

nessuno	qualcuno	qualsiasi	parecchio

Angelica (*arrabbiatissima*): Ma insomma!!! _______________ mi deve dire perché non partiamo! È un'ora che aspettiamo, mica dieci minuti! E le bimbe sono _______________ stanche ed io con loro. Ma non c'è una baby sitter pagata dalla compagnia aerea in casi come questi? Insomma, trovate una soluzione _______________, non si può andare avanti così! Se questi non si sbrigano inizio a urlare! Ma insomma non c'è _______________ che mi ascolta in questo dannato aeroporto?

altro	certi	molto	tutto

Emma e Vittoria (*felicissime*): Yuppi!!! Che bello!!! Non partiamo, restiamo in Italia!!! Così domani non andiamo a scuola e possiamo giocare _______________ il giorno! _______________ giorni sono _______________ fortunati! Papà ci compri ancora un _______________ lecca lecca?

2 Trasforma l'aggettivo indefinito + sostantivo in un unico pronome indefinito.

1 ***Nessuna persona*** _______________ è senza difetti.
2 ***Nessuna cosa*** _______________ è più importante di te!
3 ***Ciascun uomo*** _______________ conosce i propri limiti.
4 ***Ogni persona*** _______________ fa quello che deve fare.
5 ***Certi tipi*** _______________ non sanno proprio come divertirsi.
6 Ho ben ***altre cose*** _______________ in mente, io!
7 Non ho visto ***nessun invitato*** _______________ annoiato a quella festa .
8 In spiaggia ***alcuni ragazzi*** _______________ giocavano a pallone, ***altre persone*** _______________ facevano il bagno.
9 ***Molti clienti*** _______________ al ristorante hanno ordinato il pesce tranne ***alcune persone*** _______________ che hanno preso la carne.
10 ***Poche persone*** _______________ restano a Roma ad agosto: ***parecchie persone*** _______________ partono per le vacanze.

Esercizi

3 Inserisci gli indefiniti della lista in questi versi di canzoni italiane.

certe	nessuno	nessuno	niente	ogni	ognuno
qualche	qualcosa	qualcuno	quale	troppo	

1 ______________ notti la macchina è calda e dove ti porta lo decide lei. (*Ligabue*)
2 E si farà l'amore, ______________ come gli va. (*Lucio Dalla*)
3 C'è ______________ di grande fra di noi che non potrà cambiare mai. (*Lunapop*)
4 ______________ ti giuro ______________ ci può separare, nemmeno il destino. (*Mina*)
5 ______________ tanto penso a te, sposti tutti i miei confini. (*Gianna Nannini*)
6 Quando la morte mi chiamerà forse ______________ protesterà dopo aver letto nel testamento quel che gli lascio in eredità. (*Fabrizio de André*)
7 ______________ allegria, se non riesco più nemmeno a immaginarti? (*Lucio Dalla*)
8 Non posso farci ______________ e tu puoi fare meno, sono vecchio di orgoglio. (*Francesco Guccini*)
9 Azzurro, il pomeriggio è ______________ azzurro e lungo per me. (*Paolo Conte*)
10 Quando ero piccolo non stavo mica bene, avevo ______________ allucinazione. (*Giorgio Gaber*)

4 Completa le frasi con gli indefiniti opportuni.

1 Oggi gli spaghetti li trovi in ______________ supermercato, anche all'estero.
2 Come può l'uomo della strada, l'uomo ______________ insomma, capire questa situazione?
3 Alla dimostrazione ha partecipato solo ______________ vecchio comunista.
4 Quando ______________ mi offende deve stare molto attento perché io sono vendicativo.
5 Ho telefonato a Rosaria ma non mi ha risposto ______________ al telefono.
6 Alcuni parlano troppo, ______________ invece sono troppo silenziosi.
7 È così bella che è sempre elegantissima con ______________ vestito.
8 Ha telefonato per te una ______________ dottoressa Franchi.
9 In Turchia ci sono già stato ______________ volte.
10 Io non ho capito ______________, neanche una parola!
11 Se hai un minuto di tempo voglio dirti ______________.
12 Alle tre non era ancora arrivato ______________.
13 Sai che ______________ tuo desiderio per me è sempre un ordine.
14 Ti va una mela o preferisci ______________ di dolce?
15 Ho cinque figli e li amo allo stesso modo ______________ e cinque!
16 A Roma c'è il Papa, va bene: questo lo sanno ______________.
17 Devo riuscire a fare questa cosa e ci riuscirò, a ______________ costo!
18 Sono sicuro che con il nuovo governo non cambierà ______________.
19 Non so ______________ di sicuro sul risultato di quell'esame.
20 Non si dicono le bugie, ma in ______________ casi è comprensibile.

Quando parliamo di una persona non definita, di una persona qualunque, possiamo dire *uno* o anche *un tale, un tizio*?

Sì, certo, anche se ***uno*** ha un valore un po' negativo. Si possono usare anche dei nomi "di fantasia": un ***Pinco Pallino*** qualunque, per esempio; oppure un ***Taldeitali*** (Tal dei Tali). Se le persone di cui parliamo sono tre possiamo usare il terzetto ***Tizio***, ***Caio*** e ***Sempronio***.

Es. «*Buongiorno Signor Falcone*» «*No guardi... Lei è il Signor Taldeitali. Io sono il Giudice Falcone!*»

(Dal libro "Cose di Cosa Nostra" del Giudice Falcone).

6. IL CONDIZIONALE

6.1 LE FORME DEL CONDIZIONALE SEMPLICE

	Essere	Avere	Parl -are	Scriv -ere	Fin -ire
io	sarei	avrei	lavor -erei	cred -erei	cap -irei
tu	saresti	avresti	lavor -eresti	cred -eresti	cap -iresti
lui / lei	sarebbe	avrebbe	lavor -erebbe	cred -erebbe	cap -irebbe
noi	saremmo	avremmo	lavor -eremmo	cred -eremmo	cap -iremmo
voi	sareste	avreste	lavor -ereste	cred -ereste	cap -ireste
loro	sarebbero	avrebbero	lavor -erebbero	cred -erebbero	cap -irebbero

6.2 IL CONDIZIONALE SEMPLICE IRREGOLARE

	Io	tu	lui / lei	noi	voi	loro
andare	andrei	andresti	andrebbe	andremmo	andreste	andrebbero
bere	berrei	berresti	berrebbe	berremmo	berreste	berrebbero
dare	darei	daresti	darebbe	daremmo	dareste	darebbero
dire	direi	diresti	direbbe	diremmo	direste	direbbero
dovere	dovrei	dovresti	dovrebbe	dovremmo	dovreste	dovrebbero
fare	farei	faresti	farebbe	faremmo	fareste	farebbero
potere	potrei	potresti	potrebbe	potremmo	potreste	potrebbero
rimanere	rimarrei	rimarresti	rimarrebbe	rimarremmo	rimarreste	rimarrebbero
sapere	saprei	sapresti	saprebbe	sapremmo	sapreste	saprebbero
stare	starei	staresti	starebbe	staremmo	stareste	starebbero
vedere	vedrei	vedresti	vedrebbe	vedremmo	vedreste	vedrebbero
venire	verrei	verresti	verrebbe	verremmo	verreste	verrebbero
vivere	vivrei	vivresti	vivrebbe	vivremmo	vivreste	vivrebbero
volere	vorrei	vorresti	vorrebbe	vorremmo	vorreste	vorrebbero

6.3 USI DEL CONDIZIONALE SEMPLICE

Esprime una **potenzialità,** un desiderio realizzabile.	Domani ***andrei*** al mare... ma non so se il tempo sarà bello oppure no.
È un modo per fare **richieste con gentilezza** o per attenuare un'affermazione.	Mi ***presteresti*** la tua macchina? ***Direi*** che va tutto bene.
Esprime il **dubbio su una notizia non verificata personalmente** (condizionale giornalistico o di dissociazione).	Per la polizia il colpevole ***sarebbe*** il figlio dell'imprenditore.

6.4 LE FORME DEL CONDIZIONALE COMPOSTO

	Mangiare	Partire	Dimenticarsi
io	avrei mangiato	sarei partita/o	mi sarei dimenticata/o
tu	avresti mangiato	saresti partita/o	ti saresti dimenticata/o
lui / lei	avrebbe mangiato	sarebbe partita/o	si sarebbe dimenticata/o
noi	avremmo mangiato	saremmo partite/i	ci saremmo dimenticate/i
voi	avreste mangiato	sareste partite/i	vi sareste dimenticate/i
loro	avrebbero mangiato	sarebbero partite/i	si sarebbero dimenticate/i

6.5 USI DEL CONDIZIONALE COMPOSTO

Esprime un **desiderio non realizzato o non realizzabile**.	Mi ***sarebbe piaciuto*** fare l'università (ma non l'ho fatta perché da giovane dovevo lavorare).
Esprime un tempo **futuro rispetto a un punto di vista passato** (in particolare nel discorso indiretto introdotto da un verbo al passato come *Ha detto che...*).	Da bambino ***pensava che avrebbe fatto*** il medico. Lui ***ha detto che sarebbe partito*** dopo tre giorni.

Esercizi

1 **Riscrivi le frasi e utilizza il condizionale semplice, come nell'esempio.**

1 Alessandra non dorme, soffre d'insonnia. Al posto suo io...

prendere una camomilla	fare yoga	mangiare leggero	leggere un libro	ascoltare musica classica	andare a dormire più tardi
prenderei una camomilla					

2 Daniela è disoccupata. Noi, al posto suo...

fare un corso di specializzazione	mandare il curriculum in giro	dormire meno la mattina	informarsi su internet	chiedere consigli	giocare spesso al totocalcio

3 Sono ingrassata trenta chili. Lo so, tu al posto mio...

mangiare meno dolci	fare più movimento	non saltare i pasti	consumare più frutta e verdura	non bere bevande gassate	andare da un dietologo

4 Tommaso perde sempre il treno. Voi al posto suo...

svegliarsi prima	uscire di casa più presto	non perdere tempo a mangiare	fare la valigia il giorno prima	prendere un taxi per la stazione	stare più attenti

5 Angelica litiga spesso con il marito. Sonia al posto suo...

passare più tempo in cucina	vestirsi più sexy	rispondere sempre di sì	essere più sottomessa	preparargli il caffè la mattina	lasciarlo più libero

6 Giulia e Roberto stanno tutto il giorno al computer. Voi al posto loro...

uscire più spesso la sera	frequentare gli amici	andare al teatro o al cinema	prenotare un viaggio all'estero	iscrivervi a una scuola di ballo	fare qualche sport

7 Elena e Giancarlo sono ricchi, ma avari. Angelica e Roberto al posto loro...

comprare una baita in montagna	avere un armadio pieno di vestiti	vivere come sultani	bere solo champagne	trasferirsi ai Caraibi	smettere di lavorare

8 Silvia è un po' nevrotica. Io al posto suo...

rilassarsi più spesso	frequentare qualche discoteca	bere qualche liquorino	cercare un uomo	andare dallo psicanalista	cambiare lavoro

2 Completa il dialogo e coniuga i verbi al condizionale semplice.

C'è la crisi!

Daniela Mamma mia, quanto (io - *volere*) ______________ quella borsa in vetrina! Ma hai visto quant'è cara? No, no, io non (*spendere*) ______________ mai così tanto solo per una borsa!

Alessandra Effettivamente neanch'io la (*comprare*) ______________ a quel prezzo: al posto tuo mi sa che (*scegliere*) ______________ qualcosa di meno caro... Magari (io - *andare*) ______________ a vedere al mercato dell'usato se c'è qualcosa di interessante.

Daniela E guarda, guarda quest'altra!!! È bellissima e costa di meno. Forse questa (io - *potere*) ______________ comprarla. Ti piace?

Alessandra Mah... insomma, (io - *preferire*) ______________ una borsa un po' più sportiva e possibilmente economica. Sicura che non vuoi venire con me al mercato di Porta Portese? Conosco una bancarella dove (*dovere*) ______________ esserci delle borse colorate a dieci euro!

Daniela Dieci Euro? Va benone, mi hai convinta! (*Essere*) ______________ davvero scandaloso spendere tanti soldi solo per una borsetta. Ci vediamo domani allora? Direttamente a Porta Portese?

Alessandra Se vuoi ti mando il mio autista. (lui - *Potere*) ______________ passare a prenderti con la Limousine direttamente nella tua villa verso le nove.

Daniela Veramente (io - *preferire*) ______________ alle dieci. Alle nove (io - *dovere*) ______________ andare all'agenzia di viaggi per prenotare il prossimo week end a Dubai...

Alessandra Va bene alle dieci allora! Non (io - *volere*) ______________ certo costringerti a rinunciare al week end! A domani!

3 Completa i desideri con i verbi al condizionale.

Bambini di tutte le età. Ecco la mia lista ideale delle cose che farei in vacanza.

1 (*Fare*) ______________ almeno una capriola al giorno.
2 (*Correre*) ______________ nei prati o sulla spiaggia.
3 (*Urlare*) ______________ all'eco: "Ciao, chi è più bello tra me e te?" e (*ascoltare*) ______________ cosa risponde.
4 (*Inventare*) ______________ una parola al giorno.
5 (*Giocare*) ______________ con la fantasia.
6 (*Annoiarsi*) ______________ di tanto in tanto.
7 Mi (*fare*) ______________ portare in libreria e (*cercare*) ______________ un bel libro colorato e simpatico.
8 (*Assaggiare*) ______________ tutti i gusti del gelato.
9 (*Guardare*) ______________ le stelle cadenti e (*esprimere*) ______________ il desiderio più bello.
10 Mi (*fare*) ______________ leggere una storia e, a due pagine dalla fine, (*chiudere*) ______________ il libro e (*giocare*) ______________ al finale a sorpresa; poi (*andare*) ______________ a vedere come va a finire la storia.
11 (*Preparare*) ______________ una torta con la mamma.
12 (*Inventare*) ______________ le parolacce da dire quando si è arrabbiati, tipo: faccia-di-brodino-riscaldato!

da *echino.it*

4 Completa le frasi esclamative con il condizionale.

1 Abbiamo una fame che (*mangiare*) ________________ un elefante!
2 Ho un sonno che (*dormire*) ________________ una settimana!
3 Ha una sete che (*bere*) ________________ un lago!
4 Ho una rabbia che (*mangiarmi*) ________________ le mani!
5 Vi sentite così pigri che (*rimanere*) ________________ a letto tutto il giorno!
6 È un bambino così bello che lo (*mangiare*) ________________ di baci!
7 Sei così antipatico che ti (*picchiare*) ________________!
8 Hanno un caldo che si (*chiudere*) ________________ in un frigorifero!
9 Sono così arrabbiati che (*andare*) ________________ via senza salutare nessuno!
10 È così in gamba che lo (*prendere*) ________________ volentieri a lavorare con me!

5 Riscrivi su un quaderno le frasi usando il condizionale "di cortesia".

1 Può portarmi una birra per favore?
2 Mi puoi spiegare la lezione di matematica?
3 Mi sa dire dov'è il Colosseo?
4 Mi prestate cento Euro?
5 Puoi parlare a bassa voce?
6 Che ne dite di venire a casa mia per cena?
7 Mi fa un favore?
8 Stai zitto un momento?
9 Ha un attimo per me?
10 Camminate un po' più piano per piacere?

6 Coniuga i verbi al condizionale semplice irregolare e collega le frasi, come nell'esempio.

1 (noi - *Andare*) Andremmo al mare
2 Giulia (*rimanere*) __________ volentieri a casa
3 Marco e Lucia (*volere*) __________ andare al concerto
4 (tu - *Potere*) __________ aiutarmi di più
5 So che (voi - *essere*) __________ contenti di ospitarli
6 (io - *Vedere*) __________ volentieri la partita
7 (lei - *Avere*) __________ voglia di sposarsi
8 (voi - *Fare*) __________ un viaggio
9 (io - *Bere*) __________ un bicchierino di rhum
10 (noi - *Vivere*) __________ felici a Parigi

A ma non avete i soldi.
B ma la tv non funziona.
C ma non credo di averlo a casa.
D ma non avete una camera in più.
E ma dovremmo imparare bene il francese.
F ma non trova l'uomo giusto.
G ma deve andare a lavorare.
H *ma il cielo è molto nuvoloso.*
I ma invece non mi dai mai una mano.
L ma si sono ammalati tutti e due.

1. H • 2.__ • 3.__ • 4.__ • 5.__ • 6.__ • 7.__ • 8.__ • 9.__ • 10.__

7 Completa la storia con i verbi al condizionale composto, come nell'esempio.

Chi l' (*dire*) avrebbe mai detto che lui (*diventare*) ______________ un uomo importante, che (*girare*) ______________ il mondo e (*conoscere*) ______________ tanta gente famosa?
Non (io - *pensare*) ______________ mai ______________ una cosa del genere!
Al contrario, (io - *scommettere*) ______________ che lui non (*finire*) ______________ l'università e (lui - *andare*) ______________ a lavorare in banca come il padre.
Non (io - *immaginare*) ______________ che (lui - *guadagnare*) ______________ un sacco di soldi facendo business!
Quando molti anni fa i giornali hanno scritto che lui era coinvolto in uno scandalo economico allora ho pensato che lui (*andare*) ______________ a finire in prigione e che la sua carriera (*concludersi*) ______________. Chi (*potere*) ______________ immaginare che una persona così (*avere*) ______________ tanto successo?

8 **Guarda le due locandine di film a pag. 37 e trasforma, nei titoli, il condizionale semplice in condizionale composto, e viceversa.**

______________________ ______________________

9 **Riscrivi le frasi e utilizza il condizionale composto.**

1 Anna ha perdonato suo marito. Io, al posto suo…

cacciarlo di casa	andare a letto con un suo amico	svuotargli il conto in banca	bruciargli i vestiti nell'armadio	mettere un virus nel suo computer	partire per una vacanza a sue spese

2 Claudio ha deciso di vivere a casa con la mamma. Noi al posto suo…

cercare un lavoro	affittare un appartamento	imparare a cucinare	farci una famiglia	essere più indipendenti	tagliare il cordone ombelicale

3 Sono invecchiato e si vede. Lo so, tu al posto mio…

fare un trapianto di capelli	metterti a dieta	iscriverti a una palestra	andare da un chirurgo estetico	smettere di bere e di fumare	cambiare modo di vestirti

4 Silvana ha viziato troppo i suoi figli. Agnese al posto suo…

non dargli così tanti soldi	non regalargli un suv	non comprargli un appartamento	non iscriverli a una scuola privata	non coccolarli troppo	non perdonarli sempre

10 **Nel discorso indiretto introdotto da un verbo passato, il futuro e il condizionale semplice del discorso diretto diventano condizionale composto. Completa le forme del discorso indiretto con il condizionale composto, come nell'esempio.**

Lui ha detto:	**Lui ha detto che…**
1 "Da vecchio vivrò con la pensione"	…da vecchio avrebbe vissuto con la pensione.
2 "Per la festa si vestirà in modo elegantissimo"	
3 "Noi ci sveglieremo sempre alle undici!"	
4 "Forse domani pioverà"	
5 "Domani voglio andare al cinema"	
6 "Domani voglio fare una passeggiata"	
7 "Al posto vostro mi annoierei tutto il giorno a casa"	
8 "Non dimenticheranno facilmente questa storia"	
9 "Non mi dimenticherò facilmente questa storia"	
10 "Ho un sonno che dormirei una settimana!"	

11 Completa le risposte con il condizionale composto, come nell'esempio.

Es. Perché non è venuto al ristorante con voi?
- Sarebbe venuto, ma era troppo stanco.

1 Perché non hai telefonato a Valentina?
- Le ________________, ma ho perso il suo numero.

2 Perché non avete finito il lavoro?
- L'________________, ma dovevamo uscire con i nostri amici.

3 Perché non hai scritto quella relazione?
- L' ________________, ma avevo mal di testa.

4 Perché sei andato al lavoro in moto e non in bicicletta?
- Ci ________________, ma dovevo sbrigarmi.

5 Perché loro non sono arrivati in tempo?
- ________________, ma hanno perso l'autobus.

6 Perché non siete andati in montagna quest'anno?
- Ci ________________, ma non c'era la neve.

7 Perché non hai più comprato quell'appartamento che ti piaceva?
L'________________, ma ci volevano troppi soldi.

8 Perché non si sono sposati e hanno deciso di convivere?
________________, ma lui non ha ancora avuto il divorzio.

12 Leggi cosa potrebbero dire le persone per esprimere le esigenze manifestate nella statistica. Completa le frasi con il condizionale composto.

Cosa manca di più agli italiani in vacanza all'estero?

1	Il cibo (pizza, pasta, lasagne dalle mamma...)	34%
2	Il bagno di casa / Il bidet	27%
3	Niente	14%
4	La pulizia e l'igiene	12%
5	Il proprio letto / cuscino	10%
6	Il buonumore italiano	3%

1 Questo albergo è perfetto. Ma quando ho prenotato nessuno mi ha detto che nel bagno non (*trovare*) ________________ il bidet.

2 In quel ristorante a San Pietroburgo si mangia molto bene. Ma le lasagne sicuramente mia madre le (*fare*) ________________ meglio.

3 Il mio soggiorno all'estero è stato bellissimo e molto ben organizzato. Davvero non (*potere*) ________________ chiedere niente di più.

4 No, la mia esperienza in quell'albergo è stata negativa. Il personale era simpatico, ma (*dovere*) ________________ curare molto di più l'igiene e la pulizia.

5 La camera dove dormivo era comoda e spaziosa. La notte però non ho dormito bene perché (*volerci*) ________________ un cuscino più grosso e più duro.

6 In quella città si vive sicuramente bene, forse meglio che in Italia. Ma la gente ha la faccia sempre arrabbiata! Un po' di buonumore non ci (*stare*) ________________ male.

7. MODI PER ESPRIMERE IL DUBBIO

7.1 ALCUNI MODI PER ESPRIMERE UN DUBBIO

Per esprimere dubbi o incertezze, in italiano, abbiamo diverse possibilità.

Usare un avverbio di dubbio come **forse**, **probabilmente** o **magari** (= *forse, perché no?*).	***Forse*** lui è ricco, probabilmente è ricco. ***Magari*** è ricco e io non lo so.
Introdurre la nostra incertezza con la forma **mi sa che...** (stile informale per dire *credo che*).	***Mi sa che*** lui è ricco. Sono stanco, ma ***mi sa che*** andrò lo stesso a ballare.
Usare un **futuro** per dimostrare la nostra non-convinzione o il nostro scetticismo.	Mah... ***sarà*** ricco... (ma se guardo come si veste non mi sembra possibile).
Usare il **condizionale giornalistico** per dire che non abbiamo verificato personalmente la notizia. Dobbiamo citare però la fonte da cui abbiamo preso la notizia.	Quell'uomo ***sarebbe*** molto ricco secondo il giornalista che ha controllato i suoi conti bancari.

e inoltre...

7.2 ALTRI MODI PER ESPRIMERE UN DUBBIO

Usare un **futuro anteriore** per mostrare la nostra non-convinzione o il nostro scetticismo su una cosa avvenuta in passato.	Mah... ***sarà stato*** ricco... (se tutti dicono che in passato è stato ricco io posso anche crederci, ma mi sembra veramente strano).
Usare il **condizionale di dovere** per dire che è logico pensare qualcosa anche se non ne siamo sicuri.	Quell'uomo ***dovrebbe*** essere ricco (va in vacanza ogni mese, guida macchine bellissime e quindi ho motivo di pensarlo).
Usare il **condizionale di potere** per dire che esiste la possibilità che una cosa sia vera (forte senso di *perché no?, c'è la possibilità che*).	Quell'uomo ***potrebbe*** essere ricco (è possibile perché so che ha una famiglia ricchissima. Ma forse non è così).

1 Modifica il verbo per trasformare le affermazioni in frasi di dubbio.

1. Straordinaria vincita al superenalotto: **ha giocato** (_______________) solo due Euro.
2. Grave incidente ferroviario: **si contano** (_______________) decine di feriti.
3. Natale: gli italiani in partenza per le vacanze **sono** (_______________) in diminuzione del 30%.
4. Il concerto interrotto dopo pochi minuti: il cantante **ha avuto** (_______________) un malore.
5. Fuga di cervelli: secondo fonti non ufficiali i ricercatori italiani andati a lavorare all'estero l'anno scorso **sono** (_______________) più del 40 %.
6. Erasmus plus: il programma dell'Unione Europea in favore dell'istruzione e della formazione **garantisce** (_______________) i fondi per la formazione nelle università europee ad un numero di studenti sempre maggiore.
7. Importante scoperta in un laboratorio di Huston: l'Aspirina **fa** (_______________) ricrescere i capelli.
8. Mafia: il boss arrestato **ha deciso** (_______________) di collaborare con la giustizia.
9. Lavoro: dal prossimo anno la disoccupazione **diminuirà** (_______________) del 13%.
10. Evasione fiscale: noto politico accusato di aver evaso decine di milioni di tasse. **Sostiene** (_______________) di essere nullatenente.

2 Guarda le locandine dei film. Conosci altri titoli (di film, canzoni, libri) che usano dei modi per esprimere il dubbio?

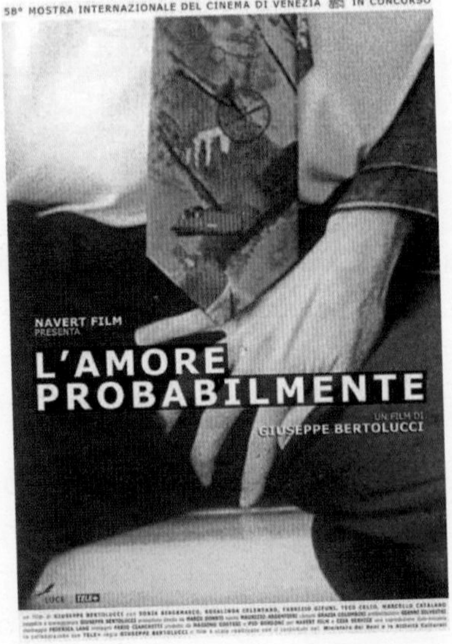

Esprimere un dubbio CERCA

nella rubrica GRAMMATICA CAFF

Esercizi

3 **Il futuro di dubbio, nel parlato, è spesso accompagnato da un'espressione della faccia che indica il proprio atteggiamento verso un'affermazione. Scegli per ogni affermazione la faccina che preferisci.**

1 L'arte moderna sarà bella... ma a me non piace per niente! (disgustato)
2 Lo so, sarà nervoso in questo periodo, ma non è un motivo per essere maleducato! (arrabbiato)
3 Certo... vi credo... se lo dite voi... avrà quarant'anni. (non convinto)
4 Si è sposato e ha già divorziato? Ma se non avrà nemmeno venticinque anni! (espressione sorpresa)
5 Sarà intelligente ma... (critico - provocatorio)
6 Se ieri sera è tornato tardi avrà dovuto lavorare no? (incredulo - scettico)
7 Dice di non essere sposato? Mah, avrà divorziato ieri sera! (divertito)

A

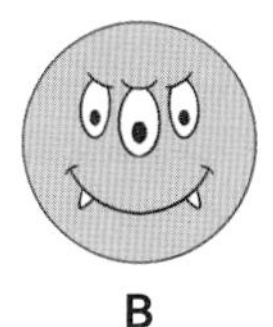
B

C

D

E

F

G

1.__ • 2.__ • 3.__ • 4.__ • 5.__ • 6.__ • 7.__

4 **In questo brano tratto da un articolo pubblicato sul Corriere della Sera nel 1975, Pier Paolo Pasolini sostiene provocatoriamente che la televisione e la scuola dell'obbligo devono essere abolite. Leggilo e poi svolgi il compito.**

Aboliamo la tv e la scuola dell'obbligo

La scuola d'obbligo è una scuola di iniziazione alla qualità di vita piccolo borghese: vi si insegnano delle cose inutili, stupide, false, moralistiche, anche nei casi migliori.
Inoltre una nozione è dinamica solo se include la propria espansione e approfondimento: imparare un po' di storia ha senso solo se si proietta nel futuro la possibilità di una reale cultura storica. Altrimenti, le nozioni marciscono: nascono morte, non avendo futuro, e la loro funzione dunque altro non è che creare un piccolo borghese schiavo al posto di un proletario o di un sottoproletario libero (cioè appartenente a un'altra cultura, che lo lascia vergine a capire eventualmente nuove cose reali, mentre è ben chiaro che chi ha fatto la scuola d'obbligo è prigioniero del proprio infimo cerchio di sapere, e si scandalizza di fronte ad ogni novità).
Una buona quinta elementare basta oggi in Italia a un operaio e a suo figlio.
Illuderlo di un avanzamento che è una degradazione è delittuoso perché lo rende: primo, presuntuoso (a causa di quelle due miserabili cose che ha imparato); secondo (e spesso contemporaneamente), angosciamente frustrato, perché quelle due cose che ha imparato altro non gli procurano che la coscienza della propria ignoranza.
Certo arrivare fino all'ottava classe anziché alla quinta, o meglio, arrivare alla quindicesima classe, sarebbe, per me, come per tutti, l'optimum, suppongo. Ma poiché oggi in Italia la scuola d'obbligo è esattamente come io l'ho descritta è meglio abolirla in attesa di tempi migliori: cioè di un altro sviluppo.
(È questo il nodo della questione).

4a **Trasforma su un quaderno le affermazioni di Pasolini in frasi di dubbio con i verbi al condizionale.**

Secondo Pasolini...

1 la scuola dell'obbligo è una scuola di iniziazione alla qualità di vita piccolo borghese.
2 imparare un po' di storia non ha senso.
3 chi ha fatto la scuola dell'obbligo si scandalizza di fronte ad ogni novità.
4 una buona quinta elementare basta oggi in italia a un operaio e a suo figlio.
5 illuderlo di un avanzamento che è una degradazione è delittuoso.
6 questa illusione lo rende presuntuoso e spesso angosciamente frustrato.
7 quelle due cose che ha imparato altro non gli procurano che la coscienza della propria ignoranza.
8 la scuola dell'obbligo è esattamente come io l'ho descritta.
9 questo è il nodo della questione.

e inoltre...

5 **Completa con il condizionale dei verbi POTERE o DOVERE a seconda dell'opportunità e soprattutto del "buon senso".**

1 Il treno ______________ partire alle undici.
2 Presto, esci di casa! Mio marito ______________ tornare da un momento all'altro!
3 L'acqua del rubinetto ______________ essere potabile.
4 Accetta subito la mia proposta perché domani ______________ cambiare idea.
5 Se non c'è traffico sarò puntuale: non ______________ arrivare più tardi delle otto.
6 Ti invito volentieri alla festa, ma non conosci nessuno e ______________ annoiarti.
7 Non dico che voi ______________ cambiare carattere ma vi chiedo solo di essere più tolleranti.
8 Dico sempre la verità e non ______________ certo mentire ai miei figli!
9 Secondo me hai torto e ______________ chiedergli scusa.
10 Scusa, non ______________ provare a ragionare con calma invece che arrabbiarti?

6 **Prova a trasformare le affermazioni in frasi di dubbio, secondo le indicazioni tra parentesi.**

1 Lui ha vent'anni (affermazione certa)
______________________ (se giudico dalla faccia, perché no?)
______________________ (quando è nato il padre aveva trent'anni, oggi ne ha cinquanta... è logico pensarlo)
______________________ (secondo quanto dice in giro... ma forse vuole sembrare più grande)

2 Lui è ricco (affermazione certa)
______________________ (secondo l'ufficio delle tasse)
______________________ (se ha comprato quella bella macchina... ma è strano con il lavoro che fa)
______________________ (ha cinque case e due Ferrari, va sempre in vacanza... è logico pensarlo)

3 Sono le sette e mezza (ho l'orologio e sono certo della mia affermazione)
______________________ (non ho l'orologio, ma credo)
______________________ (tutti i negozi stanno chiudendo, è logico pensarlo)
______________________ (secondo il giornalista a quell'ora ieri è avvenuto un crimine)

8. ANCORA SUL DISCORSO INDIRETTO

8.1 DISCORSO INDIRETTO: IMPERATIVO, FUTURO E CONDIZIONALE

Se nel discorso diretto c'è un **imperativo** (diretto o di cortesia), nel discorso indiretto questo si trasforma in **dice / ha detto** + **di** + **infinito**.	Marco: "Mangia!" → Marco ha detto ***di mangiare***. Paolo: "Legga!" → Paolo ha detto ***di leggere***.
Se nel discorso diretto c'è un **futuro** o un **condizionale semplice o composto**, nel discorso indiretto al passato (introdotto da **ha detto che** o da una forma verbale riferita a un tempo davvero passato) questi si trasformano in **condizionale composto.**	Marco: "Andrò al mare" → Marco ha detto che ***sarebbe andato*** al mare. Marco: "Andrei al mare" → Marco ha detto che ***sarebbe andato*** al mare. Marco: "Sarei andato al mare" → Marco ha detto che ***sarebbe andato*** al mare".
Attenzione: il discorso indiretto può considerare "futuro" qualunque verbo con **un'idea di futuro**, anche se grammaticalmente si tratta di un presente indicativo.	Marco: "Vado subito a casa" → Marco ha detto che ***sarebbe andato*** subito a casa. Marco: "Voglio restare qui" → Marco ha detto che ***sarebbe voluto*** restare lì. Marco: "Ho da fare" → Marco ha detto che ***avrebbe avuto*** da fare.

8.2 I VERBI *ANDARE* E *VENIRE* NEL DISCORSO INDIRETTO

I verbi **andare** e **venire** dipendono rigidamente dalla posizione "geografica" di chi parla o scrive.

Venire è sempre **in direzione di chi parla**; **andare** è sempre **nella direzione opposta** (se sono a Roma dirò sempre *venire a Roma e andare a Firenze*).	Ora sono in Italia e domani ***viene*** qui un mio amico. Ora sono in Italia e domani ***vado*** in Giappone.
Attenzione: Il verbo **venire** si usa in modo diverso quando **parlo direttamente** con una o più persone (*tu*, *Lei* o *voi*), come per mettermi "vicino a chi ascolta".	Se posso domani ***vengo*** a trovar***ti*** in ufficio. Posso ***venire*** nel ***Suo*** studio dopo le cinque? Se andate al concerto ***vengo con voi***!
L'uso di **andare** e **venire** dipende perciò dalla persona che formula il **discorso indiretto**.  	Marco (in Belgio) ha detto: "Voglio ***andare*** a Roma". Roberto a Roma ripete: "Marco ha detto che voleva ***venire*** a Roma". Marco ha detto a Antonio: "***Vengo*** da te". Antonio dice: "Marco, ***vieni*** da me!". Roberto ripete: "Marco ha detto a Antonio che ***andava*** da lui".

1 Trasforma le frasi dal discorso diretto al discorso indiretto come nell'esempio (attenzione anche ai pronomi).

Es. Anna ha detto a Federica: "Ci vedremo presto". Anna ha detto a Federica che si sarebbero viste presto.

1. Mussolini agli italiani: "Italiani! Ascoltatemi!". ______
2. Gesù a Lazzaro: "Alzati e cammina". ______
3. Mio nonno a me: "Fa' del bene e dimenticatelo, fa' del male e ricordatelo!". ______
4. Woody Allen (1970): "Ho smesso di fumare. Vivrò una settimana di più e in quella settimana pioverà a dirotto". ______
5. Io a mio figlio (dieci anni fa): "Un giorno capirai che avevo ragione io!". ______
6. Giulietta a Romeo: "Giurami amore e io non sarò più una Capuleti!". ______
7. Oscar Wilde: "Preferisco una donna con un passato perché avrà sempre qualcosa da raccontare!". ______
8. Attilio Regolo: "Non vorrei proprio essere in una botte di ferro". ______

2 Trasforma le frasi dal discorso indiretto al discorso diretto come nell'esempio (attenzione anche ai pronomi).

Es. Anna ha detto a Federica che si sarebbero viste presto. Anna ha detto a Federica: "Ci vedremo presto".

1. Ci ha detto che al posto nostro si sarebbe comportato in un altro modo. Ci ha detto: ______
2. Ha dichiarato che non avrebbe voluto dircelo, ma la situazione economica della società era abbastanza grave. Ha dichiarato: ______
3. Ha detto che forse sbagliava, ma la soluzione non gli sembrava corretta. Ha detto: ______
4. Lui ci ha detto di fare quello che ci pareva giusto. Lui ci ha detto: ______
5. Ha guardato il quadro, ha alzato le spalle e ha detto che magari era un capolavoro, ma a lui non piaceva. Ha guardato il quadro, ha alzato le spalle e ha detto: ______
6. Lui diceva spesso di non sputare in cielo perché sarebbe tornato in faccia. Lui diceva spesso: ______
7. Sant'Agostino ha chiesto a Dio di dargli castità e continenza, ma non subito! Sant'Agostino ha chiesto a Dio: ______
8. Beppe Viola, parlando a un tale che non gli era simpatico, gli ha detto che per sembrare un genio, avrebbe dovuto essere completamente diverso. Beppe Viola, parlando a un tale che non gli era simpatico, ha detto: ______

3 **Trasforma su un quaderno i dialoghi in discorso indiretto.**

C'era una volta in America (S. Leone, 1984)

1 **Fat Moe:** Noodles, cos'hai fatto in tutti questi anni?
Noodles: Sono andato a letto presto.

2 **Noodles:** I vincenti si riconoscono alla partenza. Riconosci i vincenti e i brocchi. Chi avrebbe puntato su di me?
Fat Moe: Io avrei puntato tutto su di te.
Noodles: E avresti perso.

3 **Max:** Tu te la porterai dietro per tutta la vita la puzza della strada.
Noodles: A me piace da matti la puzza della strada; a me si aprono i polmoni quando la sento. E mi tira anche di più.

4 **Deborah:** Noodles, tu sei la sola persona che io ho mai...
Noodles: Che hai mai? Vai avanti, che hai mai?
Deborah: Di cui mi è importato. Ma tu mi terresti chiusa a chiave in una stanza e getteresti via la chiave, non è vero?
Noodles: Sì, credo di sì.
Deborah: Il guaio è che io ci starei anche volentieri.

5 **Fat Moe:** Prendi i soldi e vattene! Cosa ti tiene ancora qui?
Noodles: La curiosità.

4 **Costruisci le frasi con il discorso indiretto introducendolo con il passato prossimo del verbo DIRE. Non dimenticare che questo passato prossimo deve riferirsi a un tempo veramente passato (Es: due anni fa) e non a pochi minuti fa.**

1 Alessandra ha detto a Maria:

"Vengo a casa tua domani"	"Vieni a trovarmi!"	"Stasera verrà a cena mio zio"	"Adesso andrei volentieri a dormire"	"Al posto tuo non sarei rimasta a casa"

2 Maria mi ha detto:

"Vengo a casa tua domani"	"Vieni a trovarmi!"	"So che stasera mio zio verrà a cena da me"	"So che stasera mio zio verrà a cena da te"	"Non ricordo il nome, ma mi verrà in mente"

3 Io ho detto a Anna:

"Presto andrò in vacanza"	"Va' a casa tua!"	"Vengo a casa tua domani"	"Non andare con loro se ti invitano!"	"Sono così arrabbiato che andrei via subito"

4 Loro ci hanno detto:

"Potremmo venire con voi"	"Venite a cena da noi!"	"Avremmo voluto venire con voi"	"Non andate via così presto!"	"Dovreste venire con la macchina"

lettura 3. INTERVISTA AL MACHO LATINO

Come si comporta (o come si deve comportare!) un vero maschio latino? Abbiamo chiesto consigli a un vero esperto in materia: Ovidio Nasone (43 a.C. – 17 d.C.) che nell'anno 1 o 2 dopo Cristo ha pubblicato un libro su questo argomento, l'Ars amatoria, l'Arte di amare.

Maestro Ovidio, prima di tutto mi dà un consiglio su dove esercitarsi nell'arte di amare?
Come no?… senza dubbio consiglio Roma: come sono numerose le stelle in cielo, così sono numerose le donne a Roma. Ti piacciono le giovanissime? Ne troverai subito qualcuna! Ti piacciono le giovani? Ne troverai più di mille e non saprai chi scegliere. Ti piacciono quelle di età più matura? Puoi credermi, ne avrai eserciti solo per te!

E quali sono le armi della seduzione per l'uomo? Fisico palestrato? Vestiti firmati?
Il maschio deve essere maschio. Dovrà essere soprattutto ben pulito, avere i denti bianchi, l'alito fresco e i capelli ben tagliati. Dal naso non dovrà spuntare nemmeno un pelo. Ma altre cose raffinate sarà meglio lasciarle alle donne da strada o ai maschi che vanno in cerca dell'amore di altri maschi.

Che cosa è bene dire per impressionare una donna?
Ti consiglio di farle promesse, tante promesse, perché promettere non costa niente. Puoi promettere molto (le promesse attirano le donne) e puoi anche giurare il falso. Non c'è problema: Giove ride degli amanti spergiuri[1]!

Va bene. E poi una serata in una discoteca… o forse è meglio in un pub?
Mah… bere troppo non ti porterà mai dei vantaggi. Ma se farai finta di avere bevuto questo potrà esserti di grande aiuto: tutto quello che tu farai e dirai sarà colpa del troppo vino. E dovrai anche cercare di essere simpatico al marito di lei! …Lo so che tu gli auguri ogni male, ma devi ricordare che averlo amico può farti molto comodo!

A proposito! Lei maestro, pensa che è meglio mostrarsi allegri e spiritosi o invece…
La tua voce dovrà mostrare che il tuo cuore piange e lei ti crederà sempre: costa così poco piangere un po'…; e se ti manca il pianto, potrai sempre toccarti gli occhi con mano bagnata. E piangendo e parlando proverai a baciarla.

D'accordo, ma se lei dice "no"?
Allora i baci dovrai prenderli con la forza! Forse ti dirà che sei sfacciato[2], ma devi credermi: lei vuole solo essere vinta! Se la "rispetterai" lei, in cuor suo, non ti perdonerà mai!

Non so cosa ne penseranno le femministe, maestro… e cosa mi dice per esempio sulla fedeltà?
Se ogni tanto ti vorrai divertire con un'altra, non sarò certo io a dirti che è proibito! Ma tutto deve essere ben nascosto e fatto bene. E soprattutto mai andare in giro a vantarsi di questo!
Comunque, se lei scoprirà qualcosa (speriamo di no!), devi negare! Negare sempre! Mai essere superficiale in questo caso! Se non farai così lei penserà che non le vuoi bene.

Grazie maestro. Meno male[3] che c'è lei! Ho davvero imparato tanto!
Di niente figliolo, di niente!

---

[1] spergiuri → che non mantengono i giuramenti.

[2] sfacciato → senza pudore; il contrario di "timido".

[3] meno male → per fortuna.

NOTA - Ci dissociamo naturalmente dalle dichiarazioni e dalle posizioni maschiliste, antidemocratiche e politicamente scorrette del Signor Ovidio. E per evitare querele mostriamo il testo originale dell'intervista nelle soluzioni a pagina 182.

1 Scegli la forma corretta del verbo al futuro.

1 Con tante donne io non ***saprei / saperò / saprò*** chi scegliere.
2 A Roma ***avremo / avremmo / avrete*** eserciti di donne solo per noi!
3 Voi ***dovreste / dovrete / dovranno*** essere soprattutto ben puliti.
4 Altre cose ***saranno / erano / sarà*** meglio lasciarle alle donne da strada.
5 Bere troppo non ti ***porterei / porterà / potrà*** mai dei vantaggi.
6 Tu ***potrai / potresti / potrei*** fare finta di avere bevuto molto.
7 La donna ***volerà / vorrebbe / vorrà*** solo esser vinta.

2 Completa le risposte con il verbo e con un pronome diretto, indiretto, CI o NE.

1 A chi **abbiamo chiesto consigli** sul comportamento del maschio latino?
______________________ a Ovidio.
2 Ovidio dove **ha parlato di questo argomento**?
______________________ in un famoso libro che si chiama *Ars amatoria*.
3 Quando **ha pubblicato quel libro**?
______________________ nell'anno 1 o 2 dopo Cristo.
4 Quante **donne mature potrà trovare** un uomo a Roma?
______________________ interi eserciti!
5 **Al maschio conviene** avere un fisico palestrato e vestiti firmati?
No, ______________________ avere una bellezza un po' trascurata.
6 Come **dovrà avere i capelli** un vero maschio?
______________________ ben tagliati.
7 Cosa si deve **promettere a una donna**?
Bisogna ________________ tutto perché le promesse attirano le donne.
8 Con cosa bisogna **toccare gli occhi** per fare finta di piangere?
Bisogna ________________ con una mano bagnata.
9 Bisogna **vantarsi di eventuali infedeltà**?
No, non bisogna mai ________________!
10 Per fare queste cose bisogna **andare a Roma**?
Sì, bisogna ________________ assolutamente.

3 Riformula le frasi utilizzando il condizionale "giornalistico" o di dissociazione.

Es. Non ***bisogna*** vantarsi delle conquiste. — Non bisognerebbe vantarsi delle conquiste.

1 Per trovare belle donne ***si deve*** andare a Roma. ______________________
2 A Roma ***si possono*** avere eserciti di donne. ______________________
3 Altre cose ***è meglio*** lasciarle alle donne da strada. ______________________
4 Promettere ***non costa*** niente. ______________________
5 Le promesse ***attirano*** le donne. ______________________
6 Giove ***ride*** degli amanti spergiuri. ______________________
7 Le donne ***credono*** sempre a un uomo che piange. ______________________

9. LE FRASI IPOTETICHE

9.1 I TRE TIPI DI IPOTETICA

Ci sono molte forme di frasi ipotetiche. La "tradizione" grammaticale le divide in tre gruppi fondamentali.

1. **Ipotetiche della realtà**. 2. **Ipotetiche della possibilità**. 3. **Ipotetiche dell'irrealtà**.	Se ho tempo vado al cinema. Se avessi tempo andrei al cinema. Se avessi avuto tempo sarei andato al cinema.

9.2 FRASI IPOTETICHE DELLA REALTÀ (I TIPO)

Le ipotetiche della realtà sono di solito **all'indicativo presente** o **futuro**. Esprimono un'ipotesi sostanzialmente certa, sicura.	***Se piove, resto*** a casa. Se ***verrai, sarò*** contento. Se ***fai*** come dico, ***sarà*** meglio per te.

9.3 FRASI IPOTETICHE DELLA POSSIBILITÀ (II TIPO)

Le ipotetiche della possibilità esprimono una ipotesi possibile, ma non sicura. Si formano con il **congiuntivo imperfetto** nella frase introdotta da **se** e con il **condizionale semplice** nella frase principale.	Se ***potessi***, ***partirei*** subito. Se lui mi ***chiedesse*** scusa, lo ***perdonerei***. Se ***avessi*** i soldi, ***comprerei*** quella macchina.
Attenzione: "ipotetica della possibilità" non significa che l'ipotesi è realmente realizzabile, ma solo che io la presento "teoricamente" come possibile.	Se ***fossi*** donna, ***sposerei*** un uomo ricco. Se ***fossi*** il re, ***metterei*** in prigione tutti. Se ***fossi*** un animale, ***sarei*** una tartaruga.

9.4 FRASI IPOTETICHE DELL'IRREALTÀ (III TIPO)

Le ipotetiche dell'irrealtà esprimono una ipotesi che non si è realizzata o che non si realizzerà. Si formano con il **congiuntivo trapassato** nella frase introdotta da **se** e con il **condizionale composto** nella frase principale.	Se ***avessi potuto***, ***sarei tornato*** prima. Se ***fossi partito*** prima, ***sarei arrivato*** in tempo. Se mi ***avessi ascoltato***, non ***avresti avuto*** problemi.

9.5 LE IPOTETICHE CON L'INDICATIVO IMPERFETTO

Nella lingua parlata, o in quella meno "controllata", in frasi che ipotizzano una situazione "impossibile" si usa l'**imperfetto indicativo**.

Se ***potevo***, ***tornavo*** prima.
Se ***partivo*** prima, ***arrivavo*** in tempo.
Se mi ***ascoltavi***, non ***avevi*** problemi.

9.6 IL GERUNDIO NELLE FRASI IPOTETICHE

Se le due parti del periodo ipotetico hanno lo stesso soggetto, spesso è possibile sostituire la frase introdotta da **se** con un **gerundio**.
Attenzione però: il gerundio non esprime tempo e non esprime persona. Quindi il suo soggetto, se non chiaramente espresso, è necessariamente lo stesso del verbo principale.

Potendo vengo a trovarti. = ***Se (io) posso,*** (io) vengo a trovarti.
Volendo potresti aiutarmi. = ***Se (tu) volessi,*** (tu) potresti aiutarmi.
Studiando avrebbe superato l'esame. = ***Se (lui) avesse studiato,*** (lui) avrebbe superato l'esame.

9.7 FORME DEL CONGIUNTIVO IMPERFETTO E TRAPASSATO

Il **congiuntivo imperfetto** ha le stesse terminazioni nelle tre coniugazioni (escluso la vocale tematica **a/e/i**).

io	parl**assi**	ved**essi**	sent**issi**
tu	parl**assi**	ved**essi**	sent**issi**
lui / lei	parl**asse**	ved**esse**	sent**isse**
noi	parl**assimo**	ved**essimo**	sent**issimo**
voi	parl**aste**	ved**este**	sent**iste**
loro	parl**assero**	ved**essero**	sent**issero**

Il **congiuntivo trapassato** si forma con l'imperfetto congiuntivo di **essere** o **avere + il participio passato** del verbo.

io	**fossi** andata/o	**avessi** capito
tu	**fossi** andata/o	**avessi** capito
lui / lei	**fosse** andata/o	**avesse** capito
noi	**fossimo** andate/i	**avessimo** capito
voi	**foste** andate/i	**aveste** capito
loro	**fossero** andate/i	**avessero** capito

e inoltre...

9.8 *A* + INFINITO NELLE FRASI IPOTETICHE "LIMITATIVE"

Quando il periodo ipotetico ha valore limitativo, la frase introdotta dal **se** può essere espressa attraverso **a + infinito**. Questa struttura è più frequente nelle ipotetiche che usano il modo indicativo.	***A saperlo*** prima, mi comportavo diversamente. ***A essere*** sinceri, non so niente di questo. ***A pensar*** male, spesso si indovina la verità. ***A essere*** corretti, dovremmo smettere di aiutarlo.

9.9 LE FRASI IPOTETICHE IN PRATICA

Nella pratica linguistica, i diversi tipi di periodo ipotetico possono mescolarsi a seconda di quello che si vuole esprimere. Ecco qualche esempio.

Mescolanza di tempi dell'indicativo. Al posto del presente nella frase principale si può usare il **futuro** o anche l'**imperativo**.	Se ***guadagno*** abbastanza, ***andrò*** alle Bahamas. Se ***hai*** tempo, ***chiamami***!
Mescolanza di tempi del congiuntivo e del condizionale. A seconda dell'anteriorità o posteriorità, i periodi ipotetici del secondo e terzo tipo possono mescolarsi.	Se non ***avessi*** mal di pancia, ***avrei mangiato*** volentieri quel panino. Se (in passato) ***avessi studiato*** l'inglese, (oggi) non ***avrei*** problemi a trovare lavoro.
Uso dell'imperfetto solo in una delle due parti dell'ipotetica.	Se mi ***telefonavi*** prima, ***sarei uscito*** con te. Se ***avessi*** i soldi, non ***stavo*** qui a lavorare.
Nel periodo ipotetico della realtà, per rendere il senso di eventualità si può usare il **congiuntivo presente** o **passato** introdotto da **qualora** o **nel caso (che)**.	***Nel caso non abbia avuto*** mie notizie entro una settimana, La prego di contattarmi ancora. ***Qualora Lei abbia*** domande, sarò lieto di rispondere.
Ipotesi interrotta: quando è chiaro il senso dell'ipotesi, è possibile interromperla a metà.	***Se avessi*** vent'anni di meno...! ***Se ti prendo***...!
Simile all'ipotesi interrotta è una domanda retorica introdotta da **se** + **congiuntivo imperfetto**.	E ***se restassimo*** a casa? ***Se*** Nostradamus ***avesse*** ragione?

1 Scrivi su un quaderno delle frasi ipotetiche della realtà (uso dell'indicativo), come nell'esempio.

Es. (io) Andare al mare / prendere gli occhiali da sole
Se vado al mare, prendo gli occhiali da sole. / Se andrò al mare, prenderò gli occhiali da sole.

1 (noi) Avere tempo / uscire
2 (voi) Avere un po' di soldi da parte / comprare una nuova macchina
3 Piovere / non (io) andare in barca
4 (Roberto e Angelica) Finire in fretta questo lavoro / potere organizzare una grande festa
5 (tu) Partire / (io) venire con te
6 (Marco e Maria) Andare al ristorante giapponese / (Maria) non potere mangiare pesce crudo perché è allergica
7 (io) Fare tredici al totocalcio / comprare una villa in Sardegna
8 (lui) Telefonare / (io) non rispondere
9 Non esserci vendite / (il negozio) chiudere
10 (la Befana) Portare il carbone / (i bambini) capire che non sono stati buoni

2 Trasforma ora, sempre su un quaderno, le frasi ipotetiche della realtà dell'esercizio 1 in frasi della possibilità, come nell'esempio.

Es. *Se andassi al mare, prenderei gli occhiali da sole.*

3 A partire da un'ipotesi, con un po' di fantasia, scrivi un piccolo testo, come nell'esempio.

"Se ritrovo il suo numero di telefono, la chiamo."
Se la chiamo, non mi risponde. Se non mi risponde, le scrivo una mail. Se le scrivo una mail, lei non mi riscrive. Se lei non mi riscrive, vado sotto casa sua e le canto una serenata. Se le canto una serenata, lei non esce di casa per un mese. Se non esce di casa per un mese, provo a richiamarla. Se provo a richiamarla e lei non risponde, capisco che forse non vuole avere a che fare con me...

"Se avessi finito il conservatorio, sarei diventata una musicista"

____

"Se non bevesse tutti quei bicchieri di vodka, non avrebbe mai il coraggio di chiedere a Giulia di sposarlo"

____

"Se studio l'italiano, posso trasferirmi in Italia"

____

4 Coniuga i verbi tra parentesi con le forme del periodo ipotetico della possibilità.

1 Se (tu - *avere*) __________ la macchina del tempo, in che periodo storico (*volere*) __________ viaggiare?
2 Se (tu - *avere*) __________ la lampada di Aladino, qual è la prima cosa che (*chiedere*) __________?
3 Se (tu - *potere*) __________ diventare un animale, in quale (*trasformarsi*) __________?
4 Se senza fatica (tu - *potere*) __________ imparare una lingua, quale (*volere*) __________ conoscere?
5 Se (tu - *potere*) __________ cambiare qualcosa dell'Italia, cosa (*cambiare*) __________?
6 Se (tu - *potere*) __________ cambiare qualcosa nella tua nazione, cosa (*cambiare*) __________?
7 Se (tu - *potere*) __________ decidere cosa mangiare a cena, cosa (*mangiare*) __________?
8 Se per una volta (tu - *potere*) __________ guardare nel futuro, cosa (*andare*) __________ a guardare?
9 Se (tu - *essere*) __________ la persona più potente del mondo, qual è la prima cosa che (*fare*) __________?
10 Se un giorno (tu - *ricevere*) __________ una lettera "importante", cosa (*volere*) __________ leggere?
11 Se (tu - *trovare*) __________ una borsa piena di soldi per strada, cosa (*fare*) __________?

5 Coniuga i verbi tra parentesi per costruire il periodo ipotetico della irrealtà.

Ivan e Maria hanno deciso di andare in vacanza a Roma a luglio. Prima di partire avevano chiesto consigli ad un amico italiano. Ma non hanno ascoltato i consigli dell'amico e sono molto delusi del viaggio.

1 ***Non mangiate nei ristoranti turistici a prezzo fisso!***
In Italia si mangia malissimo. Ma forse se io non (*andare*) ________________ sempre nei ristoranti turistici con un menù fisso a otto Euro (primo, secondo, contorno, vino, gelato e caffè tutto compreso), (*mangiare*) ________________ meglio.

2 ***Non affittate una macchina per visitare il centro storico!***
Siamo impazziti nel traffico! Probabilmente se (noi - *noleggiare*) ________________ uno scooter, (noi - *girare*) ________________ la città senza problemi.

3 ***Maria, copriti per visitare le chiese, anche se fa caldo!***
Non abbiamo potuto visitare la basilica di San Clemente. Se Maria (*prendere*) ________________ uno scialle per coprirsi le spalle o non (*indossare*) ________________ la minigonna, (noi - *potere*) ________________ entrare.

4 ***Maria, non mettere le scarpe con i tacchi a spillo per passeggiare! A Roma ci sono i sanpietrini!***
Maria si è fatta male a una caviglia. Se Maria (*mettere*) ________________ delle scarpe comode, non (*farsi*) ________________ male.

5 ***Se prendete un autobus fate il biglietto!***
Ma lo sanno tutti che a Roma sugli autobus non passano mai i controllori! Effettivamente se non (*passare*) ________________ il controllore, noi non (*dovere*) ________________ pagare la multa perché viaggiavamo senza biglietto.

6 ***L'unica fontana dove si devono gettare le monetine (per tornare a Roma) è Fontana di Trevi!***
Se (noi - *lanciare*) ________________ una moneta nella Fontana di Trevi invece che in tutte le altre fontane della città, (noi - *essere*) ________________ sicuri di ritornare a Roma e (*spendere*) ________________ meno.

7 ***Non fate il bagno nelle fontane! È vietato!***
Un vigile ci ha fatto una multa perché facevamo il bagno nella Fontana dei Fiumi a Piazza Navona.
Se noi (*tuffarsi*) ________________ nell'acqua del mare invece che nella fontana, non (noi - *fare*) ________________ una figuraccia.

8 ***Non fate la foto con la mano nella Bocca della Verità!***
Non abbiamo seguito neanche questo consiglio. E se noi non (*andare*) ________________ a fare la foto con la mano nella Bocca della Verità, non (noi - *fare*) ________________ una fila di tre ore.

9 ***Ivan, in città non passeggiare senza camicia o maglietta. Roma non è una spiaggia!***
Se non (*fare*) ________________ così caldo, io non (*camminare*) ________________ per il centro a torso nudo. E se io non (*essere*) ________________ a torso nudo, forse i camerieri non mi (*cacciare*) ________________ dai bar.

10 ***Non prendete i taxi abusivi: le tariffe sono molto salate!***
Se per andare all'aeroporto (noi - *prendere*) ________________ un taxi regolare, non (*spendere*) ________________ cento Euro. Ma forse non (*conoscere*) ________________ un tassista così divertente e simpatico.

vai su www.alma.tv

il periodo ipotetico del III tipo

Ipotesi fantascientifiche **CERCA**

nella rubrica **GRAMMATICA CAFFÈ**

Esercizi

6 **Con un po' di fantasia abbina le sei popolari maschere italiane alle sei descrizioni sotto. Poi svolgi il compito.**

A Arlecchino

B Pantalone

C Colombina

D Pulcinella

E Balanzone

F Tartaglia

1 __ È nato a Bergamo, ma poi vive a Venezia e parla veneziano. È poverissimo e sua madre gli ha cucito il costume con pezzi di stoffa di tutti i colori. Di mestiere fa il servo e la sua caratteristica principale è la sveltezza, con il fisico e con la lingua.

2 __ Lo chiamano "dottore", è bolognese, saccente, pesante, sputasentenze, crede di sapere tutto di tutto, parla senza fermarsi mai e, quando parla, spesso non si capisce che cosa vuol dire.

3 __ Servetta veneziana molto furba, non si fa imbrogliare facilmente, si lascia corteggiare, ma sa rimettere gli uomini al loro posto se esagerano. Vivace e graziosa, è anche una chiacchierona.

4 __ Ricchissimo e avarissimo mercante, vive nel terrore di perdere i suoi soldi. Ma non è troppo intelligente e alla fine è spesso costretto a pagare.

5 __ Dato che è balbuziente non si capisce mai dove andranno a finire i suoi discorsi. Proprio nel *non-sense* è la sua forza comica.

6 __ Una delle maschere più popolari italiane: è napoletano e rappresenta il popolo, sempre affamato o oppresso dal potere. Nella tradizione teatrale può avere ruoli comici, ma anche drammatici.

6a **Completa le frasi con i verbi della lista.**

avere fame	balbettare	difendere i miei soldi	fare il servo	pulire la cucina	sputare sentenze

1 Se fossi Arlecchino ______________________________

2 Se fossi Colombina ______________________________

3 Se fossi Balanzone ______________________________

4 Se fossi Pulcinella ______________________________

5 Se fossi Pantalone ______________________________

6 Se fossi Tartaglia ______________________________

e inoltre...

7 **Completa le frasi con la forma del periodo ipotetico facendo attenzione all'uso dei tempi (ipotesi al presente / conseguenza al passato – ipotesi al passato / conseguenza al presente).**

1 Andrei volentieri a lavorare all'estero, se (io - *studiare*) ______________ le lingue a scuola.
2 Se amasse davvero suo marito, non (*tradire*) l' ______________ mai ______________.
3 Se Roberto non avesse bevuto tanto ieri sera, ora (*riuscire*) ______________ a fare lezione.
4 Se gli (*piacere*) ______________ i gioielli, ne avrebbe comprati tanti per sua moglie.
5 Se noi (*vincere*) ______________ alla lotteria un milione di Euro, oggi (*essere*) ______________ felici.
6 Se i vostri genitori (*comprare*) ______________ quella casa tre anni fa, ora voi (*potere*) ______________ andarci ad abitare.
7 Se tu fossi davvero mio amico, l'altra sera non (*comportarsi*) ______________ così con me.
8 Se lo (*ascoltare*) ______________, ora sarei ricca e famosa.
9 Se noi non (*prendere*) ______________ il taxi, ora non (*essere*) ______________ su questo treno.
10 Se io (*essere*) ______________ meno timida, ieri sera (*andare*) ______________ a quella festa.

8 **Finisci le frasi con un imperativo, come nell'esempio.**

Es. Se vuoi andare in America, ___parti subito___!

1 Se sei un grande scienziato, ______________!
2 Se un gatto nero ti attraversa la strada, ______________!
3 Se ti senti male, ______________!
4 Se vuoi comprare una Ferrari, ______________!
5 Se sei stanco di lavorare, ______________!
6 Se piove, ______________!
7 Se non ti senti a tua agio in quella situazione, ______________!
8 Se hai tutti questi debiti, ______________!
9 Se vuoi trovare marito, ______________!
10. Se desideri qualcosa, ______________!

9 **Coniuga gli infiniti tra parentesi e scrivi su un quaderno le frasi possibili utilizzando tutte le varianti del periodo ipotetico, come nell'esempio.**

Es. Se tu (*avere*) tempo, (tu - *andare*) a trovarlo.
Se avevi tempo, andavi a trovarlo. / Se hai tempo, andrai a trovarlo. / Se hai tempo, vai a trovarlo. / Se tu avessi tempo, lo andresti a trovare. / Se tu avessi tempo, ieri lo saresti andato a trovare. / Se tu avessi avuto tempo, lo saresti andato a trovare. / Qualora tu avessi tempo, andresti a trovarlo. / ecc.

1 Se tu (*potere*), (tu - *dire*) la verità.
2 Se voi (*prendere*) le medicine, (voi - *sentirsi*) subito meglio.
3 Se io (*pagare*) le tasse, (io - *restare*) senza soldi.
4 Se tu (*trovare*) i biglietti per il concerto, (noi - *venire*) di sicuro.

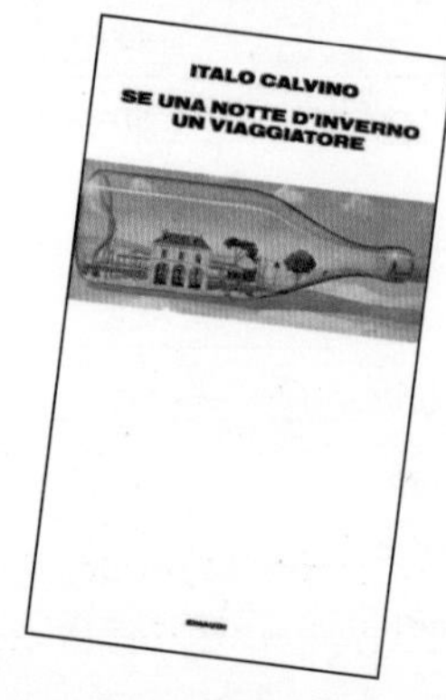

10 **Trasforma le frasi introdotte dal SE + indicativo / congiuntivo in frasi con il gerundio, come nell'esempio.**

Un matrimonio senza *se* e senza *ma*

Es. Se io volessi, potrei cambiare lavoro.
Volendo, potrei cambiare lavoro.

1 Se potessi, ti sposerei.

2 Se tu mi sposassi, faresti molto felice tua madre che non aspetta altro.

3 Se tua madre avesse un figlio maschio, lo avrebbe voluto come me.

4 Se andiamo a vivere insieme, saremo sicuramente felici.

5 Se fossero meno acide, anche le tue sorelle troverebbero un marito.

6 Se tu facessi dei bambini, vorresti smettere di lavorare, vero?

7 Se tu smettessi di lavorare, non potresti mantenere i tuoi figli!

8 Se tu imparassi a cucinare, saresti una moglie perfetta.

9 Se non fossero stati avari, i tuoi genitori avrebbero più amici.

11 **Trasforma le frasi con il gerundio in frasi introdotte dal SE + indicativo / congiuntivo, come nell'esempio.**

Un matrimonio senza *se* e senza *ma* (2)

Es. volendo, potrei cambiare lavoro.
Se io volessi, potrei cambiare lavoro.

1 Sposandomi, faresti la tua fortuna!

2 Restando scapolo, continueresti a vivere con la mamma?

3 Avendo uno stipendio accettabile o almeno sufficiente per vivere, mi sposeresti?

4 Venendo a abitare con noi, mia madre potrebbe aiutarci.

5 Non ti creerei problemi, uscendo con il mio ex fidanzato, vero?

6 Volendo, avresti potuto imparare a cucinare qualcosa anche tu!

7 Non essendo d'accordo con me, puoi anche lasciarmi.

8 Conoscendomi bene, sai che non avresti dovuto provocarmi.

12 **Nelle pagine di questo capitolo ci sono delle immagini che rappresentano un disco, un film e un libro. I tre titoli sono delle ipotesi interrotte. Prova a continuarle tu.**

lettura 4. LA STORIA DI PAPIRIO

Papirio era un romano di valore, e anche un ottimo soldato.
Quand'era ancora un bambino suo padre lo portava sempre con sé al Senato.
Un giorno, dopo una discussione, i senatori avevano stabilito che le cose dette quel giorno sarebbero dovute restare assolutamente segrete. Se qualcuno le avesse rivelate, infatti, avrebbero potuto provocare gravi disordini in città.
Papirio era così tornato a casa tutto contento di conoscere un segreto "dei grandi".
Sua madre però, all'incirca come tutte le mamme, era terribilmente curiosa. Aveva cominciato a fargli un sacco di domande e più vedeva che il figlio stava zitto più cercava di tirargli fuori la verità: "Non capisco come mai non parli... se tu volessi davvero bene alla tua mamma - diceva la donna - non avresti segreti".
Il ragazzino si trovava perciò in una situazione davvero difficile: si rendeva conto che se avesse parlato avrebbe tradito la fiducia dei Senatori, restando zitto avrebbe offeso la madre che continuava a fare di tutto per scoprire la verità.
Per questo aveva pensato a una soluzione senz'altro molto pratica: dire una bugia.
"Vedi mamma, - le ha detto il ragazzino - i Senatori hanno discusso riguardo a questo: secondo loro, in questo periodo, Roma avrebbe pochi abitanti. E allora, per avere una popolazione più numerosa, sarebbe meglio dare due mogli agli uomini o alle donne due mariti? E alla fine hanno deciso che tutto sommato sarà molto meglio se gli uomini prenderanno due mogli".
La madre aveva promesso al figlio che avrebbe mantenuto il segreto: e invece ha raccontato subito questa cosa a un'amica e questa a un'altra ancora e così via. Insomma: in poco tempo più o meno tutta Roma conosceva la notizia inventata da Papirio.
A un certo punto le donne romane si erano anche radunate in piazza ed erano andate tutte insieme a protestare davanti al Senato. Sembrava quasi una rivoluzione!
Per fortuna alla fine i Senatori hanno chiarito la questione: dopo di che le donne sono tornate a casa contente e i Senatori hanno fatto i complimenti a Papirio dato che era stato in grado di mantenere il segreto.
Ma da quel giorno in poi il comune di Roma ha deciso che nessun padre avrebbe più potuto portare i figli al Senato.

1 Scegli la forma corretta.

1. I Senatori avevano stabilito che le cose dette quel giorno ***dovrebbero / sarebbero dovute / sono dovute*** restare assolutamente segrete.
2. Se fossero state rivelate ***avessero potuto / potrebbero / avrebbero potuto*** provocare gravi disordini in città.
3. Se tu volessi bene alla tua mamma non ***avresti / avessi / avrai avuto*** segreti...
4. Se Papirio avesse parlato, ***avrebbe tradito / tradirebbe / avrà tradito*** la fiducia dei Senatori.
5. Restando zitto, Papirio ***offendesse / avrebbe offeso / offenda*** la madre.
6. Secondo i Senatori, in questo periodo, Roma ***aveva / avesse / avrebbero*** pochi abitanti.
7. Per avere una popolazione numerosa che cosa ***è stato / fosse / sarebbe*** meglio fare?.
8. Alla fine hanno deciso che ***era / era stato / sarebbero*** meglio dare due mogli agli uomini.
9. La madre ha promesso al figlio che ***mantenesse / avesse mantenuto / avrebbe mantenuto*** il segreto.
10. Quand'era un bambino il padre lo ***portava / porterà / porterebbe*** sempre con sé al Senato.
11. Ma da quel giorno il comune di Roma ha deciso che nessun padre ***avesse potuto / potrebbe / avrebbe potuto*** portare i figli al Senato.

2 Completa le frasi con il condizionale composto (futuro nel passato), come nell'esempio.

Es. La madre ha promesso a Papirio che (*mantenere*) avrebbe mantenuto il segreto.

1. Ti ho detto una settimana fa che io non (*potere*) ________________ partecipare alla festa.
2. Io non credevo che tu (*tornare*) ________________ così presto.
3. Mia sorella era sicura che tu le (*telefonare*) ________________.
4. Quel giorno il Senato ha deciso che i bambini (*dovere*) ________________ restare a casa.
5. Non era difficile capire che voi due (*sposarvi*) ________________.

3 Completa le frasi con il condizionale semplice o composto (frasi ipotetiche), come negli esempi.

Es. Se tu volessi davvero bene alla tua mamma, non (*avere*) avresti segreti.
Es. Se Papirio avesse parlato, (*tradire*) avrebbe tradito la fiducia dei Senatori.

1. Se Papirio non avesse parlato, (*offendere*) ______________ sua madre.
2. Se le cose dette in Senato fossero state rivelate, (*provocare*) ______________ gravi disordini in città.
3. Se tu leggessi con attenzione questa storia, (*imparare*) ______________ perfettamente il condizionale.
4. Se i maschi prendessero due mogli, la popolazione (*aumentare*) ______________.
5. Se Papirio non avesse detto una bugia, le donne romane non (*andare*) ______________ davanti al Senato a protestare.

4 Riscrivi le frasi usando il condizionale semplice o composto "di dissociazione", come negli esempi.

Es. Roma ha pochi abitanti. — Roma avrebbe pochi abitanti.
Es. Papirio è stato un ottimo soldato. — Papirio sarebbe stato un ottimo soldato.

1. Questa storia è realmente accaduta. ________________
2. Il padre ha portato Papirio in Senato. ________________
3. I maschi devono sposare due donne. ________________
4. Certe informazioni provocano disordini. ________________
5. Il ragazzino ha detto una bugia. ________________

5 **Sostituisci le frasi introdotte da SE + congiuntivo con frasi al gerundio, come nell'esempio.**

Es. Se Papirio avesse parlato, avrebbe tradito la fiducia dei Senatori.
Papirio, parlando, avrebbe tradito la fiducia dei Senatori.

1 Se Papirio non avesse parlato, avrebbe offeso sua madre.

2 Se Papirio avesse rivelato il segreto del Senato, avrebbe provocato gravi disordini in città.

3 Se tu leggessi con attenzione questa storia, impareresti perfettamente il condizionale.

4 Se i maschi prendessero due mogli, avrebbero più figli.

5 Se la madre avesse mantenuto il segreto, non avrebbe provocato quei disordini.

6 Se rileggessi questa storia, capirei sicuramente tutto.

6 **Sostituisci le frasi rette dal gerundio con frasi del tipo SE + congiuntivo, come nell'esempio.**

Es. Papirio, parlando, avrebbe tradito la fiducia dei Senatori.
Se Papirio avesse parlato, avrebbe tradito la fiduccia dei Senatori.

1 Dicendo la verità, potresti avere dei problemi.

2 Papirio, non rivelando il segreto, avrebbe offeso la madre.

3 Sposando due donne, i maschi avrebbero più figli.

4 Le donne, avendo due mariti, non avrebbero fatto più figli.

5 Non fidandomi, non ti avrei detto questo segreto.

7 **Riformula le frasi ipotetiche utilizzando al posto dell'imperfetto il congiuntivo e il condizionale, come nell'esempio.**

Es. Se Papirio parlava, tradiva la fiducia dei Senatori. *Se Papirio avesse parlato, avrebbe tradito la fiducia dei Senatori.*

1 Se avevo i soldi, non stavo qui.
2 Se c'era il sole, andavo al mare.
3 Se avevo tempo, venivo.
4 Se me lo dicevi, ti aiutavo.
5 Se mi davi retta, oggi stavi meglio.
6 Se venivi a piedi, facevi prima.
7 Se avevi un computer, ti davo un programma.
8 Se sapevo l'inglese, andavo a vivere all'estero.
9 Se lo sapevo, non te lo dicevo.
10 Se non mi fidavo, non ti dicevo questo segreto.

8 Rispondi utilizzando i pronomi diretti, indiretti, combinati, CI o NE.

1 Papirio era **un romano di valore**?	Sì, __________ era certamente!
2 Il padre portava **Papirio al Senato**?	Sì, __________ portava spesso.
3 Papirio poteva rivelare **il segreto alla madre**?	Non doveva rivelar__________.
4 La madre ha fatto **qualche domanda a Papirio**?	__________ ha fatte moltissime!
5 La madre cercava di tirar**gli fuori la verità**?	Sì, cercava di tirar__________ fuori.
6 Papirio avrebbe tradito **la fiducia dei Senatori**?	No, non __________ avrebbe tradita.
7 Papirio ha detto **molte bugie alla madre**?	__________ ha detta una, ma grossa!
8 La donna ha rivelato **la notizia a un'amica**?	Sì, __________ ha rivelata.
9 I Senatori hanno fatto **i complimenti a Papirio**?	__________ hanno fatti molti.
10 Nessun padre poteva portare **i bambini al Senato**?	Nessuno poteva più portar__________.

9 Completa le frasi con le preposizioni.

1 Papirio era un romano _____ valore.
2 Papirio era tornato _____ casa tutto contento.
3 Sua madre aveva cominciato _____ fargli un sacco di domande.
4 "Se tu volessi bene _____ tua mamma non avresti segreti...".
5 Il ragazzino si trovava _____ una situazione davvero difficile.
6 Se avesse parlato avrebbe tradito la fiducia _____ Senatori.
7 La madre continuava a fare di tutto _____ scoprire la verità.
8 Papirio ha pensato _____ una soluzione molto pratica.
9 "Vedi mamma, i Senatori hanno discusso _____ questo".
10 Secondo loro, _____ questo periodo, Roma avrebbe pochi abitanti.
11 I Senatori _____ fine hanno deciso che è meglio che gli uomini prendano due mogli.
12 La madre aveva detto subito questa cosa _____ un'amica.
13 Tutta Roma conosceva la notizia inventata _____ Papirio.
14 Le donne romane erano andate a protestare davanti _____ Senato.
15 I Senatori hanno fatto i complimenti _____ Papirio.
16 Papirio era stato molto bravo _____ mantenere il segreto.
17 Ma _____ quel giorno i padri non hanno potuto più portare i figli al Senato.

10 Nel testo ci sono alcune "polirematiche" cioè gruppi di parole che insieme hanno un senso particolare. Sono polirematiche espressioni come PUNTO DI VISTA, D'ALTRA PARTE, TENERE CONTO, MAMMA MIA, ecc. Prova a ricostruirne qualcuna con questo esercizio.

1 *all'*	A a
2 come	B altro
3 e così	C che
4 dato	D che
5 dopo di	E conto
6 essere in	F grado
7 più o	G *incirca*
8 rendersi	H mai?
9 riguardo	I meno
10 senz'	L sommato
11 tutto	M via

1.G • 2.__ • 3.__ • 4.__ • 5.__ • 6.__ • 7.__ • 8.__ • 9.__ • 10.__ • 11.__

10. IL CONGIUNTIVO

10.1 LE FORME DEL CONGIUNTIVO

Presente

ARE	ERE	IRE
parl-**i**	ved-**a**	sent-**a**
parl-**i**	ved-**a**	sent-**a**
parl-**i**	ved-**a**	sent-**a**
parl-**iamo**	ved-**iamo**	sent-**iamo**
parl-**iate**	ved-**iate**	sent-**iate**
parl-**ino**	ved-**ano**	sent-**ano**

Passato

sia andata/o	**abbia** capito
sia andata/o	**abbia** capito
sia andata/o	**abbia** capito
siamo andate/i	**abbiamo** capito
siate andate/i	**abbiate** capito
siano andate/i	**abbiano** capito

Imperfetto

ARE	ERE	IRE
parl-**assi**	ved-**essi**	sent-**issi**
parl-**assi**	ved-**essi**	sent-**issi**
parl-**asse**	ved-**esse**	sent-**isse**
parl-**assimo**	ved-**essimo**	sent-**issimo**
parl-**aste**	ved-**este**	sent-**iste**
parl-**assero**	ved-**essero**	sent-**issero**

Trapassato

fossi andata/o	**avessi** capito
fossi andata/o	**avessi** capito
fosse andata/o	**avesse** capito
fossimo andate/i	**avessimo** capito
foste andate/i	**aveste** capito
fossero andate/i	**avessero** capito

10.2 LE FORME IRREGOLARI DEL PRESENTE CONGIUNTIVO

	VOLERE	POTERE	DOVERE	SAPERE	FARE	STARE
io	voglia	possa	deva / debba	sappia	faccia	stia
tu	voglia	possa	deva / debba	sappia	faccia	stia
lui / lei	voglia	possa	deva / debba	sappia	faccia	stia
noi	vogliamo	possiamo	dobbiamo	sappiamo	facciamo	stiamo
voi	vogliate	possiate	dobbiate	sappiate	facciate	stiate
loro	vogliano	possano	devano / debbano	sappiano	facciano	stiano

	ANDARE	VENIRE	DIRE	DARE	BERE	USCIRE
io	vada	venga	dica	dia	beva	esca
tu	vada	venga	dica	dia	beva	esca
lui / lei	vada	venga	dica	dia	beva	esca
noi	andiamo	veniamo	diciamo	diamo	beviamo	usciamo
voi	andiate	veniate	diciate	diate	beviate	usciate
loro	vadano	vengano	dicano	diano	bevano	escano

10.3 LE FORME IRREGOLARI DELL'IMPERFETTO CONGIUNTIVO

	DARE	STARE	FARE	DIRE	BERE
io	**dessi**	**stessi**	fac-**essi**	dic-**essi**	bev-**essi**
tu	**dessi**	**stessi**	fac-**essi**	dic-**essi**	bev-**essi**
lui / lei	**desse**	**stesse**	fac-**esse**	dic-**esse**	bev-**esse**
noi	**dessimo**	**stessimo**	fac-**essimo**	dic-**essimo**	bev-**essimo**
voi	**deste**	**steste**	fac-**este**	dic-**este**	bev-**este**
loro	**dessero**	**stessero**	fac-**essero**	dic-**essero**	bev-**essero**

10.4 LE CARATTERISTICHE DEL CONGIUNTIVO

Il congiuntivo, nella maggior parte dei casi, si usa in **frasi dipendenti**, dopo verbi o dopo congiunzioni che ne richiedono l'uso.	***Spero che*** tu mi ***capisca***. Luisa ***pensa che*** l'esame ***sia andato*** bene. Vengo a trovarti ***a patto che*** non ***piova***.
Si usa comunque anche nelle frasi principali (Vol. **2**, cap. **25**) e come imperativo di cortesia (Vol. **2**, cap. **3** e **25**).	***Vada*** sempre dritto! ***Scusi***, dov'è la stazione?

10.5 DOPO QUALI VERBI SI USA IL CONGIUNTIVO

Si usa di solito, e in diversa misura, dopo alcuni tipi di verbi.

Verbi di **volontà, attesa, speranza, dubbio** o **timore, stato d'animo** o **sentimento, opinione** (con forte valore argomentativo). **Es.** *chiedo che, desidero che, ordino che, pretendo che, voglio che; aspetto che; dubito che, ho paura che; immagino che; mi dispiace che; mi fa piacere che; mi sorprende che; sono contento che; sospetto che; spero che; ritengo che, penso che, credo che, suppongo che, mi pare che, mi sembra che,* ecc. (ma con *mi sa che* si deve usare l'indicativo).	***Pretendo*** che lui mi ***capisca***. ***Chiedo*** al cameriere che ci ***porti*** un caffè. ***Ho voluto*** che loro ***andassero*** a casa. ***Spero*** che loro ***tornino*** presto. ***Sono contento*** che tu ***sia*** qui. ***Immagino*** che tu ***conosca*** la risposta. ***Suppongo*** che voi ***abbiate*** capito. ***Ritenevo*** che ***fosse*** giusto parlarti. ***Mi pare*** che tu non ***abbia*** altro da dirmi. ***Mi sa che*** tu non ***hai*** altro da dirmi.
Verbi **negativi**. **Es.** *non dico che, non mi sono reso conto che,* ecc.	***Non dico*** che ***sia*** una bella notizia, ma non è terribile.
Verbi **impersonali**. **Es.** *è bello che, è giusto che, bisogna che, conviene che, si dice che, si racconta che,* ecc.	***Era giusto*** che io ti ***incontrassi***. ***Bisogna*** che tu mi ***capisca***. ***Si dice*** che tu ***sia diventato*** ricco!
Verbi che introducono una **frase interrogativa indiretta (con domanda argomentata)**. **Es.** *chiedo se, domando se,* ecc.	Mi ***ha chiesto se*** io ***volessi*** cambiare lavoro. (ma anche: Mi ***ha chiesto se volevo*** cambiare lavoro.)
Con tutti i verbi **se la frase introdotta dal** che **precede la principale**.	***Che*** tu ***sia*** stanco lo vedo benissimo. (ma: Vedo benissimo che sei stanco.)
In frasi **comparative**.	È ***il libro più bello*** che io ***abbia letto***.
In frasi introdotte da **indefiniti**.	***Qualunque*** cosa tu ***voglia*** la farò.
Nelle frasi **ipotetiche** (vedi Vol. **2**, cap. **9**).	Se ti ***avessi conosciuto*** prima sarebbe stato diverso. Se lo ***sapessi*** te lo direi.

10.6 LE CONGIUNZIONI CHE RICHIEDONO IL CONGIUNTIVO

affinché (o **perché** con valore finale)
a meno che
a patto che
come se
magari...! (con valore desiderativo)
malgrado (**benché**, **nonostante**, **sebbene**)
nel caso che
non perché...
prima che
purché
senza che

Devo spiegarmi bene ***perché*** lui ***capisca***.
Vengo al ristorante ***a patto che*** tu mi ***faccia*** offrire il pranzo.
Ragiona ***come se*** avesse diciotto anni...
Magari potessi riposarmi un po'!
Gioca bene a basket ***malgrado sia*** basso.
Prima che lui ***torni*** voglio finire il lavoro.
Mi piace la cioccolata, ***purché*** non ***sia*** al latte.
Entro in casa piano piano ***senza che*** la mamma si ***svegli***.

10.7 QUALE TEMPO DEL CONGIUNTIVO?

Quando il verbo della frase principale è al **presente**, il verbo della frase dipendente va:

al **congiuntivo passato** o **imperfetto** per una **azione anteriore**;

al **congiuntivo presente** per una **azione contemporanea**;

al **congiuntivo presente** per una **azione futura**, visto che non esiste il congiuntivo futuro. In questo caso si può spesso utilizzare anche l'indicativo **futuro**.

Penso che lui

INDICATIVO
passato imperfetto — presente — futuro
leggerà

CONGIUNTIVO
passato imperfetto — presente — presente

abbia letto / **leggesse** — **legga** — **legga**

Quando il verbo della frase principale è al **passato**, il verbo della frase dipendente va:

al **congiuntivo trapassato** per una **azione anteriore**;

al **congiuntivo imperfetto** per una **azione contemporanea**;

al **condizionale** composto per una **azione futura** (con valore di **futuro del passato**).

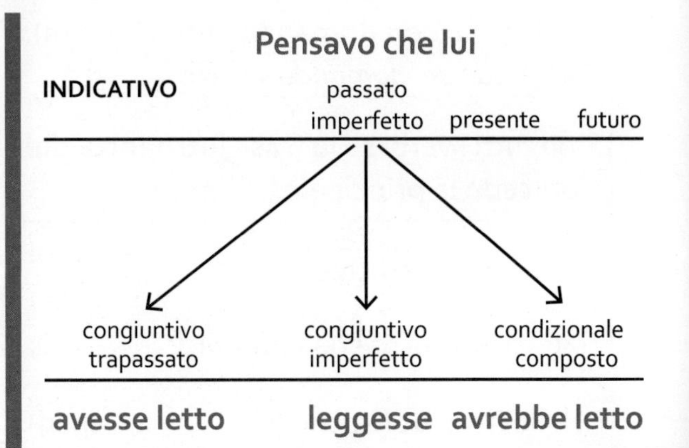

 e inoltre...

10.8 ALCUNE NOTE SUL CONGIUNTIVO

Quando il soggetto della frase principale è uguale al soggetto della frase dipendente di solito non si usa il congiuntivo ma la forma **di** + **infinito**.

Credo ***di avere capito***. (ma: credo che tu abbia capito.)
Lui aspetta ***di partire***. (ma: lui aspetta che io parta.)

I verbi *desiderare*, *preferire* e *volere* reggono il **congiuntivo presente** o **imperfetto**. Con questi verbi, se il soggetto della frase principale è uguale al soggetto della frase dipendente si usa **l'infinito** (senza *di*).

Preferisci che io ***stia*** a casa?
Volevo che questo per te ***fosse*** un giorno speciale.
Preferisci stare a casa?
Desideri mangiare qualcosa?

Quando nella frase principale c'è il **condizionale** di un verbo di volontà, di desiderio o di opportunità (*desidererei*, *vorrei*, *sarebbe bello*, *mi piacerebbe*, ecc.), nella dipendente si usa il **congiuntivo imperfetto** o **trapassato**. Si usa sempre l'**infinito** se il soggetto è lo stesso della frase principale.

Vorrebbe che io gli ***scrivessi*** una email.
Mi piacerebbe che tu ***avessi visto*** quel film.
Vorrei essere più alto.
A Marta ***piacerebbe smettere*** di mangiare dolci.

Dopo **magari** desiderativo e dopo **come se** si usa per lo più il **congiuntivo imperfetto** o **trapassato**.

Magari fossi ricco come un sultano!
Fa' pure ***come se*** io non ***ci fossi***!

In alcuni casi **si può scegliere se usare il congiuntivo o l'indicativo**: la scelta del congiuntivo significa di solito che voglio trasmettere un pensiero più articolato, argomentato, ragionato (vedi Vol. **2**, cap. **25**).

Mi ha domandato che ora ***era***.
Mi ha domandato cosa ***pensassi*** di quel problema.

Il Popolo d'Italia
QUOTIDIANO SOCIALISTA
Fondatore: BENITO MUSSOLINI
ABBONAMENTI
Anno II. — N. 142 — Milano, Lunedì 24 Maggio 1915
L'ITALIA HA DICHIARATO LA GUERRA ALL'AUSTRIA-UNGHERIA
Lo stato di guerra comincia oggi - La mobilitazione generale avviene con entusiasmo
POPOLO, IL DADO E' TRATTO: BISOGNA VINCERE!
...E guerra sia!
Un decreto reale
La dichiarazione di guerra all'Austria

1 Completa la coniugazione del congiuntivo presente dei verbi regolari.

	Parl -are	Ved -ere	Sent -ire	Fin -ire
io	parli	veda	senta	finisca
tu	parli	veda	senta	finisca
lui / lei	parli	veda	senta	finisca
noi	parliamo	vediamo	sentiamo	finiamo
voi	parliate	vediate	sentiate	finiate
loro	parlino	vedano	sentano	finiano

2 Completa la coniugazione del congiuntivo presente dei verbi irregolari.

	Essere	Potere	Volere	Dire
io	sia	Possa	voglia	dica
tu	sia	possa	voglia	dica
lui / lei	sia	possa	voglia	dica
noi	siamo	possiamo	vogliamo	diciamo
voi	siate	possiate	vogliate	diciate
loro	siano	possano	vogliano	dicano

3 Leggi il testo. Poi svolgi il compito.

Da quando ho lo *smart phone* sono cambiato. Una volta, con il vecchio telefonino, come potevo vivere?
Ora mi sento un uomo migliore... anzi superiore. Chi non ce l'ha non può capire. Ma del resto... chi non ce l'ha?
Appena vedi qualcuno che saltella con le dita su uno *smart phone* (o addirittura su un *iPhone*!), anche se non lo conosci, sai già che è "un tipo giusto": uno che per strada non si perde, uno che non capisce più che vuol dire "mandare sms" perché ha mille sistemi diversi per stare in contatto con gli amici, uno che prenota treni, alberghi, aerei, ma anche la spesa in un supermercato virtuale con semplici click. Tutto è facile e soprattutto è fotografabile: con un solo click, immediatamente la vita è online, su Twitter o nel blog personale.
Ormai io fotografo tutto, anche i risultati delle analisi del sangue o quello splendido piatto di spaghetti alla carbonara appena mangiato nel ristorante sotto casa. Bella foto... la metto su Facebook!

3a Inserisci nelle frasi i verbi della lista al congiuntivo presente, come nell'esempio.

abbia	fotografi	legga	sappia	veda	viva	voglia

Ritengo che chi ha l'*iPhone*
1. abbia il terrore di perderlo.
2. al ristorante voglia solo tavoli vicino alla presa di corrente.
3. legga sempre meno libri e sempre più ebook.
4. non veda l'ora di umiliare chi non ce l'ha dicendo "Non ce l'hai???"
5. viva con il terrore di leggere "20% di batteria rimanente".
6. fotografi tutto, anche quello che mangia.
7. non sappia a memoria nessun numero di telefono.

4 Leggi il testo. Poi svolgi il compito.

La perdita della privatezza, da "La bustina di Minerva", Umberto Eco

Siamo ossessionati dalla difesa della riservatezza contro il Grande Fratello che ci osserva e ascolta.
Almeno così sembra. In realtà tutti vogliono farsi vedere. Perché apparire, anche mostrando il peggio di sé, è l'unico modo per esistere.

Uno dei problemi del nostro tempo, che (a giudicare dalla stampa) ossessiona un poco tutti, è quello della cosiddetta "privacy" che si può tradurre in volgare italiano come privatezza. Significa che ciascuno ha diritto di farsi i fatti suoi senza che tutti lo vengano a sapere. Ed esistono istituzioni che garantiscono a tutti la privatezza (ma, mi raccomando, chiamandola "privacy", altrimenti nessuno la prende sul serio).

Per questo ci si preoccupa che attraverso le nostre carte di credito qualcuno possa sapere che cosa abbiamo comprato, in che albergo siamo scesi e dove abbiamo cenato. Per non dire delle intercettazioni telefoniche! Recentemente Vodafone ha lanciato un allarme per la possibilità che agenti più o meno segreti di ogni nazione possano sapere a chi telefoniamo e che cosa diciamo.

Sembra dunque che la privatezza sia un bene che ciascuno vuole difendere a ogni costo, per non vivere in un universo da Grande Fratello (quello vero, di Orwell) dove un occhio universale può monitorare tutto quello che facciamo, o addirittura pensiamo.

Ma la domanda è: ci tiene davvero tanto la gente alla privatezza? Una volta la minaccia alla privatezza era il pettegolezzo, cioè l'attentato alla nostra reputazione pubblica. Ma sembra che oggi l'unico modo di acquistare un riconoscimento sociale sia quello di "farsi vedere", a ogni costo.

E così la signora che fa commercio di sé oggi, facendosi magari chiamare "escort", allegramente assume il proprio ruolo pubblico, magari presentandosi in televisione; i coniugi che un tempo tenevano gelosamente nascosti i loro problemi, partecipano alle trasmissioni "trash" per recitare sia la parte dell'adultero sia quella del cornuto, tra gli applausi del pubblico; il nostro vicino di treno telefona ad alta voce quel che pensa della cognata o quello che il suo fiscalista deve fare; gli indagati di ogni tipo invece di ritirarsi in campagna aumentano le loro apparizioni, col sorriso sulle labbra, perché pare che sia meglio un ladro famoso che un onesto sconosciuto.

È pur vero che, una volta che tutti possono sapere tutto di tutti, nel caso che i "tutti" si identifichino con la somma degli abitanti del pianeta, l'eccesso di informazione non potrà produrre che confusione, rumore e silenzio. Ma questo dovrebbe preoccupare le spie, mentre agli spiati va benissimo che di loro, e dei loro segreti più intimi, sappiano almeno gli amici, i vicini e possibilmente i nemici, perché questo è il solo modo di sentirsi vivi e parte attiva del corpo sociale. E allora perché preoccuparsi tanto della privatezza? Non ne importa niente a nessuno. L'importante, per esistere, è farsi vedere.

4a **Scrivi i verbi della lettura al congiuntivo, segnalane il tempo e indica da cosa dipendono, come nell'esempio.**

Congiuntivo	Tempo	Dipende da
vengano	presente	senza che
possa	presente	si preoccupa che
possano	presente	la possibilità che
sia	presente	sembra che
sia	presente	sembra che
sia	presente	pare che

5 Rileggi il testo dell'esercizio 4 e completa le frasi con il verbo al congiuntivo o all'indicativo.

1 Umberto Eco ritiene che l'unico modo per esistere (*essere*) ___sia___ apparire.
2 Non è così sicuro che la gente (*tenere*) ___tenga___ davvero alla privacy.
3 Secondo Umberto Eco l'unico modo di acquisire un riconoscimento sociale (*consistere*) ___consiste___ nel farsi vedere a ogni costo.
4 Qualcuno sostiene che una prostituta (*essere*) ___sia___ diversa da una escort.
5 Umberto Eco ha l'impressione che l'eccesso di informazioni (*produrre*) ___produca___ confusione e silenzio.

6 Scegli la forma giusta del verbo.

1 Mi domando se ***sia / sii / è*** ragionevole mangiare solo cibi biologici.
2 È giusto che le donne si ***sottopongano / sottopongono / sottoporrebbero*** alla chirurgia estetica.
3 Ritengo che le droghe leggere ***devono / fossero dovute / debbano*** essere legalizzate.
4 Credo che le donne ***abbiano / siano / fossero*** più intelligenti degli uomini.
5 Bisogna che i giovani ***abbiano / hanno / avranno*** un'educazione più rigida.
6 Mi auguro che presto anche in Italia gli omosessuali ***abbiano / hanno / avrebbero*** diritto di sposarsi.
7 Occorre che ***c'è / ci siano / ci sia*** una nuova legge per l'eutanasia.
8 Temo che il numero degli xenofobi in Italia ***cresca / cresce / sarebbe cresciuto*** ogni anno.
9 Suppongo che in futuro si ***potesse / potrà / possono*** avere più libertà nel campo della fecondazione artificiale.
10 Immagino che in futuro la pena di morte non ci ***sarebbe / sarà / fosse*** più in nessuna nazione.

7 Collega i nomi con gli aggettivi e scrivi una frase (è possibile la combinazione con più aggettivi), come nell'esempio.

1 *città* → E
2 film
3 libro
4 piatto
5 uomo/donna
6 vacanza
7 canzone
8 lavoro

A entusiasmante
B romantico
C appetitoso
D faticoso
E *rumoroso*
F noioso
G avventuroso
H affascinante

Es. Palermo è la città più rumorosa che io conosca.
1 ______________________
2 ______________________
3 ______________________
4 ______________________
5 ______________________
6 ______________________
7 ______________________
8 ______________________

8 Completa con i verbi al congiuntivo presente o passato.

1 Sebbene Carlo (*fare*) ____________ di tutto per incontrarmi, io non lo voglio più vedere.
2 Immagino che Carlo due settimane fa (*capire*) ____________ benissimo perché ho preso questa decisione.
3 Malgrado io gli (*prestare*) ____________ centomila euro e la casa, continua a dire che non sono generoso.
4 Temo che Carlo non mi (*ridare*) ____________ più i miei soldi.
5 Mia moglie vuole bene a Carlo e spera che io lo (*perdonare*) ____________.
6 Mia moglie ha paura che io non (*volere*) ____________ più invitarlo a casa.
7 Si dice che Carlo e mia moglie (*avere*) ____________ una relazione in passato.
8 Ho il sospetto che lui (*approfittarsi*) ____________ un po' di me.

9 Completa con il verbo opportuno le tre frasi dipendenti, immaginando che la prima esprima un tempo anteriore, la seconda contemporaneo e la terza futuro rispetto al tempo del verbo reggente.

1 Temo che Roberto
ieri sera (*bere*) ______________ troppo.
stasera (*bere*) ______________ troppo.
domani sera (*bere*) ______________ troppo.

2 È probabile che Angelica
ieri (*arrabbiarsi*) ______________.
ora (*arrabbiarsi*) ______________.
domani (*arrabbiarsi*) ______________.

3 Sono felice che loro
già (*capire*) ______________ il problema.
ora (*capire*) ______________ il problema.
(*capire*) ______________ il problema **quando gli parlerai**.

4 Credo che Gianni
già (*prendere*) ______________ una decisione sbagliata.
in questi giorni (*prendere*) ______________ una decisione sbagliata.
presto (*prendere*) ______________ una decisione sbagliata.

5 Mio padre ritiene che
io lo scorso anno non (*essere*) ______________ all'altezza della situazione.
io stavolta non (*essere*) ______________ all'altezza della situazione.
se avrò questo problema non (*essere*) ______________ all'altezza della situazione.

6 Non sono sicuro che lui
ieri (*passare*) ______________ una bella serata.
oggi (*passare*) ______________ una bella serata.
domani sera (*passare*) ______________ una bella serata.

10 Completa la coniugazione del congiuntivo imperfetto.

	Parlare	Vedere	Sentire	Capire	Essere	Fare	Dire
io	parlassi						
tu							
lui / lei			sentisse				
noi							
voi							
loro		vedessero					

Esercizi

11 **Completa con il verbo opportuno le tre frasi dipendenti, immaginando che la prima esprima un tempo anteriore, la seconda contemporaneo e la terza futuro rispetto al tempo del verbo reggente.**

1 Temevo che Roberto
- **la sera prima** (*bere*) ____________________ troppo.
- **quella sera** (*bere*) ____________________ troppo.
- **la sera dopo** (*bere*) ____________________ troppo.

2 Era probabile che Angelica
- **il giorno prima** (*arrabbiarsi*) ____________________.
- **quel giorno** (*arrabbiarsi*) ____________________.
- **il giorno dopo** (*arrabbiarsi*) ____________________.

3 Era felice che loro
- **già** (*capire*) ____________________ il problema.
- **a quel punto** (*capire*) ____________________ il problema.
- **presto** (*capire*) ____________________ il problema.

4 Credevo che Gianni
- **già** *(prendere)* ____________________ una decisione sbagliata.
- **in quei giorni** *(prendere)* ____________________ una decisione sbagliata.
- **dopo qualche giorno** *(prendere)* ____________________ una decisione sbagliata.

5 Mio padre riteneva che
- **io l'anno precedente** (*essere*) ____________________ all'altezza della situazione.
- **io quella volta** (*essere*) ____________________ all'altezza della situazione.
- **se avessi avuto questo problema** (*essere*) ____________________ all'altezza della situazio

6 Non ero sicuro che lui
- **il giorno prima** (*passare*) ____________________ una bella serata.
- **quel giorno** (*passare*) ____________________ una bella serata.
- **prima o poi** (*passare*) ____________________ una bella serata.

12 **Leggi il testo colloquiale (anche troppo) ricco di espressioni relative al corpo umano. Poi svolgi il compito nella prossima pagina.**

C'è un politico che io non sopporto.
Ragiona sempre di pancia, crede di essere in gamba, anzi, l'ombelico del mondo e i suoi amici (compreso il suo braccio destro) gli leccano i piedi.
Quando lo vedo storco il naso, mi mordo le labbra e stringo i denti per non mangiarmi le mani e il fegato!
Ho naso e so che quest'uomo non ha cuore, non ha polso, ha la testa dura (e secondo me non ha nemmeno orecchio). Ha la faccia come il culo e quando parla mi cadono le braccia...
Per me è una vera spina nel fianco: fa sempre il passo più lungo della gamba e alla fine mette tutti in ginocchio e lascia tutti con l'acqua alla gola.
Lo so, dovrei chiudere un occhio, ma lui è sempre tra i piedi! Ok, ho perso la testa: meglio alzare un po' il gomito per dimenticare. Ma che palle!

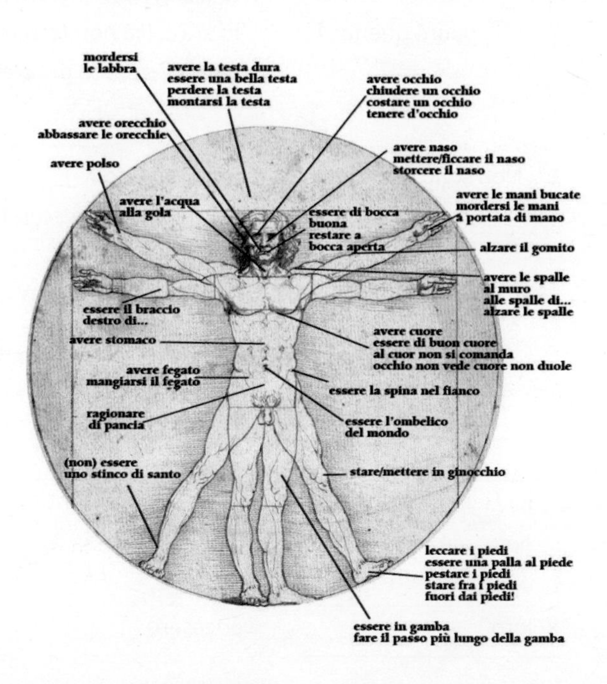

12a Rendi il discorsetto colloquiale un po' più "intellettuale", usando il congiuntivo.

C'è un politico che io non sopporto.
Non sopporto che lui (*ragionare*) _____________ sempre di pancia, che (*credere*) _____________ di essere in gamba, anzi, l'ombelico del mondo e che i suoi amici (compreso il suo braccio destro) gli (*leccare*) _____________ i piedi.
Quando lo vedo... se io non (*storcere*) _____________ il naso, se non mi (*mordere*) _____________ le labbra e se non (*stringere*) _____________ i denti, probabilmente mi mangerei le mani e il fegato! Già molti anni fa sospettavo che quest'uomo non (*avere*) _____________ cuore, non (*avere*) _____________ polso e (*avere*) _____________ la testa dura (e secondo me non ha nemmeno orecchio).
Chi può negare che lui (*avere*) _____________ la faccia di bronzo? Quando parla non è strano che mi (*cadere*) _____________ le braccia... Ritengo che lui (*essere*) _____________ una vera spina nel fianco: non posso perdonargli che (*fare*) _____________ sempre il passo più lungo della gamba e che alla fine (*mettere*) _____________ tutti in ginocchio e (*lasciare*) _____________ tutti con l'acqua alla gola.
Lo so, sarebbe giusto che io (*chiudere*) _____________ un occhio, ma lui è sempre tra i piedi! Ok, se pensate che io (*avere*) _____________ perso la testa è vero: forse è meglio che stasera io (*alzare*) _____________ un po' il gomito per non pensarci più. Che situazione insostenibile!

13 Completa il dialogo con i verbi al congiuntivo.

Luoghi comuni in treno

■ Incredibile quanto (*fare*) _____________ caldo oggi, eh?
● Se io non lo (*sapere*) _____________ non ci crederei che siamo ancora a giugno. È proprio vero che non c'è più la mezza stagione!
■ Mah, non è mica strano che al giorno d'oggi (*essere*) _____________ così: sarà per via del buco nell'ozono, chissà.
● E i politici che fanno? Niente. Qui è tutto un magna-magna.
■ Certo, i politici... cosa si aspetta che (*fare*) _____________ quelli? Destra o sinistra sono tutti ladri.
● Purtroppo. Certe cose succedono solo in Italia.
■ Io non so cosa (*pensare*) _____________ lei, ma diciamo la verità: si stava meglio quando si stava peggio!
● Ma io penso che lei (*avere*) _____________ mille volte ragione, signora mia: una volta era normale che la notte si (*lasciare*) _____________ la porta aperta! E oggi? Oggi non sai più nemmeno quello che mangi!
■ Come no? Ha visto la verdura? Una volta aveva un altro sapore.
● E quanto costa la verdura! Da quando c'è l'euro... Cioè, non voglio dire che (*essere*) _____________ tutta colpa dell'euro... però... Non si arriva più alla fine del mese!
■ Dicono che i soldi non (*fare*) _____________ la felicità, certo, però...
● Non so. Ha visto i giovani? Hanno tutto, eppure... è come se non (*sapere*) __________ più divertirsi.
■ Eh, se i giovani (*avere*) _____________ i problemi che avevamo noi alla loro età, se non (*stare*) _____________ tutto il giorno attaccati a quei loro telefonini, mica sarebbero così tristi!
● Hanno troppa libertà! Ha visto le ragazze? Si comportano come se (*essere*) __________ maschi! Ogni lasciata è persa, pensano! Comunque, peggio per i mariti se non gli importa di avere le corna!
■ Eh, cosa vuole che le (*dire*) _____________? Le corna sono come i denti... fanno male solo quando spuntano!
● Ma ci sono anche le brave ragazze eh? Mia nipote per esempio... non lo dico perché è mia nipote, ma dovrebbe vedere che brava ragazza è! Però certo, una rondine non fa primavera.
■ Tanto alla mia età... cosa vuole che mi (*importare*) _____________?
● Età? Ma scherza? L'importante è che lei (*sentirsi*) _____________ giovane dentro!
■ Ah, questo sì: e poi quando c'è la salute c'è tutto!

 e inoltre...

14 Completa le frasi con i verbi al congiuntivo imperfetto.

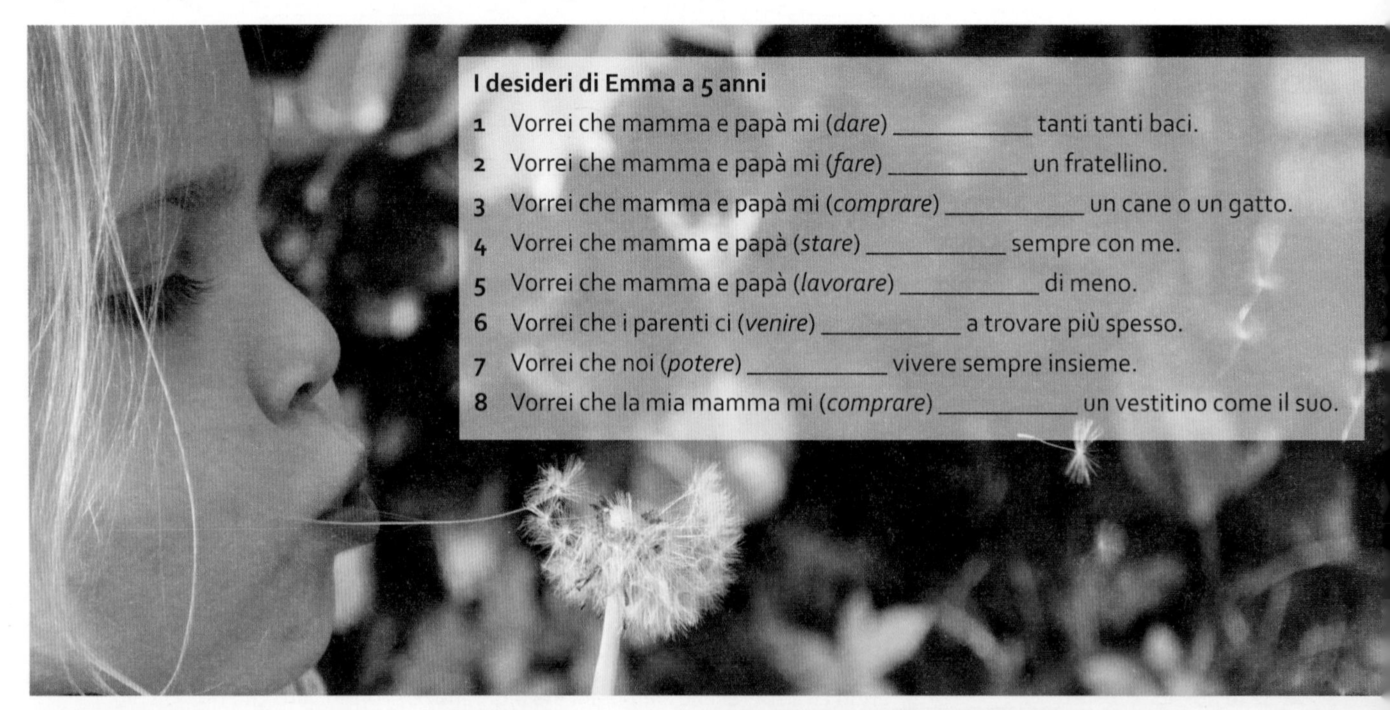

I desideri di Emma a 5 anni

1 Vorrei che mamma e papà mi (*dare*) __________ tanti tanti baci.
2 Vorrei che mamma e papà mi (*fare*) __________ un fratellino.
3 Vorrei che mamma e papà mi (*comprare*) __________ un cane o un gatto.
4 Vorrei che mamma e papà (*stare*) __________ sempre con me.
5 Vorrei che mamma e papà (*lavorare*) __________ di meno.
6 Vorrei che i parenti ci (*venire*) __________ a trovare più spesso.
7 Vorrei che noi (*potere*) __________ vivere sempre insieme.
8 Vorrei che la mia mamma mi (*comprare*) __________ un vestitino come il suo.

I desideri di Emma, 10 anni dopo

9 Vorrei che mamma e papà mi (*regalare*) __________ il motorino.
10 Non vorrei che mamma e papà (*pensare*) __________ di farmi un fratellino.
11 Vorrei che mamma o papà (*portare*) __________ il cane a fare pipì.
12 Vorrei che mamma e papà (*uscire*) __________ di casa più spesso.
13 Vorrei che mamma e papà (*andare*) __________ a fare una seconda luna di miele.
14 Vorrei che i parenti (*capire*) __________ che questa casa non è un albergo.
15 Vorrei che i miei genitori mi (*affittare*) __________ un appartamentino indipendente.
16 Vorrei che la mia mamma (*smettere*) __________ di comprarmi vestiti da vecchia.

15 Unisci le frasi usando la congiunzione **COME SE** + congiuntivo imperfetto o trapassato, come nell'esempio.

Es Ha avuto molta paura → ha visto un fantasma
Ha avuto molta paura come se avesse visto un fantasma.

1 Quando parla degli italiani fa sempre di tutta l'erba un fascio → gli italiani sono tutti uguali
____

2 Non mi ha ascoltato → le mie parole gli sono entrate da un orecchio e uscite dall'altro
____

3 Si è parlato addosso → gli altri non esistere
____

4 Parla di sua moglie → è una mosca bianca
____

5 Si comporta come un ragazzo → qualcuno non sa che ha più di quarant'anni
____

16 Inserisci nelle frasi le espressioni della lista, come nell'esempio.

a meno che	benché	chiunque	di quanto	magari	ovunque
perché	prima che	purché	*qualunque*	se	senza che

Es. *Qualunque* cosa io dica, tu non ci credi.
1 ____________ tu arrivassi qui, la vita era tranquilla. Ora invece è vivacissima, finalmente!
2 È più interessante ____________ immaginassi.
3 Accetterò la loro offerta di lavoro ____________ mi paghino bene.
4 ____________ tu sia, ti troverò.
5 Lavorava ancora con energia ____________ avesse già l'età per andare in pensione.
6 ____________ facessimo un bel viaggio in America!
7 Non solo tu, ma ____________ provasse potrebbe riuscire a fare la stessa cosa!
8 Mi hanno rubato il portafoglio in autobus ____________ me ne accorgessi.
9 Allora possiamo partire subito... ____________ tu non abbia cambiato idea, naturalmente!
10 Leggo la favola ____________ le bimbe si addormentino.
11 ____________ avessi visto quel film, potrei dirti se è bello o brutto.

11. ALCUNI USI DELLE PREPOSIZIONI

11.1 FUNZIONI

ARGOMENTO di su	Parlare ***di*** qualcosa o qualcuno. Una conferenza ***su*** qualcosa o qualcuno.	**MATERIA** di (in)	Un oggetto ***di*** ferro / ***di*** plastica / ***d'***oro. Una statua ***in*** bronzo.
CAUSA per di	***Per*** colpa tua. Tremare ***per*** il freddo. Parlare ***per*** ignoranza. Morire ***di*** paura.	**MISURA** di su	Un uomo ***di*** trent'anni. Un uomo ***sui*** trent'anni. Un pesce ***di*** 3 chili. Un pesce ***sui*** 3 chili
DESTINAZIONE a per	Andare ***a*** Roma / ***al*** cinema / (da Torino) ***a*** Milano. (Dalle 7) ***alle*** 8. Dare qualcosa ***a*** qualcuno. Fare bene ***a*** qualcuno. Piacere ***a*** qualcuno. Un treno ***per*** Napoli.	**MODO** di a in con per	***Di*** moda, ***di*** nascosto. Western ***all'***italiana. Ricordare ***a*** memoria. ***In*** silenzio, ***in*** economia. ***Con*** pazienza, ***con*** calma. ***Per*** telefono, ***per*** radio. ***Per*** scherzo, ***per*** piacere.
FINE a per	Disposto ***a*** tutto. Pronto ***a*** morire. Lo faccio ***per*** te / ***per*** il suo bene. Lavora ***per*** vivere.	**PROVENIENZA** (nel tempo e nello spazio; da una fonte o un agente) da	Vengo ***da*** Roma. ***Dalle*** 9 (alle 10). ***Da*** un mese. Un libro scritto ***da*** lui. Una notizia saputa ***dalla*** tv
FUNZIONE da per	Occhiali ***da*** sole. Abito ***da*** sera. Biglietto ***da*** visita. Macchina ***per*** cucire.	**SEPARAZIONE** da **(contrario di a)**	Lontano, separato, diviso, divorziato, scollegato, disconnesso ***da***...
LIMITAZIONE a in per	***A*** suo dire. ***A*** sentire lui. Bravo ***in*** storia. Superiori ***per*** numero.	**SPECIFICAZIONE** (di proprietà, appartenenza, denominazione) di	La macchina ***di*** Paolo. Direttore ***d'***orchestra. Una persona ***di*** Berlino. Un libro ***di*** storia. L'isola ***di*** Ponza.
LUOGO di a da in su per tra	Andare ***di là*** / ***a*** Palermo / ***a*** Capri / ***a*** Trastevere. Stare ***al*** freddo / ***a*** tre chilometri. Passare ***da*** casa. Andare ***dal*** dottore. Informarsi ***su*** / ***in*** internet. Stare ***in*** Italia / ***in*** America. ***Per*** strada / ***per*** terra. Passare ***per*** il centro. ***Tra*** Firenze ***e*** Bologna. ***In*** banca / ***in*** campagna / ***in*** montagna, ***A*** teatro / ***al*** cinema / ***al*** mare.	**TEMPO** di a da in per tra (fa)	***Di*** giorno, ***di*** notte, ***d'***estate, ***d'***inverno. ***Alle*** tre, ***a*** mezzogiorno, ***all'***alba, ***al*** tramonto. ***All'***ultimo minuto. ***Da*** bambino, ***da*** vecchio. Vivo qui ***da*** nove anni. ***In*** due settimane, ***in*** settembre, ***nel*** 1956. ***Per*** due anni. ***Tra*** due anni. Due anni ***fa***.

11.2 COSTRUZIONI

DI

Espressioni modali

di corsa, di fretta, d'improvviso, di moda, di persona, di spalle

Locuzioni

a destra di, a sinistra di, a fianco di, a proposito di, a seconda di, invece di

(dopo *sopra, sotto, su, dopo, dietro, senza* + pronome)
dopo di lei, dietro di me

Costruzioni verbali

fidarsi di, finire di, innamorarsi di, lamentarsi di, occuparsi di, ricordarsi di, dimenticarsi di

CON

Espressioni modali

con calma, con forza, con onestà, con stima, con affetto

Costruzioni verbali

avere a che fare con qualcosa o qualcuno, chiudere con qualcosa o qualcuno, aprirsi con qualcuno

A

Espressioni modali

a caso, a colori, a gas, a petrolio, a mano, a memoria, a momenti, a piedi, a posto, a proposito, a tutti i costi, a voce, al volo, a volte

Locuzioni

dietro a, di fianco a, di fronte a, grazie a, in mezzo a, insieme a, intorno a, oltre a, vicino a

Costruzioni verbali

avvicinarsi a, cominciare a, permettere a qualcuno di fare, provare a, riuscire a, costringere qualcuno a fare

(con verbi impersonali tipo *piacere*)
accadere, andare (mi va), bastare, capitare, convenire, dispiacere, importare, piacere, sapere (mi sa), succedere, ecc.

DA

Nomi con funzione

biglietto da visita, camera da pranzo, costume da bagno, occhiali da vista, spazzolino da denti

Effetto conseguenza

stanco da morire, bello da impazzire, forte da non credere

Indefinito + DA

niente da dire, poco da fare, qualcosa da bere, tutto da vedere

Costruzioni verbali

avere da fare, dipendere da, allontanarsi da

PER

Espressioni modali

per telefono, per radio, per televisione, per posta, per caso, per fortuna, per favore, per piacere
per esempio, per forza, per ora, per scherzo

Costruzioni verbali

sto per fare

IN

Espressioni modali

in bianco e nero, in macchina, in pace, in realtà, in treno, in silenzio, in piedi, in tempo, in generale

Locuzioni

in alto, in basso, in su, in giù

Costruzioni verbali

avere fiducia in, credere in, sperare in, essere nelle mani di, prendere in giro

SU

Espressioni modali

su misura, su richiesta, sul serio

Costruzioni verbali

dare su (sul giardino), giurare su qualcosa o qualcuno

TRA/FRA

Locuzioni e espressioni modali

fra l'altro, fra poco, fra parentesi, fra me e me

1 Completa con le preposizioni.

1 Non voleva scriverci, ma comunicarci questa informazione _____ voce.
2 Mi piacciono molto i vecchi film _____ bianco e nero.
3 Sulla neve uso sempre gli occhiali _____ sole perché la luce mi disturba.
4 Non stare in mezzo _____ strada!
5 Non si deve cambiare opinione a seconda _____ situazione politica.
6 Per darci questa notizia è venuto _____ persona.
7 Sapevo benissimo _____ me e me che questa storia non poteva durare.
8 Scusami, devo correre, vado _____ fretta.
9 Questo è il mio biglietto _____ visita: può telefonarmi quando vuole.
10 Sono stanco di te! Lasciami _____ pace e smetti di telefonarmi!
11 _____ momenti morivo per lo spavento!
12 Stasera verrà a cena _____ me un vecchio amico.
13 Quando mi hai telefonato ero _____ tram.
14 Possiamo parlare _____ un po' di calma?
15 Il sarto mi ha fatto un vestito _____ misura!
16 Questo documento devi mandarmelo _____ posta e non allegato a una mail.
17 Stasera _____ televisione fanno un bel film.

2 Completa con le preposizioni caratteristiche di ciascun verbo.

1 Credo di essermi innamorato _____ questo libro dalla prima volta che l'ho letto.
2 Prima che lui cominciasse _____ parlare ero molto critico sulle sue opinioni.
3 Mi piacerebbe incontrarti domani: hai _____ fare?
4 Cristiani, ebrei e musulmani credono _____ un unico Dio.
5 Non voglio mai più avere qualcosa a che fare _____ quella persona!
6 Non sapevo che quel dottore si occupasse _____ chirurgia estetica.
7 Se tu provassi _____ fare qualche sport credo che staresti molto meglio.
8 La finestra della mia camera dà _____ mare.
9 Sto _____ cambiare vita: da domani sarò un altro!
10 Andare in vacanza? Se dipendesse _____ me lo farei domani.
11 Aiutami, sono _____ tue mani.
12 _____ questa storia io ho chiuso!
13 Sei una persona troppo introversa. Perché non provi a aprirti _____ qualcuno?
14 Ci ricordiamo benissimo _____ voi!
15 Certo cose succedono solo _____ me!
16 Dopo avere divorziato _____ suo marito è andata a convivere con un maestro di sci.
17 Ho sempre avuto fiducia _____ te!

3 Completa le locuzioni della lista con la preposizione opportuna. Scegli tra **A** o **DI**.

in mezzo ___	a proposito ___	grazie ___	a sinistra ___	vicino ___
intorno ___	di fronte ___	a seconda ___	oltre ___	alle spalle ___
a destra ___	in fondo ___	insieme ___	invece ___	

4 Aggiungi ai verbi della lista la preposizione opportuna. Scegli tra DI, A, DA o IN.

allontanarsi ___	dipendere ___	innamorarsi ___	ricordarsi ___
avvicinarsi ___	fidarsi ___	occuparsi ___	riuscire ___
cominciare ___	finire ___	provare ___	sperare ___

5 Completa le coppie di frasi con la forma appropriata indicata a destra.

1 Sono andato a casa ____________________.	a piedi
2 Sono stanco perché con il mio lavoro devo stare tutto il giorno __________.	in piedi
3 Ho incontrato Maria ____________________.	a caso
4 Stamattina ho messo un vestito ________________________.	per caso
5 Sono arrivato tardi e non ho fatto ____________ a prendere il treno.	da tempo
6 Conosco Carlo ____________________.	in tempo
7 Oggi non ho proprio niente ____________________.	a fare
8 Ti prego, non costringermi ____________________ questa cosa!	da fare
9 Ho cominciato ________________________ alle nove.	a lavorare
10 Ho finito _________________________ alle quattro.	di lavorare
11 Ho studiato cinese solo ____________________.	a piacere
12 All'esame ho parlato di un argomento ________________________.	per piacere
13 Un monumento _________________ dei soldati morti in guerra.	a memoria
14 Ricordo tutte le parole di quella canzone __________________________.	in memoria
15 Marco è un bugiardo e per questo io credo _______________.	a te
16 Tu hai un grande futuro e io credo molto _______________.	in te
17 È molto malato e gli resta poco _________________.	per vivere
18 Non sono ricco ma ho quello che mi basta _____________________.	da vivere
19 Lui capisce sempre tutto ____________________.	al volo
20 C'è stato un incidente fra due aerei _________________.	in volo

6 Completa i proverbi con le preposizioni.

1 _____ Carnevale ogni scherzo vale.
2 _____ caval donato non si guarda in bocca.
3 _____ buon intenditor poche parole.
4 Natale _____ i tuoi, Pasqua _____ chi vuoi.
5 Bacco, tabacco e Venere riducono l'uomo _____ cenere.
6 Non parlare _____ corde in casa dell'impiccato.
7 Il silenzio è _____ oro.
8 I panni sporchi si lavano _____ famiglia.
9 _____ botti piccole sta il vino buono.
10 Nel paese _____ ciechi un guercio è re.
11 _____ moglie e marito non mettere il dito.
12 _____ cuor non si comanda.

12. GLI AVVERBI

12.1 GENERALITÀ DEGLI AVVERBI

L'avverbio è una parola **invariabile**: determina il senso di un verbo, di un aggettivo e anche di un altro avverbio.	***Parlo velocemente***. Lei è ***molto carina***.
Avverbi di tempo - Es. *adesso, allora, ancora, domani, dopo, finora, già, ieri, mai, oggi, ora, ormai, poi, sempre, subito.*	Finora è ***sempre*** stato corretto con me.
Avverbi di luogo - Es. *davanti, dentro, dietro, fuori, giù, intorno, lì, lontano, qui, sopra, sotto, vicino.*	Vado ***giù*** in giardino.
Avverbi di quantità - Es. *abbastanza, almeno, alquanto, altrettanto, appena, assai, meno, molto, niente, parecchio, più, piuttosto, poco, quasi, soltanto, tanto.*	Luisa è ***appena*** arrivata. Maria ha lavorato ***parecchio***. Stasera sono ***piuttosto*** stanco.
Avverbi di modo - Es. *apposta, bene, come, così, insieme, male, meglio, peggio, purtroppo, volentieri;* oppure composti in *-mente* (**Es.** *certamente, giustamente, liberamente, sicuramente).*	L'hai fatto ***apposta***! Non preoccuparti, parla ***liberamente***.
Avverbi di affermazione, negazione o dubbio - Es. *certo, chissà, davvero, eccome, forse, magari, no, non, sì, sicuro.*	***Forse*** domani vado al cinema. Se mi piace la cioccolata? ***Eccome***!
Avverbi interrogativi - Es. *come? dove? perché? quando? quanto?*	***Quando*** torni?
Avverbi presentativi - Es. *ecco (eccomi, eccolo, eccoglieli, eccone).*	Vuoi un caffè? ***Eccolo***!

12.2 FORMAZIONE DEGLI AVVERBI IN *-MENTE*

Gli avverbi in **-mente** si costruiscono sulla forma femminile dell'aggettivo. (**Es.** *pronto* → *pront**a**mente*; *sicuro* → *sicur**a**mente*; *felice* → *felic**e**mente*; *forte* → *fort**e**mente* (eccezione: *violento* → *violent**e**mente*)	Siamo ***felicemente*** sposati da sette anni. Vengo a trovarti ***immediatamente.***
Se l'aggettivo è a due terminazioni (**-e** / **-i**) e termina **con** l o r **+ vocale**, nell'avverbio la vocale si perde: *facile* → *facilmente; maggiore* → *maggiormente.*	***Difficilmente*** arriverà per le nove. ***Probabilmente*** lui ha capito.

12.3 ALTERAZIONE DEGLI AVVERBI

Come i nomi, gli aggettivi e i verbi, anche gli avverbi possono essere "alterati" (vedi Vol. **1**, cap. **17.4**).	Sto ***benino*** in questo periodo. Mi sono svegliato ***prestino*** stamattina.

12.4 AVVERBI CON SIGNIFICATO PARTICOLARE

Addirittura - Letteralmente significa *direttamente, senza mediazioni*. In pratica vuol dire *perfino, proprio* e si usa per caratterizzare qualcosa in modo quasi esagerato o straordinario. Si può usare anche come esclamazione.	Quel film è ***addirittura*** un capolavoro, secondo me. Trovi le sue parole scandalose? ***Addirittura***!!!
Anzi - Si usa per modificare o perfezionare quello che si è detto prima. Usato in modo assoluto significa *al contrario*.	Ti scrivo! ***Anzi***, ti telefono! Stanco io? Ma no, ***anzi***!
Ecco - Serve a mostrare, indicare, far vedere qualcosa. Forma una sola parola con i pronomi atoni.	Volevi un caffè? ***Eccolo*** qua! Con te non parlo più, ***ecco***!
Magari - Con l'indicativo significa *forse, perché no, eventualmente*. Con il congiuntivo (imperfetto o trapassato) ha un forte valore desiderativo. Sì può usare in questo senso anche in modo assoluto.	Di questo ***magari*** parliamo domani. ***Magari*** avessi vinto la lotteria! Io andare alle Bahamas? ***Magari***!
Mica - Significa *per niente, neanche un po'* e rafforza una negazione. Si usa specialmente nel parlato informale. Richiede doppia negazione solo se segue il verbo.	***Mica*** sono matto → ***Non*** sono ***mica*** matto!

e inoltre...

12.5 AGGETTIVI CON FUNZIONE AVVERBIALE

Alcuni aggettivi hanno anche preso valore avverbiale (Es. *veloce, lento, sano, serio, sereno*, ecc.).	Hai giocato ***sporco***! Come cammini ***veloce***!
Talvolta gli "aggettivi-avverbi", in posizione post-verbale, concordano con il sostantivo a cui si riferiscono.	I ***treni*** vanno un po' ***lenti.*** Come camminate ***veloci***!

12.6 PER ESPRIMERE UN MODO

Per esprimere un modo o una maniera in cui si realizza un'azione (cioè per rispondere a una domanda del tipo *Come?*) in italiano abbiamo diverse possibilità.

Un **avverbio di modo**.	Lavora ***instancabilmente***.
Un **aggettivo** (con funzione avverbiale).	Lavora ***veloce***.
Un **nome preceduto da preposizione** (vedi Vol. **2**, cap **11**).	Lavora ***con serietà***.
Una **locuzione avverbiale** (vedi Vol. **2**, cap **11**).	Lavora ***per davvero***.
Un **gerundio**. **Attenzione**: i significati del gerundio modale, ipotetico, temporale e causale, qualche volta si sovrappongono fra loro.	***Lavorando*** (con il lavoro / quando lavora / se lavora / perché lavora) sta meglio.

Esercizi

1 Completa le frasi usando gli avverbi ANZI, ADDIRITTURA, ECCO, MAGARI, MICA.

1 Sono veramente stanco. ______________, per dirti la verità sono proprio distrutto.
2 ______________, questo è il mio curriculum. Spero che Le possa interessare.
3 Ehi, bambina! Non sono ______________ nato ieri!
4 Capisco litigare, ma ______________ divorziare per un motivo così è assurdo!
5 Effettivamente è in ritardo, ma non devi preoccuparti. ______________ ha solo trovato traffico.
6 Andare in vacanza? ______________ potessi! Questo è un periodo pieno di lavoro per me.
7 Cosa hai fatto? Gli hai dato uno schiaffo? ______________?!
8 Ti sembro triste? Strano… non sono per niente triste, ______________!
9 Certo che stasera esco un po'! ______________ sono uno che vuole stare a casa tutto il giorno, io!
10 Avere una vita felice e senza problemi… ______________! Sarebbe proprio bello!

2 Completa i proverbi con gli avverbi della lista.

bene	male	male	meglio	oggi
peggio	poco	poi	sempre	vicino

1 Meglio tardi che ________.
2 Non fare domani quello che potresti fare ________.
3 Andiamo di male in ________.
4 L'erba del vicino è ________ la più verde.
5 Meglio soli che ________ accompagnati.
6 Chi tardi arriva ________ alloggia.
7 Fidarsi è bene, non fidarsi è ________
8 Se ai sessanta sei ________, lascia le donne e scegli il vino.
9 Se vuoi star bene, mangia ________ e dormi bene.
10 Dio li fa e ________ li accoppia.

3 Completa le frasi unendo a ECCO i pronomi atoni opportuni, anche combinati.

1 Vuoi una penna? — Ecco______ (*la penna*) qui!
2 Dove sono i tuoi amici? — Ecco______ (*gli amici*)! Stanno arrivando
3 Vuoi ancora sigarette? — Ecco______ (*per te - di sigarette*) una, ma è l'ultima!
4 Ci stavate aspettando? — Ecco______ (*noi*) qua. E scusate il ritardo.
5 Il mio passaporto? — Ecco______ (*il passaporto per lei*): tutto in regola no?
6 Volete ancora spaghetti? — Ecco______ (*gli spaghetti per voi*).
7 Arrivo, arrivo! — Ecco______ (*me*)! Smettete di chiamarmi!
8 Parlavamo di lui e… — Ecco______ (*lui*) che arriva.

4 Modifica le frasi utilizzando un gerundio.

1 Lui è diventato ricco **con il lavoro**. ______________________
2 **Se parli** meno finirai prima. ______________________
3 **A sentire** lui tutto sembra facile. ______________________
4 Solo **se si sbaglia** si possono capire certe cose. ______________________
5 Sì è rovinato la salute **perché beve** come una spugna. ______________________
6 La mattina mi sveglio solo **se bevo** un caffè. ______________________
7 **Se stessi** attento tu faresti certamente meno errori. ______________________
8 Di questo dovresti parlare seriamente e non **per scherzo**. ______________________
9 Passano le giornate **a guardare** la tv. ______________________
10 **Se ragioni** capirai che il problema non è così grave. ______________________

5 Sostituisci la locuzione avverbiale evidenziata con un avverbio in -MENTE della lista, come nell'esempio.

appositamente	esclusivamente	estremamente	gradualmente
inavvertitamente	incessantemente	lievemente	momentaneamente
nuovamente	permanentemente	personalmente	quotidianamente
rapidamente	sfortunatamente	*successivamente*	telefonicamente

Es. Faremo qualche cosa **in seguito** (successivamente).
1 **Purtroppo** (________________) non sono in condizioni di fornirVi quanto richiesto.
2 Vi scriverò **di nuovo** (________________).
3 Voglio trattare **solo** (________________) con Voi.
4 Ho dimenticato **per distrazione** (________________) di inviarVi copia del documento.
5 Vorremmo avere una risposta e sarebbe meglio **entro due giorni** (________________).
6 Vi abbiamo telefonato **senza sosta** (________________) per tutta la settimana.
7 Quest'anno abbiamo avuto un volume di affari **molto** (________________) ridotto.
8 Le sue condizioni sono **un po'** (________________) migliorate.
9 Verrò io **di persona** (________________).
10 Vogliamo ingrandirci **un po' per volta** (________________).
11 La sede di Bologna è stata aperta **proprio** (________________) per questo.
12 Questo è l'impegno che portiamo avanti **tutti i giorni** (________________).
13 Ci siamo trasferiti **in pianta stabile** (________________) e non **per pochi mesi** (________________).
14 Ci sentiremo ancora **per telefono** (________________).

6 Scrivi alcune frasi utilizzando gli aggettivi con funzione avverbiale della lista.

amaro	chiaro	duro	giusto	piano
sereno	sodo	sporco	storto	veloce

1 ______________________ 6 ______________________
2 ______________________ 7 ______________________
3 ______________________ 8 ______________________
4 ______________________ 9 ______________________
5 ______________________ 10 ______________________

lettura 5. IL GALATEO

Non mi pare che sia una buona abitudine porgere[1] agli altri una cosa puzzolente da annusare[2]. E non capisco perché molti lo facciano con insistenza: ce l'avvicinano al naso dicendo "Sentite come puzza!", mentre dovrebbero dire "Non annusatela perché puzza!"
È abbastanza fastidioso anche sentire digrignare i denti[3] o fischiare: e ancora di più non si dovrebbe cantare, specialmente quando non si ha una bella voce (mentre succede spesso che proprio le persone più stonate si divertano a cantare ad alta voce!)
Ci sono poi quelli che tossendo o starnutendo fanno un rumore così forte che assordano tutti: ed è frequente che spruzzino il viso ai presenti. E si trova pure chi sbadigliando raglia come farebbe un somaro.
Dopo che uno si è soffiato il naso, sarebbe meglio che non aprisse il fazzoletto e che non ci guardasse dentro come per cercare perle e rubini. Non è bello neanche che qualcuno metta il naso sul bicchiere di vino che un altro vorrebbe usare: dal naso infatti potrebbero cadere quelle cose che normalmente fanno un po' schifo. Ci sono poi quelli che hanno l'abitudine di storcere la bocca[4] o gli occhi, di gonfiare le gote[5] o fare versi simili. Non sta bene sospirare e lamentarsi. Ma soprattutto è brutto che alcuni si stirino[6] in pubblico e, stirandosi, gridino "Ahi, ahi, ahi!" come se fossero contadini che si svegliano nel pagliaio.
Bisognerebbe poi che la gente facesse un po' di attenzione anche al modo di parlare: ci sono quelli che parlano solo dei propri figli (*Mio figlio ieri sera mi ha fatto morire dal ridere! Non potete immaginare quanto è intelligente quel bambino!)*; altri che raccontano i propri sogni con grande interesse per i particolari: e poi sembra che si meraviglino grandemente per ogni sciocchezza che raccontano.
Infine sarebbe bene non si ridesse delle proprie battute (che è un po' come farsi i complimenti da soli), perché è chi ascolta che deve ridere, non chi parla.
Ma io so già che i lettori diranno che tutte queste cose sono ovvie e note a tutti.

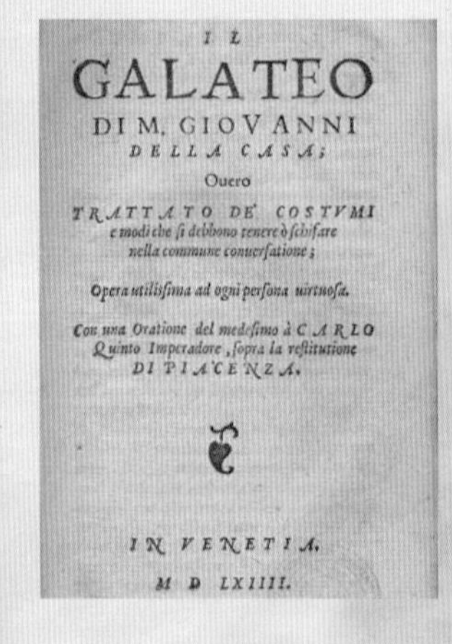
IL
GALATEO
DI M. GIOVANNI
DELLA CASA;
Ouero
TRATTATO DE' COSTVMI
e modi che si debbono tenere ò schifare
nella commune conuersatione;
Opera utilissima ad ogni persona uirtuosa.
Con una Oratione del medesimo à CARLO
Quinto Imperadore, sopra la restitutione
DI PIACENZA.
IN VENETIA.
M D LXIIII.

Adattamento de *Il Galateo* di Monsignor Giovanni Della Casa (scritto fra il 1551 e il 1555)

---

[1] porgere → dare.
[2] annusare → sentire l'odore.
[3] digrignare i denti → stringere i denti e fare rumore.
[4] storcere la bocca → mettere la bocca in modo non naturale.
[5] gote → guance.
[6] stirarsi → il movimento di allungare braccia e gambe che uno fa quando si sveglia.

1 Coniuga i verbi al congiuntivo.

1 Non mi pare che (*essere*) ____________ una buona abitudine porgere agli altri una cosa puzzolente.
2 Che molti (*fare*) ____________ questo con insistenza, è cosa evidente.
3 Sarebbe opportuno che (loro - *dire*) ____________ "Non annusatela perché puzza!".
4 Quelli che sono stonati sembra che (*divertirsi*) ____________ a cantare ad alta voce.
5 Sarebbe meglio che quelli che starnutiscono (*evitare*) ____________ di spruzzare il viso ai presenti.
6 Chi si soffia il naso, non è bene che (*aprire*) ____________ il fazzoletto e ci (*guardare*) ____________ dentro.
7 Alcuni guardano nel fazzoletto come se (*cercare*) ____________ perle e rubini.
8 Non è bello neanche che uno (*mettere*) ____________ il naso sul bicchiere di vino di un altro.
9 Dal naso è possibile che (*cadere*) ____________ quelle cose che fanno un po' schifo.
10 Non si capisce poi perché molti (*storcere*) ____________ la bocca o gli occhi.
11 Non si capisce nemmeno perché molti (*gonfiare*) ____________ le gote.
12 È brutto che qualcuno (*stirarsi*) ____________ in pubblico gridando "Ahi, ahi, ahi!" come un contadino.
13 Bisognerebbe ancora che la gente (*fare*) ____________ un po' di attenzione anche al modo di parlare.
14 Ci sono quelli che vorrebbero che si (*parlare*) ____________ solo dei loro figli.
15 Altri raccontano i propri sogni e pare che (*meravigliarsi*) ____________ delle sciocchezze che dicono.

2 Inserisci nelle frasi la congiunzione più adatta fra quelle elencate.

a meno che	come se	magari	perché (*con valore finale*)
non perché	prima che	sebbene	senza che

1 Dico queste cose ____________ lui sia mio figlio ma perché è davvero intelligentissimo!
2 Alcuni si stirano in pubblico ____________ fossero contadini che si svegliano nel pagliaio.
3 Uno non dovrebbe cantare ad alta voce, ____________ non sia veramente intonato.
4 ____________ la gente facesse un po' di attenzione al modo di parlare!
5 Ci sono quelli che mettono il naso sul mio bicchiere ____________ a me faccia un po' schifo.
6 ____________ alcuni starnutiscano, io apro l'ombrello!
7 Sto a sentire quelli che mi raccontano i sogni ____________ loro abbiano la minima idea di essere noiosi.
8 Dico queste cose ____________ tutti stiano più attenti, anche se i miei lettori le sanno già.

3 Completa i periodi ipotetici con il congiuntivo, il condizionale o l'indicativo.

1 Se uno mi porgesse una cosa puzzolente, io non la (*annusare*) ____________.
2 Se (*essere*) ____________ stonato, io non avrei cantato in pubblico ad alta voce.
3 Se (*dovere*) ____________ starnutire, io metterei una mano davanti alla bocca.
4 Se uno (*ragliare*) ____________ come un somaro mentre sbadiglia, non lo troverei elegante.
5 Se dal naso cadesse qualcosa nel bicchiere, io (*trovare*) ____________ la cosa un po' schifosa.
6 Se io mi fossi lamentato continuamente, probabilmente gli altri (*dire*) ____________ che sono noioso.
7 Se quelle persone ieri non parlavano solo dei loro figli, le (*stare*) ____________ a sentire più volentieri.
8 Se io (*volere*) ____________ raccontare un mio sogno, non lo facevo davanti a estranei.
9 Se uno (*ridere*) ____________ delle proprie battute, praticamente si fa i complimenti da solo.
10 Se voi sapete già queste cose, vi (*chiedere*) ____________ scusa di avervele ripetute.

4 Scegli fra indicativo e condizionale.

1 Anche se ***fa / farebbe*** freddo, uscirò ugualmente.
2 Se lo dici tu ***sarà / sarebbe*** sicuramente vero, ma io non riesco a crederci.
3 Due anni fa lui ha detto che ***partirà / sarebbe partito*** dopo pochi mesi.
4 Non conosco la sua nazionalità, ma dalla faccia ***dicevo / direi*** che è arabo.
5 Quando mi hai detto questa storia, non ti ***avevo creduto / avrei creduto***.
6 Secondo il giornale il Presidente ***sarà / sarebbe*** gravemente malato.
7 Ho così fame che ***mangio / mangerei*** un cavallo!
8 Loro non sono ancora arrivati: forse ***hanno avuto / avrebbero avuto*** un problema.
9 Io non ***voglio / vorrei*** che tu partissi.
10 Io non ***voglio / vorrei*** che tu parta.

5 Trasforma le frasi con il verbo DOVERE in frasi con l'imperativo + i pronomi atoni, come negli esempi.

Es. Dovresti raccontare questo sogno! Raccontalo!
Es. Non dovresti annusare quella cosa! Non annusarla!
Es. Lei dovrebbe cantarci canzoni! Ce le canti!
Es. Non ci dovrebbe cantare le canzoni! Non ce le canti!

1 Non dovresti porgere agli altri oggetti puzzolenti! ______
2 Non dovreste fare questi versi! ______
3 Non dovremmo farci i complimenti da soli! ______
4 Lei non dovrebbe mettere il naso sul bicchiere! ______
5 Non dovresti parlare dei tuoi figli! ______
6 Lei non dovrebbe ridere delle sue battute! ______
7 Noi non dovremmo stirarci! ______
8 Non dovreste guardare dentro il fazzoletto! ______
9 Lei dovrebbe lamentarsi! ______
10 Dovresti sbadigliare! ______
11 Lei dovrebbe svegliarsi! ______
12 Dovreste evitare il vino! ______
13 Lei dovrebbe sentire il mio racconto! ______
14 Dovresti porgermi il bicchiere! ______
15 Lei dovrebbe fare attenzione! ______
16 Non dovresti raccontarmi i sogni! ______

6 Completa le frasi con le preposizioni.

1 Non bisogna porgere ______ altri una cosa puzzolente.
2 Ma molti lo fanno ______ insistenza.
3 Ce l'avvicinano ______ naso.
4 La gente stonata si diverte ______ cantare.
5 Non bisognerebbe cantare ______ alta voce.
6 Alcuni spruzzano il viso ______ presenti.
7 Non è bello mettere il naso ______ bicchiere.
8 ______ naso possono cadere cose un po' schifose.
9 Alcuni hanno l'abitudine ______ storcere la bocca.
10 Soprattutto è brutto stirarsi ______ pubblico.
11 Bisogna fare attenzione ______ modo di parlare.
12 Alcuni parlano solo ______ propri figli.
13 Mio figlio mi fa morire ______ ridere.
14 Non si deve ridere ______ proprie battute.
15 È un po' come farsi i complimenti ______ soli.
16 Queste cose sono ovvie e note ______ tutti.

7 Completa le frasi con i verbi all'indicativo, al congiuntivo o al condizionale.

1 Non voglio che voi (*stirarsi*) _______________ in pubblico come dei contadini.
2 Speravo che voi (*comportarsi*) _______________ educatamente, ma mi sono sbagliato.
3 Sono contento che voi (*conoscere*) _______________ le regole del galateo.
4 Non immaginavo che Monsignor Della Casa (*scrivere*) _______________ cose così attuali.
5 Suppongo che voi (*capire*) _______________ quello che ho detto.
6 Ti pare che io non (*avere*) _______________ altro da dirti?
7 Mi sa che tu non (*avere*) _______________ altro da dirmi.
8 Non dico che questo (*essere*) _______________ un testo moderno, ma certamente molto attuale.
9 Volete sapere se io di solito (*stirarsi*) _______________ a tavola?
10 Che tu (*essere*) _______________ un po' confuso si vede benissimo.
11 Vedo benissimo che tu (*essere*) _______________ un po' confuso.
12 Questo è il libro più divertente che io (*leggere*) _______________.
13 Qualunque cosa voi (*pensare*) _______________ di questo libro, potete dirmela liberamente.
14 Ho cercato di spiegarmi bene perché voi mi (*capire*) _______________.
15 Magari tutti (*leggere*) _______________ "Il Galateo"!
16 Parlerò volentieri di questo argomento purché voi non (*offendersi*) _______________.
17 Se voi parlaste solo dei vostri figli credo che io (*annoiarsi*) _______________.

13. I VERBI IN *-ARRE, -ORRE, -URRE*

13.1 FORME DEI VERBI IN *-ARRE -ORRE E -URRE*

In italiano ci sono verbi con l'infinito irregolare.

I verbi in **-arre**, composti di **trarre**.
Es. *estrarre*, *contrarre*, *detrarre*, ecc.

PRESENTE	**PASS. PROSSIMO**	**IMPERATIVO**
traggo	ho tratto	trai
trai	**IMPERFETTO**	**CONDIZIONALE**
trae	traevo	trarrei
traiamo	**FUTURO**	**GERUNDIO**
traete	trarrò	traendo
traggono		

Ora puoi ***trarre*** le tue conclusioni.
Quella Compagnia ***estrae*** petrolio in Norvegia.
Il dado è ***tratto***.
Questa spesa la ***ho detratta*** dalle tasse.

I verbi in **-orre**, composti di **porre**.
Es. *comporre*, *supporre*, *deporre*, ecc.

PRESENTE	**PASS. PROSSIMO**	**IMPERATIVO**
pongo	ho posto	poni
poni	**IMPERFETTO**	**CONDIZIONALE**
pone	ponevo	porrei
poniamo	**FUTURO**	**GERUNDIO**
ponete	porrò	ponendo
pongono		

Lui ***ha posto*** una questione interessante.
Sei italiano, ***suppongo***.
L'esercito sconfitto ***ha deposto*** le armi.

I verbi in **-urre**, composti di un verbo, ***durre*** che però in italiano non esiste, derivato dal verbo latino *ducere.*
Es. *tradurre*, *condurre*, *indurre*, ecc.

PRESENTE	**PASS. PROSSIMO**	**IMPERATIVO**
traduco	ho tradotto	traduci
traduci	**IMPERFETTO**	**CONDIZIONALE**
traduce	traducevo	tradurrei
traduciamo	**FUTURO**	**GERUNDIO**
traducete	tradurrò	traducendo
traducono		

Vincenzo Monti ***ha tradotto*** l'*Odissea* in italiano.
Non mi ***indurre*** in tentazione!
Questo giornalista ***ha condotto*** il telegiornale per molti anni.

Esercizi

1 Risolvi il cruciverba.

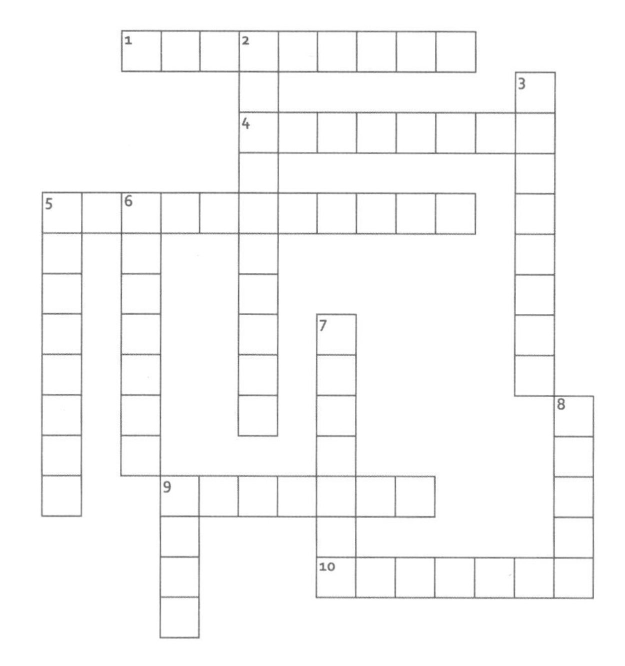

Orizzontali →

1 Imperfetto indicativo del verbo *condurre* (io)
4 Participio passato del verbo *tradurre*
5 Futuro indicativo del verbo *sottrarre* (voi)
9 Presente indicativo del verbo *tradurre* (lui)
10 Presente indicativo del verbo *imporre* (io)

Verticali ↓

2 Imperfetto indicativo del verbo *detrarre* (noi)
3 Condizionale presente del verbo *porre* (tu)
5 Presente indicativo del verbo *supporre* (io)
6 Gerundio del verbo *trarre*
7 Presente indicativo del verbo *condurre* (tu)
8 Participio passato del verbo *porre*
9 Presente indicativo del verbo *trarre* (tu)

Esiste un modo per ricordare più facilmente questi verbi?

L'infinito di ***trarre*** e ***porre*** e dei verbi in ***-durre*** è così particolare perché ha modificato la base latina, cosa che è successa anche ai verbi ***bere***, ***dire*** e ***fare***. Conoscendo la "base latina" sarà più facile ricordarne le varie forme.

bere → dal latino ***bevere***	**fare** → dal latino ***facere***	**trarre** → dal latino ***trahere***
dire → dal latino ***dicere***	**porre** → dal latino ***ponere***	***durre** → dal latino ***ducere***

2 Coniuga i verbi nel tempo e nel modo che ti sembra più opportuno.

1 Alla riunione di ieri il tuo collega (*proporre*) _______________ una soluzione per il nostro problema.
2 La casa cinematografica Fandango (*produrre*) _______________ molti film italiani.
3 Se voi (*dedurre*) _______________ le spese, potreste avere qualche vantaggio nel pagare meno tasse.
4 Questo film parla di una ragazza (*sedurre*) _______________ e abbandonata.
5 La riunione di ieri (*protrarsi*) _______________ fino alle diciotto.
6 Da questa situazione noi in futuro (*trarre*) _______________ grossi vantaggi.
7 Se (*distrarsi*) _______________, non riuscirò a concludere in tempo questo lavoro.
8 Umberto Eco (*tradurre*) _______________ *Esercizi di Stile* di Raymond Queneau.
9 Durante la riunione di martedì scorso noi (*porre*) _______________ alcune domande.

14. AGGETTIVI E ARTICOLI IRREGOLARI

14.1 AGGETTIVI IRREGOLARI

Aggettivi a **una sola terminazione** (vedi Vol. 1, cap. 3.3). **Es.** *rosa, nocciola, arrosto, pari* e *dispari*.	Un vestito ***rosa***.
Aggettivi che, se precedono il nome, si comportano **come l'articolo determinativo.** **Es.** *quello* e *bello* (vedi Vol. 1, cap. 3.2).	Quei ***bei*** bambini.
Aggettivi **a tre terminazioni** (singolare **-ista**, plurale **-isti** o **-iste**) simili ai nomi in *-ista* (vedi Vol. 1, cap. 12.1).	Un uomo ***tradizionalista***.
Alcuni **indefiniti**, come **nessuno**, **alcuno**, **ciascuno** e l'aggettivo **buono** che si comportano invece come **gli articoli indeterminativi** (vedi Vol. 2, cap. 5.3).	***Nessun*** problema, è un ***buon*** amico.

14.2 ARTICOLI IRREGOLARI

Per lo più (significa *di solito*, *generalmente*) e **per lo meno** (significa *almeno*) sono formule cristallizzate dove l'articolo **lo** si usa davanti a consonante semplice.	In vacanza vado ***per lo più*** in montagna. La mattina bevo ***per lo meno*** un caffè.
L'articolo dipende dalla pronuncia del nome che segue: quindi *hotel* che si pronuncia "*otel*" e i nomi maschili in "*h* muta" hanno l'articolo **l + apostrofo** o **un**.	***L'***hotel Miramare. ***Gli*** hacker informatici. Mangiare ***un*** hamburger.
Se la parola in **h-** è di recente importazione dall'inglese e si pronuncia aspirata può avere l'articolo **lo** o **uno**.	Ieri sono andato al cinema a vedere "***Lo Hobbit***". Il protagonista è ***uno hobbit***.
Davanti a nomi maschili in **pn-** c'è una oscillazione: l'articolo è **lo**, ma l'italiano tende oggi a utilizzare anche l'articolo **il** (*il pneumatico / lo pneumatico*). Si usa di solito l'articolo **il** anche davanti a nomi maschili che cominciano con **w** e con **j**.	***Il*** web, ***il*** western, ***il*** whisky, ecc. ***Il*** jazz, ***il*** jolly, ***il*** jet, ***i*** jeans, ma: ***la*** jeep, ***la*** jihad (oscillazione fra ***il*** jihadista e ***lo*** jihadista), ecc. Al cinema ho visto "Il ritorno del***lo*** Jedi".

e inoltre...

14.3 ALCUNI CASI PARTICOLARI SUGLI ARTICOLI

La forma plurale di **dio** (senza articolo se non è determinato) è **gli dei**, sopravvivenza dalla forma antica *gli iddei*.	Dio è grande (ma il dio della guerra). ***Gli dei*** greci e gli dei romani.
L'espressione *humor inglese* richiede comunque l'articolo **lo**: se pronuncio "all'inglese" perché c'è l'aspirazione, se pronuncio "all'italiana" (*iumor*) perché c'è **i + vocale** (come *iodio*, *yacht* o *iettatore*)	***Lo*** humor, (***lo*** yogurt, ***lo*** yankee, ***lo*** Yemen).

14.4 L'AGGETTIVO *GRANDE* E L'AGGETTIVO *SANTO*

L'aggettivo **grande** si può apostrofare davanti a vocale e può diventare **gran** davanti a consonante.	Un ***grand'***uomo. Una ***gran*** donna.
L'aggettivo **santo** si comporta in modo simile all'articolo indeterminativo: *San Pietro, Santo Spirito, Santa Maria, Sant'Antonio, Sant'Anna.* Qualche diversità se il **nome del santo comincia con z**: *San Zeno, San Zaccaria* (invece che **Santo Zeno* o **Santo Zaccaria*).	La Basilica di ***San*** Giovanni. La chiesa di ***Santo*** Stefano Rotondo. La Basilica di ***San*** Zeno è a Verona. ***San*** Zaccaria Papa è morto nell'anno 752.

1 **Scegli la frase corretta.**

A1 Non ho nessuno amico.
A2 Non ho nessun amico.
A3 Non ho nessun'amico.

B1 Non ho nessune amiche.
B2 Non ho nessun amica.
B3 Non ho nessun'amica.

C1 Claudio è il più simpatico di tutti.
C2 Claudio, per il più, è simpatico.
C3 Claudio è simpatico tutto lo giorno.

D1 Hai visto quei bambini? Che begli!
D2 Hai visto quei bambini? Che bei!
D3 Hai visto quei bambini? Che belli!

E1 Senza alcun dubbio è il posto più bello del mondo.
E2 Senza alcuno dubbio è il posto più bello del mondo.
E3 Senza alcuni dubbi è il posto più bello del mondo.

F1 Quelli belli libri sono tuoi?
F2 Quei bei libri sono tuoi?
F3 Quegli belli libri sono tuoi?

G1 A ciascuni partecipanti sarà offerto un omaggio.
G2 A ciascun partecipante sarà offerto un omaggio.
G3 A ciascuno partecipante sarà offerto un omaggio.

H1 Buono anno!
H2 Buon anno!
H3 Buon'anno!

2 **Inserisci gli articoli determinativi nel testo.**

1 Ha organizzato un soggiorno a Capri e ha scelto _____ Hotel Vistamare.
2 Si dice che _____ yogurt faccia bene alla salute.
3 Sarebbero stati per _____ meno in tre ad organizzare la rapina in banca.
4 Non gli piacciono _____ hamburger con le patatine fritte.
5 È cinese _____ hacker più giovane al mondo.
6 Una volta non si facevano _____ selfie, ma foto con l'autoscatto.
7 _____ mail che mi hai mandato non è mai arrivata!
8 _____ sms che mi hai mandato non l'ho ancora letto.
9 Ho letto _____ tweet che hai scritto ieri.
10 ____ Yoga è una disciplina indiana.
11 Faccio per _____ meno una doccia al giorno.
12 _____ hobby di mio padre è cucinare.
13 ______ Yemen si trova in Medio Oriente.
14 A Capri ci sono ______ yacht più belli del mondo.

3 **Inserisci nelle frasi della prossima pagina il colore giusto.**

Aggettivi con 4 terminazioni	Aggettivi con 2 terminazioni	Aggettivi con una terminazione	
azzurro	arancione	aragosta	crema
bianco	celeste	argento	fucsia
castano	marrone	avorio	lilla
giallo	verde	beige	ocra
grigio		blu	rosa
nero		bordeaux	senape
rosso		bronzo	viola

1 È un pessimista: vede sempre tutto __________.
2 Non posso permettermi una vacanza in questo momento di crisi economica: sono proprio al __________.
3 È nata una bella bimba! Ho visto sul portone un bel fiocco __________.
4 No, non è un film "per tutti": è un film a luci __________.
5 Silvana è proprio stupida; non ha un grammo di materia __________.
6 Ho scoperto da molti anni ormai che il principe __________ non esiste!
7 Tv e gossip: i protagonisti della cronaca __________ sono molti!
8 Allora, quando andate in montagna per la settimana __________?
9 Sei libero di decidere come vuoi: hai carta __________!
10 Piermatteo appartiene a una famiglia importante: è di sangue __________.

e inoltre...

4 **Inserisci l'aggettivo "santo" vicino a ogni nome. Collega poi al santo giusto le descrizioni dei personaggi.**

A ____ Francesco   B ____ Cecilia   C ____ Chiara   D ____ Martino   E ____ Gennaro   F ____ Stefano

1 È il santo patrono di Napoli ed è amatissimo dai napoletani. Anche la chiesa cattolica non è troppo sicura della sua esistenza reale. Ma è troppo amato e quindi è impossibile cancellarlo.
2 Il santo dei poveri, famoso anche come poeta: ha scritto infatti il *Cantico delle Creature*. Fino al 2013 nessun Papa aveva mai avuto il coraggio di prendere il suo nome... forse troppo impegnativo.
3 Se una cosa dura "da Natale" fino al "giorno di questo santo" significa che questa cosa dura davvero poco. Il giorno di questo santo infatti è il 26 dicembre.
4 Nella tradizione italiana ogni santo è patrono o protettore di qualche cosa. Questo per esempio è il santo dei produttori di vino e dei bevitori. C'è anche un modo di dire: "Il giorno di ... ogni mosto diventa vino!".
5 Il più famoso conservatorio di musica di Roma è intitolato a questa santa, protettrice della musica e dei musicisti. Si festeggia il 22 novembre.
6 Una famosissima canzone napoletana è dedicata al suo (bellissimo) Monastero, bombardato nel 1943 durante la guerra e ricostruito dieci anni dopo.

1.___ • 2.___ • 3.___ • 4.___ • 5.___ • 6.C

5 **Inserisci gli articoli determinativi nelle frasi.**

1 _____ whisky si abbina perfettamente con il formaggio e il cioccolato.
2 Che cosa è _____ Jazz? Se lo devi chiedere non lo saprai mai! (*Louis Armstrong*).
3 Non mi va di vestirmi elegante: metterò _____ jeans.
4 Per fare quel gioco devi usare _____ *joystick*.
5 Ho comprato _____ pneumatici nuovi prima di partire in vacanza.
6 Il Pantheon era il tempio romano dedicato a tutti _____ dei.
7 Gli inglesi sono molto famosi per _____ humor.

15. VERBI PRONOMINALI E ALTRI PRONOMI

15.1 CARATTERISTICHE DEI VERBI PRONOMINALI

I verbi pronominali sono verbi che prendono un senso particolare grazie a uno o due pronomi che hanno quasi "dimenticato" il loro valore pronominale. Vediamo i verbi pronominali più frequenti.

Cavarsela (me la cavo / me la sono cavata)	Ho fatto l'esame e ***me la sono cavata***.
Farcela (ce la faccio / ce l'ho fatta)	Non ***ce la faccio*** più!
Fregarsene (me ne frego / me ne sono fregato)	Non ***me ne frega*** niente.
(non) **Poterne** (più)	Basta! Non ***ne posso*** più!
Sentirsela (me la sento / me la sono sentita)	Non posso aiutarti. Scusa, non ***me la sento***.
Smetterla (la smetto)	***Smettila*** di dire stupidaggini!
Starci (ci sto / ci sono stato)	Andare al cinema? Ok, ***ci sto***!

15.2 VERBI RIFLESSIVI "AFFETTIVI"

Fra i verbi pronominali includiamo i riflessivi "affettivi". Sono verbi che, specialmente nel parlato, si usano nella forma riflessiva perché suonano "più caldi" e esprimono una maggiore partecipazione affettiva di chi parla. **Es.** *bersi, comprarsi, fumarsi, guardarsi, leggersi, mangiarsi*, ecc.	Ieri sera ***mi sono letto*** un bellissimo libro. ***Ci beviamo*** una birra? ***Ti sei comprato*** una casa?

15.3 VERBI DI STATO O DI MOVIMENTO CON *-SENE*

Molti verbi di movimento possono avere la coniugazione con i **pronomi riflessivi** (**mi**, **ti**, **si**, ecc.) + la **particella ne** (es. *andarsene*, *partirsene*, ecc); anche in questo caso il senso acquista una carica affettiva maggiore e manifesta una più forte partecipazione emotiva.	***Me ne sono tornato*** a casa mia. Stasera ***me ne sto*** buono buono a guardare la tv. Scusa, devo ***andarmene*** perché ho da fare.

15.4 VERBI PRONOMINALI CON *CI*

Fra i verbi pronominali più frequenti, ci sono quelli che usano la particella pronominale **ci** (vedi Vol. **1**, cap. **18.2**).

Volerci (ausiliare *essere*) → essere necessario.	Per fare questo calcolo ***ci vuole*** un computer.
Metterci (ausiliare *avere*) → impiegare un certo tempo.	Da Roma a Firenze ***ci ho messo*** un'ora e mezza.
Sentirci e vederci → esprimono la capacità di sentire e vedere. Se è buio *non ci vedo*, se c'è musica forte *non ci sento* bene.	Ma sei sordo? Non ***ci senti***? Senza occhiali non ***ci vedo*** bene.
Contarci → fare affidamento su qualcuno o qualcosa.	Telefonami! ***Ci conto***!
Starci → accettare qualcosa.	Bella proposta. Io ***ci sto***!

15.5 ESEMPI DI CONIUGAZIONE DI VERBI PRONOMINALI

(-CI) METTERCI	(-SELA) CAVARSELA	(-SENE) ANDARSENE	(-CELA) FARCELA
Presente	**Presente**	**Presente**	**Presente**
ci metto	me la cavo	me ne vado	ce la faccio
ci metti	te la cavi	te ne vai	ce la fai
ci mette	se la cava	se ne va	ce la fa
ci mettiamo	ce la caviamo	ce ne andiamo	ce la facciamo
ci mettete	ve la cavate	ve ne andate	ce la fate
ci mettono	se la cavano	se ne vanno	ce la fanno
Passato Prossimo	**Passato Prossimo**	**Passato Prossimo**	**Passato Prossimo**
ci ho messo	me la sono cavata	me ne sono andata/o	ce l'ho fatta

15.6 IL VERBO *AVERCI*

Nella lingua parlata, vicino al normale verbo *avere*, esiste il verbo **averci**. Raramente scritte, le forme del verbo *averci* hanno qualche oscillazione ortografica: in alcuni casi sono scritte con **c'** (**c'ho**), in altri casi senza apostrofo (**ci ho**) e è stato anche proposto di scriverle in un'unica parola (**ciò**); è lo stesso *ci* che torna **obbligatoriamente** nelle forme tipo **ce l'ho**.	c'ho c'hai c'ha c'abbiamo c'avete c'hanno	***C'ho*** fame. ***C'hai*** sete? ***C'ha*** sonno. Non ***c'hanno*** niente da fare. ■ Hai tempo? ● No, non ***ce l'ho***. Il telefonino? ***Ce l'ho*** in tasca.

15.7 IL PRONOME *CI* + I VERBI RIFLESSIVI

Quando un **verbo riflessivo** si incontra con la particella pronominale **ci**, le modalità di combinazione dei pronomi sono particolari:
→ manca la possibilità di combinare i pronomi alla prima persona plurale;
→ nel pronome doppio il primo non finisce con *-e* ma con **-i**;
→ la posizione del **ci** nella terza persona precede il riflessivo e nelle altre lo segue.

Mi metto a fare qualche cosa.
Se vogliamo usare il pronome doppio diventa:
*Io **mi ci** metto-.*
*Tu **ti ci** metti-.*
*Lui **ci si** mette-.*
-
*Voi **vi ci** mettete-.*
*Loro **ci si** mettono-.*

Esercizi

1 **Completa la tabella con i verbi coniugati al presente indicativo.**

	Vederci	Sentirsela	Starsene	Avercela (con)
io	ci vedo			
tu				
lui / lei		se la sente		
noi				ce l'abbiamo
voi				
loro			se ne stanno	

2 **Completa la tabella con i verbi coniugati al passato prossimo.**

	Vederci	Sentirsela	Starsene	Avercela (con)
io		me la sono sentita		
tu				ce l'hai avuta
lui / lei	ci ha visto			
noi				
voi			ve ne siete state/i	
loro				

3 **Abbina le immagini alle frasi corrispondenti.**

1

2

3

4

5

6

A Stasera se ne stanno a casa a guardare la tv.

B Se le sono date proprio di santa ragione!

C Ce l'ha messa tutta per superare l'esame.

D Mi dispiace ma non me la sento di uscire in queste condizioni.

E Con la chitarra se la cava piuttosto bene, ma è stonato come una campana.

F Non ce la faccio più!

1.__ ▪ 2.__ ▪ 3.__ ▪ 4.__ ▪ 5.__ ▪ 6.__

4 Collega i verbi pronominali con le definizioni che ne esprimono il significato, come nell'esempio.

1 ***Me la passo*** *abbastanza bene.*
2 Pensavo proprio di **cavarmela**.
3 **Non ce l'ho fatta**.
4 Non **me la sono sentita**.
5 **Ci ho provato**.
6 **Non ne posso più**.
7 **Me la sono spassata**.
8 **Ce l'ho messa tutta**.
9 **Ce l'ho** con lui.
10 Ho deciso **smetterla** con l'università.
11 Ma **che c'entra** adesso?
12 **Me ne torno** a casa.
13 Non riesco ancora a **farmene una ragione**.
14 Non **me la prendo**.
15 Ci **ho messo** un mese.
16 **Me la godo** un po'.

A mi sono divertito
B ho fatto il possibile
C chiudere
D che relazione c'è col discorso
E rassegnarmi
F mi offendo
G non sono riuscito
H sono stufo
I mi sono impegnato
L torno
M ho impiegato
N ho avuto il coraggio
O *sto*
P superare più o meno la difficoltà
Q sono arrabbiato
S mi diverto

1. O • 2.__ • 3.__ • 4.__ • 5.__ • 6.__ • 7.__ • 8.__ • 9.__ • 10.__ • 11.__ • 12.__ • 13.__ • 14.__ • 15.__ • 16.__

5 Completa le frasi con i verbi suggeriti.

Sentirsela (di)

1 Sei molto stanco, ______________________ di uscire?
2 (Io) non ______________________ di fare l'università... ancora 5 anni di studio non sono per me!
3 Giulia ieri non ______________________ di raccontare a Daniela quello che sapeva su Roberto.

Farcela

4 ■ Signora, La aiuto a portare la valigia? ● Grazie, ______________________ da sola.
5 Valeria, ______________________ ad arrivare per le otto stasera?
6 (Noi) non ______________________ più a vivere a Roma! È una città infernale!

Andarsene

7 Basta, ______________________ da casa per sempre!
8 Ma (voi) ______________________ così presto? La festa è appena cominciata!
9 Che ha fatto Michele? ______________________ senza salutarti?

Non poterne più

10 (Io) ______________________ dei suoi capricci!
11 Lorenzo ______________________ di lavorare in quelle condizioni.
12 Io e ______________________ di sopportarla tutto il giorno.

Cavarsela

13 ■ Come va Luca a scuola? ● Così così, ______________________, niente di più.
14 (Tu) Ieri ______________________ solo con un grosso spavento.
15 Non parlo francese, ma quando vado a Parigi ______________________ lo stesso.

6 Completa le frasi con i verbi della lista.

avercela con	farcela	farla franca	fregarsene	mettercela tutta	
metterci	pensarla	prendersela	saperci fare	sentirsela	smetterla

1 Vorrei scalare le montagne, correre dieci chilometri e nuotare per ore, ma alla mia età non _______________ più.
2 Di quello che pensano gli altri io _______________!
3 Se Gianni _______________, avrebbe superato l'esame!
4 Ieri _______________ due ore per arrivare all'aeroporto.
5 Non penserete di _______________ anche stavolta!
6 Da mesi Nicola _______________ me, mi guarda storto e non so il perché.
7 Francesco è un vero Don Giovanni: _______________ con le donne.
8 Io e Davide sulla politica _______________ diversamente.
9 L'anno scorso (io) non _______________ di prendere una decisione così importante.
10 Francesca e Luca _______________ per una cosa da niente.
11 _______________ di darmi consigli inutili!

7 Costruisci delle frasi ipotetiche della possibilità, come nell'esempio.

Es. Se tu (*mettercela*) ce la mettessi tutta, (*riuscirci*) ci riusciresti.
1 Se tu (*tenerci*) _______________ davvero, amore, (*mettersi*) _______________ tutti i giorni quel bellissimo maglione che ti ho regalato!
2 Se tu non (*svegliarti*) _______________ la mattina alle sei, tesoro mio, io (*dormirsela*) _______________ di gusto fino alle dieci!
3 Se tu non (*sentirsela*) _______________ di sposarmi, amoruccio, io ti (*capire*) _______________ perché sono una donna moderna.
4 Se io (*andarsene*) _______________, come (tu - *fare*) _______________ a vivere senza di me, cucciolotto mio?
5 Se io ti (*tradire*) _______________ con Angelina Jolie, tu (*prendersela*) _______________ tanto, micia?

8 Trasforma le frasi dell'esercizio precedente in ipotetiche dell'irrealtà, come nell'esempio.

Es. Se tu (*mettercela*) ce l'avessi messa tutta, (*riuscirci*) ci saresti riuscito.
1 Se tu (*tenerci*) _______________ davvero, amore, (*mettersi*) _______________ tutti i giorni quel bellissimo maglione che ti ho regalato!
2 Se tu non (*svegliarti*) _______________ la mattina alle sei, tesoro mio, io (*dormirsela*) _______________ di gusto fino alle dieci!
3 Se tu non (*sentirsela*) _______________ di sposarmi, amoruccio, io ti (*capire*) _______________ perché sono una donna moderna.
4 Se io (*andarsene*) _______________, come (tu-*fare*) _______________ a vivere senza di me, cucciolotto mio?
5 Se io ti (*tradire*) _______________ con Angelina Jolie, tu (*prendersela*) _______________ tanto, micia?

I verbi pronominali sono poco adatti alla lingua scritta?

Certamente i verbi pronominali si usano più spesso nel parlato che nello scritto. Ma questo non dipende dal fatto che siano per loro natura di "registro linguistico più basso". In realtà, proprio perché hanno la caratteristica di rendere "più partecipata" l'espressione, i verbi pronominali rispondono a esigenze di comunicazione che nel parlato sono più naturali, mentre nello scritto (che di solito ha caratteristiche di informazione "fredda") sono meno frequenti.

9 **Un esercizio difficile perché non riguarda la grammatica, ma la "sensibilità" sull'uso dei verbi pronominali. Solo in una di queste cinque frasi l'uso del verbo pronominale è opportuno, mentre nelle altre quattro è fuori luogo. In quale frase l'uso del pronominale vi sembra "ragionevole"?**

1 Nel 1937 Hitler se ne è andato a Monaco per incontrare Mussolini.
2 Prima di morire il generale Augusto Pinochet se ne è stato in ospedale per una settimana a causa di problemi cardiaci.
3 Juan Peron è stato Presidente dell'Argentina dal 1946 al 1955. Dopo 18 anni di esilio se ne è tornato al potere.
4 Nel 1941 molti dei soldati che se ne sono partiti per la Russia sono morti in battaglia.
5 Il 25 aprile, invece di partecipare alle celebrazioni per la Festa della Liberazione, il Presidente del Consiglio se ne è stato nella sua villa con un amico chitarrista.

10 **Spiega con altre parole i verbi pronominali presenti negli slogan, nei proverbi e nelle citazioni.**

1 Francamente **me ne infischio**. (Dal film *Via col Vento*, la celebre frase pronunciata da Clark Gable nel doppiaggio italiano della frase inglese *Frankly my dear, I don't give a damn*)

____

2 Si può sapere dove **te ne vai**? Mi hai fatto morire di paura... tuo padre l'altro giorno non **te le ha date** ma stavolta **le prendi**. (Dal libro *Io non ho paura*, Niccolò Ammanniti)

____

3 Chi **la dura la vince**. (Modo di dire)

____

4 Chi **la fa l'aspetti**. (Modo di dire)

____

5 Ci sono due tipi di bufale: una è buona da mangiare, l'altra **ve la danno a bere**. (Pubblicità di una mozzarella)

____

6 **Me ne frego**! Il fascismo e la lingua italiana. (Titolo di un documentario dell'*Istituto Luce*)

____

 e inoltre...

11 **Sostituisci con il pronome CI la parte evidenziata, come nell'esempio.**

Es. Mi infilo sempre **nei guai**!
Mi ci infilo sempre!

1 Ormai ti sei abituato **al clima nordico**.

____

2 La bambina si è divertita molto **con quel giocattolo**.

____

3 Daniela e Tommaso si sono specializzati **all'università di Roma**.

____

4 Vi siete messi **a lavorare** sul serio.

____

5 Non mi rassegno **alla sua decisione**.

____

La lingua del fare
e la lingua dell'essere
CERCA
nella rubrica GRAMMATICA CAFFÈ

lettura 6. ORE PASTI

Non c'è dubbio, al giorno d'oggi le differenze fra gli europei si sono ridotte al minimo: mangiamo le stesse cose, vediamo gli stessi film e la pensiamo spesso allo stesso modo su molte questioni importanti. Perciò è sempre più difficile trovare delle caratteristiche "italiane", qualche cosa, qualche abitudine o qualche modo di fare davvero "nazionale".
Però... provate a invitare al bar un italiano: "Cosa prendi?" gli domandate. Lui guarda l'orologio, ci pensa un attimo e dice: "Un caffè, grazie". Certo non tutti, ma molti, anzi moltissimi, guardano l'orologio. E hanno ragione! Gli stranieri se ne fregano dell'orario. Ci sono quelli che bevono un Campari dopo cena (ma siamo pazzi? Il Campari è un aperitivo!), quelli che mangiano alle cinque e mezza del pomeriggio (un pranzo-tardi o una cena-presto?), e poi quegli altri, davvero disumani, che sono capaci di bersi un cappuccino dopo pranzo!
Un italiano, un italiano serio, certe cose non le fa. Il cappuccino serve per fare colazione: va bene la mattina, va bene fino a mezzogiorno, ma poi basta! Al massimo se ne può prendere uno nel tardo pomeriggio, verso le cinque e mezza, che è l'ora giusta per la "merenda".
Dopo mezzogiorno la cosa migliore è un aperitivo.
Certo a mezzogiorno è ancora un po' prestino, ma, se uno se la sente, si può fare senza vergogna.
Dopo pranzo è permesso, e anche consigliabile, un caffè (un caffè-caffè, naturalmente, non quella cosa liquida e scura che servono all'estero!): caffè lungo, ristretto, decaffeinato, amaro, dolce, freddo, al vetro, corretto... va bene tutto, ma, per piacere, niente cappuccino! E con il caffè, perché no, ci sta benissimo un liquore, un amaro, un limoncello. Ma non un Campari e nemmeno un Martini, per piacere!
Il caffè si può prendere fino alle cinque. Poi basta perché sennò si rischia di non dormire bene la notte (e se per la notte ho grandi progetti? Che c'entra, allora posso bere caffè tutta la sera!).
Un'ultima cosa sul cappuccino: abbiamo detto che si può bere fino a mezzogiorno. Forse non è vero: si può bere anche all'una o alle due, ma attenzione, berlo a quell'ora è un po' da esibizionista: se alle due vado al bar, gli altri sono lì che mangiano qualcosa e io, magari sbadigliando, me ne vado al bancone e dico "un cappuccino e un cornetto"... be', è chiaro cosa voglio dimostrare. Voglio dimostrare a tutti che me la sono dormita di gusto, che mi sono alzato da poco, che non ho intenzione di pranzare perché per me la giornata comincia molto più tardi, che io la notte vivo, che ieri sera insomma me la sono spassata e... be', l'avete capita, no?

Esercizi

1 Vero o falso.

		V	F
1	Il cappuccino non si beve mai il pomeriggio.	☐	☐
2	Il Martini si beve dopo pranzo.	☐	☐
3	Il caffè dopo le cinque non fa dormire.	☐	☐
4	Il Campari è un aperitivo e si beve prima di mangiare.	☐	☐
5	La mattina alle cinque e mezza si fa merenda.	☐	☐
6	Il limoncello si beve dopo pranzo o dopo cena.	☐	☐
7	Il caffè corretto non si beve dopo mangiato.	☐	☐
8	All'estero chiamano caffè ogni liquido scuro.	☐	☐
9	Bere il cappuccino al bar alle due è un po' da esibizionista.	☐	☐
10	A mezzogiorno è ancora un po' presto per l'aperitivo.	☐	☐

2 Scegli la forma corretta.

1 Le differenze fra europei si **stanno ridotte / sono riducendo / stanno riducendo**.
2 Le caratteristiche "italiane" si **trova / trovano / trovi** sempre più difficilmente.
3 È difficile trovare qualche **abitudine / abitudini / abito** davvero "nazionale".
4 La gente italiana al bar **guardano / guarderebbero / guarda** l'orologio.
5 Ci sono quelli **chi / che / cui** bevono un Campari dopo cena.
6 Ci sono **quelli altri / quei altri / quegli altri** che bevono il cappuccino dopo pranzo.
7 Un italiano serio certe cose **non le fa / non fa / le non fa**.
8 Il cappuccino? **Si ne può / Ne si può / Se ne può** prendere uno di pomeriggio.
9 Dopo mezzogiorno la cosa **migliore / più migliore / meglio** è un aperitivo.
10 Con il caffè, perché no, ci sta **buonissimo / bellissimo / benissimo** un liquore.
11 Non voglio rischiare di non dormire **bene / buono / bello** la notte.
12 Io posso bere caffè **tutta sera / tutta la sera / la sera tutta**.
13 Il Campari è un aperitivo **bene / buono / bello**.
14 Una persona **bevendo / bevesse / che beve** un cappuccino alle due... è straniera.

3 Completa le frasi con le preposizioni.

1 Le differenze _____ gli europei sono poche.
2 Le differenze si sono ridotte _____ minimo.
3 Noi la pensiamo spesso _____ stesso modo.
4 Abbiamo le stesse opinioni _____ molte questioni importanti.
5 Provate ____ invitare al bar un italiano.
6 Gli stranieri se ne fregano _____ orario.
7 Ci sono persone che mangiano _____ cinque e mezza del pomeriggio.
8 Ci sono persone che sono capaci _____ bersi un cappuccino dopo pranzo.
9 Il cappuccino va bene fino _____ mezzogiorno, ma poi basta!
10 Al massimo se ne può prendere uno ______ tardo pomeriggio.
11 Il caffè si può prendere fino _____ cinque.
12 Il cappuccino si può bere anche _____ una o alle due.
13 Bere un cappuccino alle due è un po' _____ esibizionista.
14 Voglio dimostrare _____ tutti che me la sono dormita di gusto.
15 Non ho intenzione _____ pranzare perché per me la giornata comincia molto più tardi.

Esercizi

4 **Scegli, da questa lista di verbi pronominali, quello che ti sembra più opportuno per completare le frasi che seguono.**

bersela	cavarsela	farcela	metterci	passarsela
prendersela	smetterla	starsene	vederci	volerci

1 Sono stanco di sentire le tue lamentele! Basta! _______________ di lamentarti!
2 Capisco se sei nervoso. Ma non devi _______________ con me se è una giornata storta!
3 Ciao! Quanto tempo che non ci vediamo! Come va? Come _______________?
4 Da casa mia al lavoro, a piedi, io _______________ un quarto d'ora.
5 Sono stanchissimo... Non _______________ più!
6 Se suono la chitarra? Mah... non sono certo un chitarrista ma _______________.
7 Mi ha raccontato una grossa bugia e io come uno stupido _______________.
8 Di pomeriggio mi piace _______________ un'oretta sul divano e fare una dormitina.
9 Ho una fame che non _______________.
10 Per fare quello che fai tu _______________ talento!

5 **Dal presente al passato prossimo. Segui l'esempio.**

1 Me ne vado alle otto. *Me ne sono andato/a alle otto.*
2 Lui se la cava benissimo da solo. _______________
3 Domenica mattina noi ce la dormiamo di gusto! _______________
4 Ce la fate a finire in tempo quel lavoro? _______________
5 Se ne fregano di quello che abbiamo detto. _______________
6 Ce la mettiamo tutta per riuscire! _______________
7 Quanto ci mettete per arrivare a casa? _______________
8 Loro se la passano bene. _______________
9 Te la prendi così per una cosa da niente! _______________
10 Te ne ritorni a casa dalla tua mamma? _______________
11 Non ce la sentiamo di dirgli la verità. _______________
12 Ve la spassate in vacanza, vero? _______________
13 Me ne sto buono buono a guardare la TV. _______________
14 Economicamente se la vede brutta. _______________
15 Ce ne vuole per farmi cambiare idea! _______________
16 Per fare quella strada ci vogliono due ore. _______________

6 La forma **SENNÒ**, scritta anche **SE NO**, è tipica del parlato e più rara nello scritto. Significa *altrimenti*. Nelle frasi che seguono indica se la forma **SENNÒ** è giusta o sbagliata.

1 Devo bere un caffè, sennò mi addormento. ☐ GIUSTO ☐ SBAGLIATO
2 Il caffè è solo l'espresso, sennò non è un caffè. ☐ GIUSTO ☐ SBAGLIATO
3 Non bevo il caffè dopo le cinque, sennò finisce che non dormo. ☐ GIUSTO ☐ SBAGLIATO
4 La mattina ho mal di testa sennò ho dormito la notte. ☐ GIUSTO ☐ SBAGLIATO
5 Prima di pranzo bevo un aperitivo, sennò non mi viene fame. ☐ GIUSTO ☐ SBAGLIATO
6 È meglio guardare l'orologio, sennò si fanno un sacco di errori! ☐ GIUSTO ☐ SBAGLIATO
7 Non devi mangiare sennò hai fame. ☐ GIUSTO ☐ SBAGLIATO

7 Sostituisci le forme **A** + infinito (con valore ipotetico limitativo) con forme introdotte da **SE**, come nell'esempio.

1 A mangiar molto si ingrassa. *Se si mangia molto, si ingrassa.*
2 A avere tempo andavo al cinema. ______
3 A saperlo prima non perdevo tempo. ______
4 A comportarsi bene qualche volta non ci si guadagna. ______
5 A essere sincero non so proprio cosa dirti. ______
6 A dire la verità, io non sono d'accordo con te. ______
7 A rimandare il problema non hai nessun vantaggio. ______
8 A bere così ti rovinerai il fegato. ______
9 A fare così non fai una bella figura. ______

8 Scegli l'espressione negativa corretta.

1 ***Non ho mai bevuto / Ho mai bevuto / Mai non ho bevuto*** un cappuccino dopo pranzo.
2 ***Capisco niente / Non capisco niente / Niente non capisco*** di matematica.
3 ***Ho detto niente / Non ho niente detto / Non ho detto niente*** di male.
4 ***Nessuno ha / Nessuno non ha / Nessuno non ha mica*** protestato.
5 ***Non nessuno ha protestato / Ha protestato nessuno / Non ha protestato nessuno***.
6 ***Bevo nessun / Non bevo nessun / Bevo qualcun*** alcolico.
7 ***Ero per niente stanco / Non ero per niente stanco / Per niente stanco non ero***.
8 ***Non sono mai più / Sono mai più / Non sono non più*** tornato in quella città.
9 ***Non mica male / Mica non male / Mica male*** quel bar!

9 Coniuga i verbi pronominali in **-CI**.

1 Mio nonno, a ottant'anni, senza occhiali (*vederci*) ______ benissimo.
2 Noi abbiamo deciso di passare le vacanze tutti insieme a Venezia. Tu sei d'accordo? (*Starci*) ______?
3 Perché parli d'altro? Quello che stai dicendo non (*entrarci*) ______ niente con il mio discorso!
4 Da Roma a Milano, con il treno, (*volerci*) ______ circa tre ore.
5 Con lui devi parlare ad alta voce: non (*sentirci*) ______ tanto bene.
6 L'estate scorsa, per andare da Roma a Milano con la macchina, io (*metterci*) ______ sei ore.
7 Per costruire la metropolitana a Roma (*volerci*) ______ moltissimi anni.
8 Questo è un problema semplicissimo da risolvere: che (*volerci*) ______?
9 Ma se facessi come dici tu, io (*rimetterci*) ______ almeno mille euro!
10 Quando ho sentito queste parole mi sono arrabbiato e non (*vederci*) ______ più.

TEST 1

1 Completa con l'articolo determinativo, solo dove è necessario.

Ogni articolo corretto 2 punti

1 Non è questo ____ momento giusto per parlare con me. ____
2 Studio _____ Farmacia all'università di Torino. ____
3 _____ situazione politica italiana dal 1994 è cambiata. ____
4 Il mio compleanno è ____ 8 giugno. ____
5 _____ Piazza di Spagna è una famosissima attrazione per i turisti a Roma. ____
6 Anna Magnani è _____ più famosa attrice italiana. ____
7 Paolo è _____ unico studente maschio di questa classe. ____

TOTALE _____ / 14

2 Fa' il plurale delle seguenti espressioni.

Ogni espressione corretta 2 punti

1 La solita questione. ______________________ ____
2 L'ultimo mese. ______________________ ____
3 Una città cinese. Due ______________________ ____
4 Mio zio. ______________________ ____
5 Un paio di scarpe. Due ______________________ ____
6 Un bel ragazzo. Dei ______________________ ____
7 Una patata arrosto. Quattro ______________________ ____

TOTALE _____ / 14

3 Completa con le preposizioni.

Ogni preposizione corretta 2 punti

1 A che ora cominci _____ lavorare? ____
2 Bologna è meno grande _____ Roma. ____
3 Ci vediamo domani _____ sei e un quarto. ____
4 Mi piace stare in mezzo _____ gente! ____
5 Voglio comprare degli occhiali _____ sole. ____
6 Questo è un affresco dipinto _____ un famoso artista del *Rinascimento*. ____
7 Domani devo andare _____ dentista. ____

TOTALE _____ / 14

4 Completa con i verbi all'indicativo.

Ogni verbo corretto 2 punti

1 Loro *(sapere)* ______________ benissimo come si vive in Italia. ____
2 Maria ieri non *(potere)* ______________ venire alla festa perché era malata. ____
3 Noi, due anni fa, *(tradurre)* ______________ in italiano questo libro. ____
4 Da bambino anche tu come me *(dire)* ______________ tante bugie? ____
5 Mi hanno detto che ieri sera alle nove Anna e Francesca *(andare)* ______________ via già da un po' di tempo. ____
6 Io non *(immaginare)* ______________ che tu saresti partito oggi. ____
7 Ho visto il film che mi hai consigliato: mi *(piacere)* ______________ moltissimo. ____

TOTALE _____ / 14

5 Completa con i verbi al condizionale semplice o composto.

Ogni verbo corretto 2 punti

1 Senta, scusi, Lei (*potere*) ________________ darmi un'informazione? _____
2 Quando ero piccolo pensavo che da grande io (*vivere*) ________________ all'estero. _____
3 Io non (*volere*) ________________ uscire, ma il tempo era bello e ho cambiato idea. _____
4 Mi (*piacere*) ________________ partire con te, ma in questo periodo ho troppo lavoro. _____
5 Ieri io (*venire*) ________________ volentieri da te, ma ero troppo stanco. _____
6 Scusami, (*essere*) ________________ così gentile da aiutarmi? _____
7 Se lui studiasse di più, non (*avere*) ________________ questi problemi all'università. _____

TOTALE _____ / 14

6 Completa con i tempi giusti del congiuntivo.

Ogni verbo corretto 2 punti

1 Voglio che tu (*fare*) ________________ quello che ti ho chiesto. _____
2 Non volevo che lui (*restare*) ________________ a casa. _____
3 Vorrei che qualche volta voi mi (*dare*) ________________ un po' di attenzione. _____
4 Se tu mi (*dire*) ________________ esattamente cosa vuoi, potrei aiutarti. _____
5 Speravo che loro (*essere*) ________________ un po' più simpatici. _____
6 Aspetto che lui mi (*scrivere*) ________________. _____
7 Suppongo che tu (*essere*) ________________ un po' stanco, vero? _____

TOTALE _____ / 14

7 Completa con i pronomi e fa' le giuste concordanze.

Ogni risposta corretta 2 punti

1 ■ Conosci bene Marco? ● Sì, ______ conosco benissimo! _____
2 ■ Incontri spesso Maria e Anna? ● Sì, ______ ho vist___ anche ieri. _____
3 ■ Hai telefonato a tua zia? ● Sì, ______ ho telefonat____ stamattina. _____
4 ■ Hai letto i giornali di oggi? ● No, non ______ ho lett__. _____
5 ■ Hai regalato i libri a Maria? ● Sì ______ ho regalat__ ieri! _____
6 ■ Hai dato le chiavi a Sofia? ● ______ ho dat__ solo due. _____
7 ■ Ti ricordi di lui? ● Veramente non ______ ricordo! _____
8 ■ Va' a casa! ● Se hai voglia va______ tu! _____

TOTALE _____ / 16

TOTALE TEST _____ / 100

16. LA FORMA PASSIVA

16.1 LE FRASI ATTIVE

Le frasi attive sono in genere costruite con **soggetto + verbo + eventuali complementi**.	Io leggo un libro. Tu vai al cinema.
Se la frase comincia con un complemento **diretto** è obbligatorio l'uso di un **pronome "ridondante"** (vedi Vol. **1**, cap. **23.4**).	***Questo libro lo*** leggi tu. (Non certo io!) ***Quel lavoro*** non ***l'***ho finito.

16.2 LE FRASI PASSIVE

Un verbo transitivo diventa **passivo** prendendo l'ausiliare **essere**.	***Attivo***: io guardo. → ***Passivo***: io ***sono*** guardato.
L'agente di un verbo passivo può **non essere indicato** o può essere segnalato dalla preposizione **da**.	La lettera mi sarà consegnata domani. Questo articolo è stato scritto ***da un famoso giornalista***.
Per fare il passivo è possibile anche usare il verbo **venire**. Ma **attenzione, solo nei tempi semplici** (presente, imperfetto, futuro, ecc.).	La posta ***viene (è) consegnata*** martedì. MA La posta ***è stata consegnata*** martedì.
In molti casi fra l'uso di **essere** e **venire** per fare il passivo non c'è differenza. L'uso di **venire** dà un'idea di **dinamicità** e movimento mentre **essere** ha una caratteristica più "statica".	La porta ***è chiusa***. / La porta ***viene chiusa***. Il prodotto ***è venduto***. / Il prodotto ***viene venduto***.
I verbi modali **dovere** e **potere** normalmente non hanno il passivo. Se reggono l'infinito di un verbo transitivo si fa il passivo di quell'infinito.	Io posso fare questa cosa. Questa cosa può ***essere fatta*** (da me).

e inoltre...

16.3 ALTRE FORME DI PASSIVO

Andare + **participio passato** (va fatto = deve essere fatto).	A Roma ***va usato*** il motorino. Questi lavori ***vanno finiti*** presto.
Si passivante (forma impersonale + verbo transitivo con oggetto) (si beve vino = il vino è bevuto) .	A Roma ***si usa*** il motorino. Oggi ***si mangiano*** spaghetti.
Da + verbo transitivo (acqua da bere = che può/ deve essere bevuta).	Il motorino è ***da usare*** a Roma. Questi libri sono assolutamente ***da leggere***.
Meno frequenti le forme passive costruite con i verbi **rimanere** e **vedersi**.	L'uomo ***è rimasto ucciso*** in un sparatoia. ***Mi sono visto costretto*** a fare questo.

Esercizi

1 **Qual è il soggetto del verbo passivo evidenziato nel titolo del giornale del 9 settembre 1943.**

Il Messaggero

E' stato concluso l'armistizio fra l'Italia e gli Angloamericani

Epilogo | L'armistizio nella parola della stampa | Badoglio dà l'annunzio alla radio | Alla ricerca del concreto

2 **Scrivi le frasi in forma attiva e passiva, come nell'esempio.**

Es. Dante Alighieri (*scrivere*) *Divina Commedia*
Dante Alighieri ha scritto la Divina Commedia. → La Divina Commedia è stata scritta da Dante Alighieri.

1 Sandro Botticelli (*dipingere) La Primavera*.

____

2 Michelangelo (*scolpire) La Pietà*.

____

3 Federico Fellini (*girare) La dolce vita* nel 1960.

____

4 Alessandro Antonelli (*progettare)* la *Mole Antonelliana*.

____

5 Antonio Meucci (*inventare)* il telefono.

____

6 Samantha Cristoforetti (*raggiungere)* la *Stazione Spaziale Internazionale* nel 2014.

____

7 Grazia Deledda (*vincere)* il premio *Nobel* per la letteratura nel 1926.

____

8 Cristoforo Colombo (*scoprire)* l'America il 12 ottobre del 1492.

____

9 Anche Pavarotti (*cantare*) *O sole mio*.

____

10 Il signor Bialetti (*inventare)* la macchinetta del caffè.

____

11 Ennio Morricone (*comporre)* le colonne sonore di moltissimi film italiani e stranieri.

____

12 Michele Ferrero (*inventare)* la *Nutella* nel 1964.

____

13 *Time Magazine* (*inserire)* Carlo Petrini tra gli "eroi del nostro tempo" nella categoria "Innovatori".

____

3 Trasforma le frasi nella forma passiva rispettando il tempo della forma attiva.

1 Alessandro Manzoni ha scritto *I Promessi Sposi*. → ______________________
2 La polizia ricercherebbe alcuni terroristi anche in Italia. → ______________________
3 Spero che qualcuno lo avvertirà della festa. → ______________________
4 Tutti gli stranieri amavano la musica italiana dell'Ottocento. → ______________________
5 Non tutti gli stranieri apprezzano l'organizzazione italiana. → ______________________
6 I tecnici italiani hanno restaurato *La Barcaccia* di Bernini. → ______________________
7 Un terremoto ha distrutto L'Aquila. → ______________________
8 Tutti stimano Gino Strada, il fondatore di *Emergency*. → ______________________
9 Il Segretario di Stato accompagnerà il Presidente americano. → ______________________

4 Completa con verbi nella forma passiva.

Una mamma della provincia di Torino ha avuto una pessima sorpresa la sera della vigilia di Natale: i regali per le figlie infatti (*rubare*) ______________ dalla cantina, dove (*nascondere*) ______________ al riparo degli occhi indiscreti delle piccole, ma evidentemente a portata di mano dei malintenzionati.
La donna voleva sostituire in qualche modo i regali, per mettere qualcosa sotto l'albero per le sue bambine, ma chiaramente tutti i negozi di giocattoli già (*chiudere*) ______________. La donna ha iniziato allora a girare per gli Autogrill, nella speranza di trovare qualcosa. Lì (*notare*) ______________ da una pattuglia della polizia, che vedendola agitata l'ha avvicinata per capire se ci fosse qualche problema.
La donna ha raccontato la storia agli agenti, che hanno contattato un negozio di giocattoli della zona. Il negozio allora (*aprire*) ______________ dal proprietario alle quattro di mattina, solo per permettere alla donna di comprare dei regali "sostituitivi" per le due figlie. (adattato da *reuters.com*)

5 Sottolinea le frasi passive come nell'esempio e indovina la città.

La città del mosaico

Nel 1996 questa tranquilla città italiana è stata riconosciuta "patrimonio mondiale" dall'UNESCO (Organizzazione delle Nazioni Unite per l'Educazione, la Scienza e la Cultura).
Otto suoi monumenti, considerati dei capolavori dell'arte paleocristiana e bizantina, sono stati inseriti dall'UNESCO nella Lista del Patrimonio Mondiale.
Gli otto edifici risalgono all'epoca in cui questa cittadina è stata la capitale prima dell'Impero romano d'Occidente, poi del regno ostrogoto e, infine, la sede di un esarcato bizantino. Tranne il Mausoleo del re ostrogoto Teodorico, gli altri sette sono edifici religiosi che hanno una caratteristica comune: all'esterno sono molto semplici e spogli, costruiti in mattoni, mentre l'interno è ricco e molto decorato.
Infatti le pareti, e in alcuni casi anche i soffitti, sono stati ricoperti da mosaici policromi, che rendono lo spazio leggero e luminoso.
I mosaici più famosi sono quelli della Basilica di San Vitale, che è stata consacrata nel 547 dall'arcivescovo Massimiano. Era la cappella del palazzo imperiale e infatti nell'abside sono stati rappresentati in tutto il loro sfarzo l'imperatore bizantino Giustiniano e sua moglie Teodora insieme alla corte.
Invece un monumento di grande valore più storico che artistico è la Tomba di Dante, che è stata eretta qui perché è qui che il poeta fiorentino ha trascorso gli ultimi anni della sua vita. L'edificio è stato realizzato nel 1780-81 ed è di stile neoclassico.
Nel 2014 la città è stata giudicata come la prima in Italia per "qualità della vita".

Sapete che città è? ______________________________

6 **Inserisci ora nella tabella le frasi sottolineate nella lettura precedente. Poi trasformale da passive in attive, come nell'esempio.**

FORMA PASSIVA	FORMA ATTIVA
Nel 1996 questa tranquilla città italiana è stata riconosciuta "patrimonio mondiale" dall' UNESCO.	*Nel 1996 l'UNESCO ha riconosciuto questa tranquilla città italiana "patrimonio mondiale"*
1	
2	
3	
4	
5	
6	
7	

e inoltre...

7 **In questa lista di frasi alcune sono corrette, altre sono sbagliate. Le lettere che corrispondono alle frasi corrette formano il nome della città di cui si parla nell'esercizio 5.**

1 La piadina è un prodotto alimentare tipico di questa città ed è venuta mangiata da tutti i turisti.	**B**
2 La piadina va farcita con lo "squacquerone", un tipico formaggio morbido locale.	**R**
3 Diversi parametri sulla qualità di vita sono stati considerati prima della pubblicazione della classifica.	**A**
4 Nella classifica del 2014 del *Sole 24ORE* alla città di Agrigento è stato assegnato l'ultimo posto.	**V**
5 Per molto tempo la tomba di Dante va richiesta dai fiorentini.	**I**
6 Il Mausoleo è stato dedicato a Gallia Placidia, sorella dell'Imperatore romano Onorio.	**E**
7 In particolare se si hanno bambini il parco di attrazioni *Mirabilandia* è assolutamente a visitare.	**L**
8 Il vino DOC Sangiovese di Romagna è prodotto nella provincia di questa città.	**N**
9 La città è stata visitata nei secoli da Dante, Boccaccio, Leopardi, Byron, Oscar Wilde.	**N**
10 Un libro di Dario Fo è dedicato a questa città.	**A**

8 Trasforma le frasi: una volta usando la forma del SI impersonale, una volta con ANDARE + participio passato e una volta con la forma ESSERE DA, come nell'esempio.

Es. Questi esercizi di grammatica devono essere fatti per la settimana prossima.
Questi esercizi di grammatica si devono fare per la settimana prossima.
Questi esercizi di grammatica vanno fatti per la settimana prossima.
Questi esercizi sono da fare per la settimana prossima.

1 Questa lettera deve essere spedita oggi.
______
______
______

2 Questo libro deve essere tradotto in inglese.
______
______
______

3 Questo discorso non deve essere fatto mai più.
______
______
______

4 Pensavo che queste tasse non dovessero essere pagate.
______
______
______

5 Questo giornale dovrebbe essere letto.
______
______
______

6 Credo che le offese debbano essere dimenticate.
______
______
______

7 Certi errori non dovranno essere ripetuti.
______
______
______

8 Questi bambini dovevano essere puniti.
______
______
______

9 Completa con i verbi nella forma passiva ANDARE + participio passato.

L'Accademia Italiana Galateo dice che:

1 Gli stivali in estate (non - *usare*) ______, soprattutto sotto vestiti leggeri di seta o cotone. Anche le infradito da spiaggia (non - *indossare*) ______ in città: possono essere comode per camminare sulla sabbia e per uscire dalla doccia, ma la loro funzione finisce qui.

2 Gli occhiali da sole. Il loro nome già lo dice, (*mettere*) ______ quando c'è il sole. Mai quando ci si presenta e quando si parla con qualcuno.

3 Facebook è ormai parte della nostra quotidianità. Ma (*gestire*) ______ con moderazione. Non (*pubblicare*) ______ cibi o piatti cucinati o le foto dei paesaggi con il primo piano delle proprie gambe. Forse le vacanze è meglio godersele che postarle.

4 Importante è ricordare che il vestito da sera ha una sua precisa funzione e non (*indossare*) ______ alle feste informali, soprattutto in spiaggia, dove non sono ammessi i tacchi a spillo soprattutto per chi già non riesce a camminarci per strada.

5 Il sole (*prendere*) ______ poche ore al giorno e sempre la mattina e il pomeriggio: non deve essere assolutamente un'ossessione. Essere neri come il carbone sicuramente non vi renderà più belli.

6 Le riviste scandalistiche (*lasciare*) ______ in valigia. Non esiste tema peggiore di conversazione che il gossip.

7 La tecnologia (*utilizzare*) ______ con moderazione: se siete ad una cena o in compagnia evitate di avere la mano incollata al vostro *smartphone* o *ipad*, cercate di dimenticare per un momento la connessione e godetevi la conversazione.

Esercizi

10 **Inserisci nel tempo indicato le forme passive con gli ausiliari ANDARE o VENIRE. In qualche caso possono essere grammaticalmente corrette tutte e due le forme (anche se con senso totalmente diverso). In altri casi è possibile solo una forma.**

1 Gli scritti di Pasolini (*indicativo presente* - ***leggere***) _______________ perché aiutano molto a capire la storia italiana contemporanea.
2 Le parole dei politici spesso non (*indicativo presente* - ***ritenere***) _______________ credibili dai cittadini.
3 Non sempre è consigliabile che il vino bianco (*congiuntivo presente* - ***abbinare***) _______________ al pesce.
4 Gli omosessuali (*indicativo presente* - ***discriminare***) _______________ sul lavoro.
5 Il calcio è praticamente l'unico sport che (*indicativo presente* - ***seguire***) _______________ dagli italiani.
6 Per condannare una persona all'ergastolo, la sua colpevolezza (*condizionale presente* - ***provare***) _______________ oltre ogni ragionevole dubbio.
7 La dea Atena (*indicativo imperfetto* - ***chiamare***) _______________ Minerva dai romani.
8 Secondo molti educatori la televisione (*condizionale presente* - ***guardare***) _______________ dai bambini per non più di un'ora al giorno.
9 Secondo le statistiche la televisione (*condizionale presente* - ***guardare***) _______________ dai bambini mediamente per più di quattro ore al giorno.
10 Il sistema fiscale italiano (*futuro semplice* - ***riformare***) _______________ completamente.

11 **Guarda il passivo evidenziato nel titolo del giornale del 29 giugno 1914. Chi è, secondo te, l'agente? Chi, cioè, ha lanciato la bomba?**

Anno 67° — TORINO 1914 | L'ITALIANO | Lunedì, 29 giugno — N. 177

Gazzetta del Popolo

OGGI ESCE Lo Sport del Popolo

L'Arciduca ereditario d'Austria e sua moglie assassinati a Serajevo con due pistolettate

Contro gli arciduchi era stata lanciata anche una bomba - Numerosi feriti per l'esplosione - L'arresto degli autori dei due attentati - Un complotto politico serbo.

SERVIZIO SPECIALE DELLA "GAZZETTA DEL POPOLO,,

SERAJEVO, 28 giugno (per telegrafo).

L'arciduca Francesco Ferdinando e l'arciduchessa sua moglie transitavano in vettura per le vie della città, allorchè un uomo tirò su di essi due colpi di pistola.

Ambedue furono mortalmente feriti e morirono pochi minuti dopo.

Il racconto dei giornali austriaci

Le dichiarazioni dell'assassino

Un'altra bomba era pronta...

L'arciduca Francesco Ferdinando

17. LE FORME SPERSONALIZZATE

17.1 FRASI SPERSONALIZZATE INTRODOTTE DAL *SI*

Per fare la forma spersonalizzata (vedi Vol. **1**, cap. **9**) si usa **si + la terza persona singolare o plurale** del verbo (sempre al singolare se non c'è oggetto).	In questo ristorante ***si beve*** solo vino italiano. In Italia gli spaghetti ***si mangiano*** al dente. In biblioteca non ***si parla***, non ***si ride*** e non ***si canta***!
Se il tempo verbale è composto (un passato prossimo, per esempio) si usa sempre **l'ausiliare essere**.	Ieri notte nel mio palazzo non ***si è dormito*** molto... un ragazzo ha fatto una serenata alla sua fidanzata!

17.2 IL *SI* SPERSONALIZZANTE + TEMPI COMPOSTI

In una frase con il **si** spersonalizzante + un tempo composto bisogna fare attenzione a tre regole.

Si + verbo **senza oggetto** (verbo che normalmente ha **ausiliare avere**, come *scrivere* o *ridere*): **vocale participio passato → -o.**	Ieri si è ***riso*** tanto. Quando si è ***corso*** è normale avere il fiatone. Si è ***lavorato*** molto quest'inverno!
Si + verbo **senza oggetto** (verbo che normalmente ha ausiliare **essere**, come *venire*, *tornare* o *lavarsi*): **vocale participio passato → -i** (raramente **-e** se ci si riferisce a sole donne).	Quando si è ***andati*** in vacanza si sta meglio. Ieri ci si ***è divertiti*** molto. Se si è ***andate*** a una dimostrazione femminista la sera non si deve cucinare per il marito!
Si + verbo **con oggetto** (come *leggere un libro*), anche riflessivo (come *lavarsi le mani*): **vocale participio passato → -o / -a / -i / -e.**	Si è ***fatta una torta***. Si è ***letto un libro***. Ci si sono ***lavate le mani***. Si sono ***mangiati gli spaghetti***.

17.3 I PRONOMI DIRETTI CON IL *SI* PASSIVANTE

Il **si** che precede un verbo con oggetto si dice **passivante**. La frase con questa costruzione infatti ha un senso passivo.	In questo ristorante il giovedì ***si fanno gli gnocchi*** = vengono fatti gli gnocchi.
In una frase con il **si passivante,** l'oggetto può essere anche un pronome diretto (**lo / la / li / le**). In questo caso il pronome **precede** il **si** passivante.	Si beve il vino. → ***Lo si*** beve. Si è fatta colazione. → ***La si*** è fatta. Si dovrebbe dire la verità. → ***La si*** dovrebbe dire.

17.4 LA FORMA IMPERSONALE DI *ESSERE / DIVENTARE* + AGGETTIVO

Nella forma impersonale l'aggettivo che fa parte della struttura **essere / diventare + aggettivo** prende la terminazione **-i**.	Se ***si è*** pauros***i*** tutto sembra difficile. Quando ***si diventa*** ricch***i*** si dimentica la fame.
Se ci riferiamo esclusivamente a donne è possibile anche la terminazione **-e**.	Quando ***si è*** bell***e*** non serve truccarsi.
Il pronome diretto che si riferisce all'aggettivo che fa parte della forma **essere / diventare + aggettivo** è **lo**.	■ ***È bella*** la vita eh? ● Sì sì, ***lo*** è! Come si diventa ***ricchi***? ***Lo*** si diventa lavorando?

e inoltre...

17.5 UN CASO RARO: IL PRONOME COMBINATO TRIPLO

Raramente possiamo trovare casi di pronome "triplo": per esempio nella forma impersonale del verbo **farcela** o nella forma impersonale di un verbo riflessivo + pronome diretto (*ricordarsi qualcosa*).	Io non ce la faccio più. → Non ***ce la si*** fa più. Non si dimenticano certe persone! → Non ***ce le si*** dimenticano!

In Italia ho visto degli strani cartelli con le scritte *vendesi*, *affittasi* e simili. Sono anche queste delle forme impersonali?

Sì. Nella lingua commerciale e in particolare in quella degli annunci economici sopravvivono forme di ***si*** impersonale in cui il pronome ***si*** forma una sola parola anche con un verbo al presente indicativo.

Es. *Vendesi* *auto usata;* ***Affittasi*** *monocamera ammobiliata;* ***Vendonsi*** *appartamenti.*

1 **Le seguenti frasi contengono tutte un SI. Prova a riconoscere se si tratta di un SI spersonalizzato (senza oggetto), passivante o riflessivo.**

	SI IMPERSONALE	SI PASSIVANTE	SI RIFLESSIVO
1 Valentina e Luisa si preparano per uscire.			
2 Si dicono molte cose su di te.			
3 A volte si fanno incontri spiacevoli.			
4 Qui si vendono solo prodotti italiani.			
5 Emma si guarda troppo allo specchio.			
6 In questo ristorante si mangia malissimo.			
7 Con il nuovo anno si pensa all'aumento del costo della benzina.			

2 **Ricostruisci i modi di dire.**

1 I panni sporchi
2 Rosso di sera
3 Chi si contenta
4 Chi non muore
5 Chi pecora si fa
6 Quando si chiude una porta
7 A caval donato
8 Le donne
9 Rosso di mattina
10 Il primo amore

A non si toccano nemmeno con un fiore.
B si apre un portone.
C il lupo se la mangia.
D non si scorda mai.
E si rivede.
F la neve si avvicina.
G bel tempo si spera.
H si lavano in famiglia.
I non si guarda in bocca.
L gode.

1.__ • 2.__ • 3.__ • 4.__ • 5.__ • 6.__ • 7.__ • 8.__ • 9.__ • 10.__

3 **Completa le forme del participio passato e degli aggettivi con la vocale opportuna.**

1 Alla festa da Fabrizio si è ballat__ tutta la notte.
2 Quando si è vecch__ è meglio non farsi i tatuaggi.
3 Alla riunione di lavoro si sono fatt__ molti commenti sul nuovo capo.
4 A Pasqua, a casa mia, si è mangiat__ la colomba, naturalmente.
5 Di questo argomento a scuola si è parlat__ poco.
6 Stanotte, con il bambino che piangeva, si è dormit__ poco!
7 Davanti a quel film ci si è annoiat__ talmente tanto che qualcuno si è addormentato.
8 A cena si è mangiat__ a casa e poi si è andat__ tutti in un locale.
9 In questa situazione si è molto fortunat__ ad avere un lavoro!
10 Quando si è amat__, si è felic__.

4 **Trasforma gli imperativi del testo in forme impersonali, come nell'esempio.**

Gnocchi di patate fatti in casa (Dosi per 4 persone)

Ingredienti: 500 gr. di farina, 1 Kg. di patate, sale q.b. [quanto basta]

Lessate le patate in acqua salata (per la preparazione degli gnocchi di patate vi consiglio di utilizzare delle patate farinose). **Sbucciate** e **schiacciate** le patate con lo schiacciapatate. **Mettete** le patate schiacciate su un piano di lavoro ben infarinato.
Aggiungete un pizzico di sale, la farina e poi **impastate** il tutto fino ad ottenere un composto compatto ma allo stesso tempo soffice.
Quindi **dividete** l'impasto in tanti filoni dello spessore di 2-3 centimetri e **iniziate** a tagliare i vostri gnocchi.
Per finire, **praticate** le caratteristiche rigature degli gnocchi facendo scivolare ogni gnocco sulla forchetta e schiacciando un po', ma non troppo. Poi **cuocete** gli gnocchi in una pentola abbastanza grande con l'acqua salata e **scolate** quando gli gnocchi salgono a galla.
Preparate il condimento che più vi piace e **condite** gli gnocchi. Buon appetito!

1 **Lessate** le patate	Si lessano le patate
2 **Sbucciate** e **schiacciate** le patate	
3 **Mettete** le patate schiacciate su un piano	
4 **Aggiungete** un pizzico di sale	
5 **Impastate** il tutto	
6 **Dividete** l'impasto in tanti filoni	
7 **Iniziate** a tagliare gli gnocchi	
8 **Praticate** le caratteristiche rigature degli gnocchi	
9 **Cuocete** gli gnocchi in una pentola	
10 **Scolate** quando gli gnocchi salgono a galla	
11 **Preparate** il condimento che più vi piace	
12 **Condite** gli gnocchi	

5 **Ripeti ora l'esercizio precedente utilizzando il passato, come se l'introduzione al discorso fosse "Ieri a una festa a casa di amici si sono fatti gli gnocchi..."**

1 **Lessate** le patate	Si sono lessate le patate
2 **Sbucciate** e **schiacciate** le patate	
3 **Mettete** le patate schiacciate su un piano	
4 **Aggiungete** un pizzico di sale	
5 **Impastate** il tutto	
6 **Dividete** l'impasto in tanti filoni	
7 **Iniziate** a tagliare gli gnocchi	
8 **Praticate** le caratteristiche rigature degli gnocchi	
9 **Cuocete** gli gnocchi in una pentola	
10 **Scolate** quando gli gnocchi salgono a galla	
11 **Preparate** il condimento che più vi piace	
12 **Condite** gli gnocchi	

6 **Trasforma le frasi utilizzando il passato passivo, come nell'esempio. In due casi però il cambiamento NON è possibile.**

1 **Lessate** le patate	Le patate sono state lessate.
2 **Sbucciate** e **schiacciate** le patate	
3 **Mettete** le patate schiacciate su un piano	
4 **Aggiungete** un pizzico di sale	
5 **Impastate** il tutto	
6 **Dividete** l'impasto in tanti filoni	
7 **Iniziate** a tagliare gli gnocchi	
8 **Praticate** le caratteristiche rigature degli gnocchi	
9 **Cuocete** gli gnocchi in una pentola	
10 **Scolate** quando gli gnocchi salgono a galla	
11 **Preparate** il condimento che più vi piace	
12 **Condite** gli gnocchi	

7 **Prova a trasformare in forme spersonalizzate le espressioni che Beppe Severgnini ha scritto per spiegare "Perché nonostante tutto siamo felici di essere italiani", come nell'esempio.**

1 Perché **siamo intelligenti**, quando non **diventiamo astuti**.	Perché si è intelligenti, quando non si diventa astuti.
2 Perché **siamo immediati**, quando non **diventiamo impulsivi**.	
3 Perché **siamo imprevedibili**, se non **diventiamo inaffidabili**.	
4 Perché **siamo geniali** (nessuno è altrettanto bravo a trasformare una crisi in una festa).	
5 Perché **siamo gentili e capaci** di bei gesti (e poi **abbiamo difficoltà** a trasformarli in buoni comportamenti).	
6 Perché **abbiamo gusto**. **Sappiamo** istintivamente cos'è bello.	
7 Perché, talvolta, **anteponiamo** l'estetica all'etica.	
8 Perché **siamo** interessanti: con noi non ci si annoia.	
9 Perché nelle feste **balliamo** anche senza essere sbronzi.	
10 Perché negli alberghi **capiscono** subito chi sei, e spesso se lo ricordano.	
11 Perché **gli italiani hanno saputo** dipingere, scolpire, raccontare, cantare, recitare, arredare e vestire la vita.	
12 Perché **abbiamo scoperto l'America** per caso.	
13 Perché in America vanno dallo psicanalista mentre in Italia **ci sediamo a cena con i figli**.	
14 Perché **scriviamo leggi** così complicate che talvolta **ci dimentichiamo** di rispettarle.	
15 Perché **siamo troppo indulgenti** con imbroglioni e farabutti, ma li **riconosciamo** subito.	

Esercizi

8 **Se proviamo a immaginare come nell'anno 2400 gli italiani parleranno dei loro antenati, le frasi impersonali dell'esercizio 7 si possono trasformare utilizzando dei tempi passati. Segui l'esempio.**

Perché si è intelligenti, quando non si diventa astuti → *Perché si è stati intelligenti, quando non si è diventati astuti.*

9 **Utilizza un pronome diretto al posto del sostantivo, come nell'esempio.**

Es. Si mangia **la pasta**.	*La si mangia.*
1 Quando si beve **il vino** buono non viene mai mal di testa.	
2 Con la crisi economica non si spende **il denaro** per comprare stupidaggini!	
3 In Italia si preferisce **il calcio** a tutti gli altri sport.	
4 Quando si vizia **un figlio**, poi tutto diventa difficile con lui.	
5 Tutti amano la mamma, ma qualcuno dice che in Italia **la mamma** si ama un po' troppo.	
6 Quando si fa **colazione** al bar la giornata comincia più allegramente.	
7 Se una persona cambia la tua vita, **quella persona** non si dimentica più.	

e inoltre...

10 **In italiano il triplo pronome è abbastanza raro. Prova a costruire le frasi coniugando il verbo alla forma impersonale e sostituendo il complemento oggetto con un pronome, come nell'esempio.**

Es. Farcela da soli. *Ce la si fa da soli.*

1 Dimenticarsi le cose importanti. ____________
2 Non farcela senza aiuto. ____________
3 Mettercela tutta senza grandi risultati. ____________
4 Da te ci si aspetta questo. ____________
5 Avercela con il mondo. ____________

18. FAR FARE

18.1 CARATTERISTICHE DELLA COSTRUZIONE *FAR FARE*

Se io non compio direttamente un'azione, ma faccio in modo che sia compiuta da altri, uso la costruzione **far fare**, cioè **fare** + **infinito**.	Io ***faccio studiare*** i miei studenti. Lui ***fa sentire*** una canzone agli amici.
Il valore più frequente di questa costruzione è di tipo **finale-consecutivo**: significa *fare qualcosa affinché...*, *fare qualcosa cosicché...*, *provocare*, *fare in modo che...*, ecc. Per questo il soggetto grammaticale della frase spesso non è una persona, ma un altro elemento del discorso.	Le tue parole mi ***fanno pensare***. Adoro la mozzarella: mi ***fa impazzire***! Questa canzone mi ***fa ricordare*** i miei 18 anni. Per farlo diventare allegro l'***ho fatto bere*** un po'.
Solo qualche volta ha valore di "ordine", un valore **causativo** (*cioè "obbligare" qualcuno a fare qualche cosa*).	Il padrone ***fa lavorare*** lo schiavo. Il generale ***fa marciare*** i soldati.

Molte espressioni con **far fare** hanno preso un valore fraseologico, quasi di modo di dire o di frase fatta. Qui sotto alcuni esempi.

Chi me l'***ha fatto fare***?
Ma non ***farmi ridere***!
Così mi ***fai perder***e tempo!
Non ***farmi arrabbiare***!
Mi ***fai fare*** tardi se sei così lento!
Mi ***fai accendere***, per piacere?
Questo film ***fa dormire***.
Mi ***fai conoscere*** quella tua amica?
Non mi vorrai ***far credere*** che sei fidanzato, eh?
Mi ***fai entrare***?
Questa storia mi ***fa morire dal ridere***.
Che avaro! ***Fa*** sempre ***pagare*** me!
Non mi ***far parlare***, che è meglio!
Quella donna gli ha ***fatto perdere*** la testa!
Mio padre non mi ***fa usare*** la sua macchina.

18.2 LA COSTRUZIONE *FAR FARE* E I PRONOMI DIRETTI, INDIRETTI E COMBINATI

Piove (verbo zero-valente, non ci sono persone o altri elementi)	**io faccio piovere** *(faccio la danza della pioggia)*	
Lui dorme (verbo monovalente, c'è una sola persona, il soggetto "lui")	**io faccio dormire qualcuno**	**Io lo faccio dormire**
Lui guarda la tv (verbo bivalente, ci sono due elementi, il soggetto "lui" e l'oggetto "la tv")	**io faccio guardare** la tv **a / da qualcuno**	**io gliela faccio guardare**
Lui dà una penna a qualcuno (verbo trivalente: ci sono tre elementi, il soggetto "lui", l'oggetto "la penna", il destinatario "a qualcuno")	**io faccio dare** una penna a qualcuno **da qualcuno**	**io** gliela **faccio dare da qualcuno**

18.3 DIFFERENZA FRA *FAR FARE* E *LASCIAR FARE*

Lasciar fare è il "grado debole" di *far fare*. Chi *lascia fare* permette che qualche cosa avvenga, senza interessarsene troppo.	I miei genitori ***mi hanno fatto fare*** quello che volevo (mi hanno voluto educare così). I miei genitori ***mi hanno lasciato fare*** quello che volevo (lavoravano sempre e non avevano tempo per me).
Anche con **lasciar fare** molte espressioni hanno quasi preso un valore fraseologico.	Ma ***lascia stare***! ***Lascia perdere*** che è meglio! Non ***lascio correre***... non ti perdono! Sei troppo rigido! ***Lasciati andare***!

e inoltre...

18.4 LA COSTRUZIONE *FAR FARE*, I VERBI RIFLESSIVI E I VERBI PRONOMINALI

Nella costruzione **fare** + **infinito** i pronomi atoni si collegano sempre al verbo *fare* e mai all'infinito. Se il verbo all'infinito è riflessivo, perde il pronome riflessivo. In nessun caso l'infinito può formare un'unica parola con un pronome.	Io faccio ***vestire*** il bambino. Tu fai ***arrabbiare*** tua moglie. Il dolore ***lo*** fa ***lamentare*** tutta la notte. ***Lo*** farò ***pentire*** di quello che ha fatto!
Allo stesso modo **non si possono usare verbi pronominali con la forma far fare**. (Non esiste **faccio cavarsela* o **faccio andarsene*). Per usare questi verbi devo necessariamente cambiare la struttura della frase e usare, per esempio, *fare in modo che* + congiuntivo oppure *costringere a* + infinito).	Ho fatto in modo che lui se la cavasse. Mi ha costretto a andarmene. Lo ha fatto tornare. (MAI *tornarsene)

18.5 LA COSTRUZIONE *FAR FARE* NELLE FRASI FINALI

Le frasi finali in italiano hanno due possibilità di costruzione:

→ **per** + **infinito** (se il soggetto è lo stesso della frase principale);	Lavora ***per comprare*** una macchina. Ha comprato molti libri ***per leggerli.***
→ **affinché / perché** + **congiuntivo** (se il **soggetto è diverso**).	Lavora ***affinché*** la moglie ***si compri*** la macchina.
La costruzione **far fare** permette di evitare l'uso di *affinché / perché* + **congiuntivo**: mantiene infatti lo stesso soggetto e consente di usare **per** + **infinito**.	Lavora ***per far comprare*** la macchina alla moglie. Ha comprato molti libri ***per farli leggere*** al figlio.

1 **Ricostruisci le due battute dei dialoghi, come nell'esempio.**

1 *Stasera tutti in discoteca?*
2 Aspetti la tredicesima per comprare quel vestito?
3 Vieni, ti offro qualcosa al bar.
4 Scusami ma ho il frigo vuoto, non posso cucinarti niente.
5 L'hai conosciuta la nuova fidanzata di Giuseppe? Come ti sembra?
6 Sai che Marco si è trasferito a Milano?
7 Mi fai accendere?
8 Devo andare dall'altra parte di Roma: mi daresti un passaggio?

A No ti prego, non farmi prendere la macchina!
B Lascia stare andrò al ristorante.
C Ma chi gliel'ha fatto fare? Non poteva rimanere in Sicilia?
D Mi dispiace, ma non fumo!
E *Non farmi fare le ore piccole pure stanotte!*
F Lascia perdere, tanto se ne andrà tutta per pagare le tasse!
G Non farmi bere un altro caffè che già ne ho bevuti quattro… e poi stanotte chi dorme?
H Non mi far dire quello che penso che poi me ne pento!

1.E • 2.__ • 3.__ • 4.__ • 5.__ • 6.__ • 7.__ • 8.__

2 **Inserisci l'espressione giusta nelle frasi, coniugando i verbi.**

A far cadere le braccia
B far venire il latte alle ginocchia
C far venire i nervi
D far prendere un colpo
E far venire l'acquolina in bocca
F far venire la pelle d'oca
G far ridere i polli
H far vedere i sorci verdi
I far perdere la testa

1 Oddio che paura! Così (tu) mi ____________.
2 Quando mi ha detto che non aveva capito niente, mi ____________.
3 Che profumino arriva dalla cucina! Mi ____________.
4 Quando mi ha raccontato il suo terribile incidente mi ____________.
5 Mamma mia quanto è noioso Fabio! Quando parla mi ____________.
6 Ho detto di no! E se continui a insistere mi ____________!
7 Da quando è innamorato non è più lui: quella donna gli ____________!
8 Quell'esame di fisica era terribile e mi ____________! Per fortuna alla fine l'ho superato!
9 Credi di essere spiritoso ? Guarda che le tue battutine ____________!

3 Unisci le immagini alle descrizioni e inserisci i pronomi dove necessario.

1 Lucrezia

2 Miuccia Prada

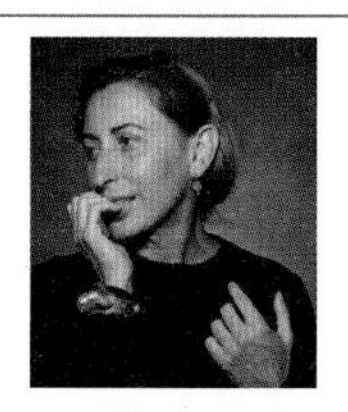

3 Artemisia Gentileschi

4 Valentina

5 Anna Magnani

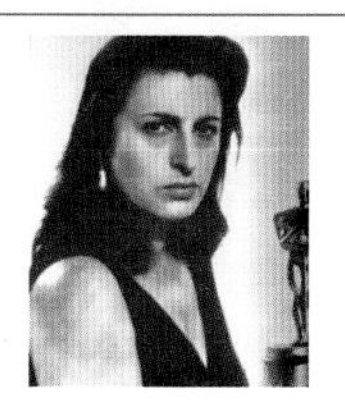

A Stilista e imprenditrice. Nel 1985 una linea di borse nero lucido realizzate con il nylon dei paracadute ___ fa avere così tanto successo da far___ diventare una delle cento persone d'affari più importanti del mondo.

B Figlia di un Papa, tre mariti, parecchi amanti, otto figli legittimi e uno illegittimo, perfetta castellana rinascimentale. Il padre ___ fa sposare con Giovanni Sforza a soli 13 anni.

C L'energica e fragile "Nannarella", straordinaria interprete del cinema neorealista del dopoguerra che (a noi) ___ ha fatto vedere la vita attraverso la dimensione umana di personaggi comuni.

D È stata una delle poche donne ad entrare nella storia dell'arte. Il padre ___ fa conoscere la pittura di Caravaggio e ___ incoraggia a diventare un'artista. La sua vita, segnata da uno stupro, e il suo mestiere "da uomo" ___ hanno fatta diventare un'eroina del femminismo.

E Guido Crepax ___ ha fatta diventare "la frangetta più famosa d'Italia". È forse l'unico personaggio della storia del fumetto italiano di cui si conosce tutto, compresa la sua carta d'identità: è nata il giorno di Natale del 1942 e cresce e invecchia come una persona reale. È una fotografa bellissima, spesso nuda.

1. B ▪ 2. ___ ▪ 3. ___ ▪ 4. ___ ▪ 5. ___

4 Scegli le frasi in cui il verbo **FARE** potrebbe essere sostituito da **LASCIARE**. La soluzione darà il cognome della prima donna (Lucrezia) dell'esercizio 3.

1	Hai fatto aggiustare la lavatrice?	F
2	Fammi parlare! È un'ora che ti ascolto!	B
3	Mi fai studiare in santa pace?	O
4	Mi fanno sempre perdere la pazienza!	T
5	Questa musica mi fa diventare triste.	S
6	Fatemi entrare, per cortesia!	R
7	I miei genitori mi fanno fare tutto quello che voglio.	G
8	Con il tuo comportamento maleducato mi hai fatto fare una figuraccia!	A
9	L'ultimo film che ho visto al cinema mi ha fatto proprio ridere.	H
10	Ti faccio vedere io che significa lavorare!	S
11	Fatemi dormire, sono stanca.	I
12	La maestra non mi fa uscire dalla classe.	A

5 Collega le frasi con il personaggio che le ha pronunciate.

1 Vieni che ti faccio vedere come si fanno le tagliatelle fatte in casa.
2 Ti farò conoscere presto la mia cara mammina.
3 Faccio ridere la gente, ma in fondo in fondo sono triste.
4 Fammi fare una telefonata e sono subito da te.
5 Le farei ascoltare volentieri questo brano di Chopin.
6 Non mi far dire di più che già ti ho raccontato troppo.
7 Ci farai perdere la pazienza prima o poi!
8 Faccio fare esercizi di meditazione e rilassamento.

A lo scapolo
B il pianista
C una persona molto impegnata
D l'insegnante di Yoga
E il pagliaccio
F la nonna
G la pettegola
H i soliti genitori

1.__ ▪ 2.__ ▪ 3.__ ▪ 4.__ ▪ 5.__ ▪ 6.__ ▪ 7.__ ▪ 8.__

6 Leggi la lettera di una moglie al marito. Poi svolgi il compito.

Caro maritino mio, metti in ordine tutta la casa che oggi proprio non posso: lo sai che ho un appuntamento con la mia massaggiatrice. Fa' il bucato (lava i vestiti, stirali, piegali e riponili), fai la spesa e cucina... sai nel pomeriggio vedo la mia amica Giulia e andiamo insieme a fare un po' di shopping.
Ah dimenticavo! Lava i piatti, paga le bollette *online* e stampa le ricevute del pagamento e mi raccomando, tienile in ordine; poi cura un po' il giardino e porta Emanuela e Federica al corso di inglese.
Amoruccio bello, so che sei molto impegnato ma ti ricordi che devi portare Federica dal pediatra alle 18?
Io proprio non posso accompagnarla perché ho lezione di tango.
A proposito, tieni pulito Ulisse, dagli da mangiare, portalo fuori almeno tre volte per i bisogni. Tesoro mio, ti amo tanto! A stasera! (ma tardi, perché prima vado a un concerto con Luigi, Antonio e Francesco).

Hai fatto mangiare il bambino **CERCA**

nella rubrica **GRAMMATICA CAFFÈ**

6a Il marito si lamenta un po' e scrive una lista delle cose che gli fa fare la moglie. Segui l'esempio.

	Mia moglie...	
Es. mettere in ordine casa	A mi fa mettere in ordine tutta casa	B me la fa mettere in ordine
1 fare il bucato	A ______	B ______
2 lavare i vestiti	A ______	B ______
3 lavare i piatti	A ______	B ______
4 pagare le bollette	A ______	B ______
5 curare il giardino	A ______	B ______
6 portare le bambine al corso	A ______	B ______
7 portare Federica dal pediatra	A ______	B ______
8 tenere pulito il cane	A ______	B ______
9 portare fuori il cane	A ______	B ______
10 cenare da solo	A ______	
11 morire di gelosia	A ______	

7 Scegli le forme corrette.

1 Voglio che mi diano una mano.
- **A** Voglio farmi dare una mano.
- **B** Voglio fare darmi una mano.
- **C** Mi voglio fare dare una mano.

2 Lui vuole che gli altri lo osservino.
- **A** Lui vuole fare osservarlo.
- **B** Lui vuole farlo osservare.
- **C** Lui vuole farsi osservare.

3 Noi vogliamo che gli altri leggano questo libro.
- **A** Noi vogliamo farci leggere.
- **B** Noi vogliamo farlo leggere.
- **C** Noi vogliamo fare leggerlo.

4 Io voglio che gli altri mi dicano la verità.
- **A** Io mi voglio fare dire la verità.
- **B** Io voglio fare dirmi la verità.
- **C** Io voglio mi fare dire la verità.

5 Vuoi che gli altri ti aiutino.
- **A** Tu vuoi fare aiutarti.
- **B** Tu vuoi farti aiutare.
- **C** Ti vuoi fare aiutarti.

6 Noi vogliamo che gli altri ci ascoltino.
- **A** Noi ci vogliamo fare ascoltare.
- **B** Noi vogliamo fare ascoltarci.
- **C** Noi vogliamo farli ascoltare.

7 Vogliono che i miei amici li invitino alla festa.
- **A** Li vogliono fare invitare.
- **B** Vogliono farli invitare.
- **C** Vogliono farsi invitare.

8 Tu vuoi che gli altri facciano quel lavoro.
- **A** Tu vuoi far farlo.
- **B** Tu lo vuoi far fare.
- **C** Tu vuoi farsi fare.

8 Modifica le frasi finali introdotte da AFFINCHÉ o da PERCHÉ con la costruzione FAR FARE, come nell'esempio.

Es: Ti ho scritto una mail *affinché* tu sapessi subito questa notizia.
Ti ho scritto una mail per farti sapere subito questa notizia.

1 Parlo lentamente *affinché* gli studenti capiscano bene le mie parole.
____

2 Lui sta facendo di tutto *perché* io cambi idea.
____

3 Le manderò un sms *perché* lei non si dimentichi il nostro appuntamento.
____

4 Gli ho scritto più volte *affinché* mi venga a trovare.
____

5 Mi ha portato il suo libro *affinché* io lo leggessi.
____

6 Mi ha supplicato *affinché* io dicessi tutto quello che so.
____

7 *Affinché* si addormentasse gli ho cantato una ninna nanna.
____

8 I genitori hanno fatto di tutto *perché* lui non si sposasse con quella donna.
____

9 Mi hai portato questo regalo solo *perché* io ti perdoni, vero?
____

10 Lo porterò al cinema *perché* si diverta un po'.
____

lettura 7. COSE DI COSA NOSTRA

"Signor Coppola, cos'è la mafia?" aveva chiesto una volta un giudice al boss mafioso Frank Coppola mentre era in carcere.
"Signor giudice - gli aveva risposto il boss - tre magistrati vogliono diventare Procuratori della Repubblica. Uno è intelligentissimo, uno ha appoggi politici, il terzo è un cretino. Proprio lui otterrà il posto. Questa è la mafia".
Un altro giudice, forse un po' inesperto, aveva chiesto a un mafioso in prigione: "Allora, adesso devi raccontarmi di Cosa Nostra!". E si era sentito rispondere: "Cosa Nostra? Cosa Nostra vuol dire cosa mia, cosa sua, cosa dell'avvocato. Bene, la cosa mia ve la regalo."
Questi episodi ci sono stati raccontati dal Giudice Falcone in un libro scritto da lui e dalla giornalista francese Marcelle Padovani nel 1991, un anno prima di essere assassinato dalla mafia. Il libro è intitolato *Cose di Cosa Nostra*.
Falcone era un grande esperto di mafia e di mafiosi e soprattutto ne capiva la mentalità: nel suo libro si trovano perciò dei particolari molto interessanti che fanno riflettere anche sul linguaggio della mafia e sul "comportamento" mafioso.
Per esempio: durante una conversazione in carcere Falcone era stato chiamato da un mafioso: "Signor Falcone...". Immediatamente lui gli aveva risposto: "No, un momento, Lei è il Signor *taldeitali*, io sono il Giudice Falcone!".
Perché questa reazione? Perché Falcone sapeva benissimo che l'appellativo "signore", quando viene usato da un mafioso, non corrisponde al *Monsieur* francese, al *Sir* britannico o al *Mister* americano. Significa invece che quella persona non ha diritto a nessun appellativo, che quella persona non è nessuno. Infatti se un uomo ha un ruolo importante nell'organizzazione è chiamato *Zio* o *Don*; se invece non fa parte di Cosa Nostra, ma è comunque degno di rispetto, si chiama *Dottore*, *Ingegnere* e così via. Quando il mafioso aveva detto *Signor Falcone* voleva essere offensivo, ma Falcone lo aveva subito capito.
Naturalmente la mafia è soprattutto un problema di criminalità organizzata e non solo di mentalità. Ma, grazie alle indagini di Falcone e del suo amico Paolo Borsellino, grazie al loro coraggio e alla loro profonda conoscenza del fenomeno, grazie alle leggi anti-mafia che sono state volute da loro, moltissimi boss sono stati arrestati. Purtroppo i due Giudici sono stati uccisi proprio quando le loro indagini si avvicinavano al livello più alto: ai rapporti tra mafia e politica.

Esercizi

1 Trova e correggi un errore in ogni frase.

1. Una volta un mafioso si era rivolto a Falcone chiamandolo "Signore Falcone".
2. Uno è intelligente, uno ha appoggi politici, l'altro è cretino. Proprio lui ottenerà il posto.
3. In un'altra prigione, un'altro giudice faceva domande a un mafioso.
4. Cosa Nostra vuol dire cosa mia, sua, dell'avvocato. Bene, la cosa mia vi la regalo.
5. Il mafioso ha detto "Signor Falcone" e lui subito lo ha risposto.
6. Per i mafiosi dire "signore" è come dire che non hai diritto a nessuno appellativo.
7. Grazie delle indagini di Falcone, moltissimi boss sono finiti in prigione.
8. *Cose di Cosa Nostra* è un libro scritto per Falcone nel 1991.
9. Molti mafiosi sono venuti arrestati da Falcone.
10. Falcone è morto nel 1992 e aveva scritto il libro un anno fa.

2 Scegli la forma corretta.

1. Il giudice parla con un boss mafioso mentre ***era / è stato / era stato*** in carcere.
2. Nel suo libro ***si trova / si trove / si trovano*** dei particolari interessanti sulla mafia.
3. Falcone ***sapeva / ha saputo / aveva saputo*** benissimo che "signore" è offensivo.
4. Il mafioso ha detto "signore" perché ***vorrebbe / è voluto / voleva*** essere offensivo.
5. Un giudice ***è chiesto / ha chiesto / chiedeva*** a un mafioso "Cos'è la mafia".
6. Questo episodio ***è / ha / sta*** raccontato dal Giudice Falcone.
7. Molte leggi antimafia ***fossero / sono / sono state*** volute da Falcone.
8. Falcone ***era / è stato / era stato*** siciliano.
9. Un giudice ha domandato al boss che cosa ***era / è stata / sarà*** la mafia.
10. Falcone ***nasceva / è nato / veniva nato*** nel 1939.

3 Trasforma le frasi da passive in attive, come nell'esempio.

Es. Questo libro è stato letto da molti italiani.
Molti italiani hanno letto questo libro.

1. Questi episodi ci sono stati raccontati dal Giudice Falcone.
____
2. *Cose di Cosa Nostra* è stato scritto da Falcone nel 1991.
____
3. Falcone era stato chiamato da un mafioso: "Signor Falcone...".
____
4. L'appellativo "signore" viene usato da un mafioso in senso negativo.
____
5. Un uomo con un ruolo importante nella mafia è chiamato dai mafiosi *Zio* o *Don*.
____
6. Le leggi anti-mafia più moderne sono state volute da Falcone.
____

4 Trasforma le frasi da attive in passive, come nell'esempio.

Es. Molti italiani hanno letto questo libro.
Questo libro è stato letto da molti italiani.

1 Il magistrato cretino ottiene il posto da Procuratore.
____

2 Falcone nel suo libro racconta molti fatti interessanti.
____

3 Falcone capiva benissimo la mentalità mafiosa.
____

4 Falcone ha messo in prigione molti super-boss mafiosi.
____

5 La mafia ha assassinato il Giudice Falcone nel 1992.
____

5 Completa le frasi con le preposizioni.

1 Un giudice ha chiesto _____ Frank Coppola "Cos'è la mafia?"
2 Il boss Frank Coppola era _____ carcere.
3 Questi episodi ci sono stati raccontati ____ Giudice Falcone.
4 Falcone ha scritto questo libro _____ 1991.
5 Falcone era un grande esperto _____ mentalità mafiosa.
6 Un giorno Falcone era stato chiamato _____ un mafioso: "Signor Falcone..."
7 L'appellativo "signore", quando viene usato _____ un mafioso, è offensivo.
8 Se un uomo ha un ruolo importante ______ organizzazione è chiamato *Zio* o *Don*.

6 Completa le risposte con i pronomi diretti, indiretti, combinati, con CI o con NE.

1 Falcone ci racconta pochi episodi della mafia?
No, Falcone ______ racconta molti.

2 Falcone conosceva il linguaggio della mafia?
Sì, ______ conosceva bene.

3 Falcone ha scritto molti libri?
No, ______ ha scritto uno solo.

4 Falcone era un esperto di mentalità mafiosa?
Sì, certamente ______ era.

5 Quanti mafiosi ha messo in prigione Falcone?
______ ha messi un gran numero.

6 Falcone capiva la mentalità mafiosa?
Sì, ______ capiva benissimo.

7 Falcone immaginava la fine della mafia?
Sì, lui ______ immaginava la fine.

8 I mafiosi parlavano facilmente della mafia ai giudici?
No, non ______ parlavano quasi mai.

9 Falcone conosceva tutti i boss mafiosi?
No, ma ______ conosceva molti.

10 Totò Riina era una famosa personalità mafiosa?
Sì, ______ era.

7 Completa le frasi con i pronomi diretti, indiretti, combinati, con CI o con NE.

1 Un giudice chiede a un mafioso in prigione: "Devi raccontar______ di Cosa Nostra!"
2 *Cose di Cosa Nostra* è un libro sulla mafia: ______ ha scritto il Giudice Giovanni Falcone.
3 Giovanni Falcone ha arrestato molti mafiosi, anzi ______ ha arrestati moltissimi.
4 Falcone conosceva bene la mentalità mafiosa, ______ conosceva benissimo.
5 Un giorno un giudice, parlando con un mafioso, ______ aveva chiesto: "Cos'è la mafia?"
6 Tre magistrati vogliono il posto di Procuratore della Repubblica e uno solo ______ otterrà.
7 Falcone conosceva il mafioso Buscetta: ______ conosceva benissimo.
8 Falcone conosceva il mafioso Buscetta e ______ ha parlato spesso.
9 Buscetta non parlava con Falcone di politica: non ______ parlava mai.
10 Buscetta era amico di molti boss: ______ conosceva tutti.
11 Falcone ha fatto domande a Buscetta: ______ ha fatte molte.
12 Falcone voleva sapere molte cose da Buscetta e ______ ha chieste tutte.
13 Il mafioso è andato in carcere e ______ è rimasto per tutta la vita.
14 Oggi non sappiamo tutto della mafia ma ______ sappiamo molto più di ieri.

8 Costruisci le frasi secondo il modello.

1	vedere	uomo	*Non abbiamo visto nessun uomo.*
2	parlare con	amico	______
3	ottenere	risposta	______
4	incontrare	straniero	______
5	avere	appoggio politico	______
6	scrivere	libro	______
7	trovare	informazione	______
8	avere	reazione	______
9	avere	problema	______
10	dire	parola offensiva	______
11	avere diritto a	appellativo	______

9 Completa le frasi con i verbi al congiuntivo.

1 Prima che la mafia lo (*assassinare*) ________________, Falcone ha scritto un libro.
2 Nel libro fa in modo che i lettori (*capire*) ________________ un po' della "mentalità mafiosa".
3 Naturalmente non vuole negare che la mafia (*essere*) ________________ soprattutto un problema di criminalità organizzata.
4 Falcone pensa che si (*dovere*) ________________ conoscere anche alcuni "meccanismi psicologici" mafiosi.
5 Noi per esempio non sapevamo che l'appellativo "signore", detto da un mafioso, non (*corrispondere*) ________________ al *Mister* inglese o al *Monsieur* francese.
6 Falcone non ha mai avuto dubbi sul fatto che la mafia (*potere*) ________________ essere sconfitta.
7 Che Falcone e Borsellino (*rischiare*) ________________ la vita con il loro lavoro lo sapevamo tutti e lo sapevano benissimo anche loro.
8 Malgrado (*essere*) ________________ molto prudente, Falcone non ha potuto prevedere l'attentato in cui ha perso la vita.
9 Forse non è un caso che Falcone e Borsellino (*uccidere* - passivo) ________________ proprio quando le loro indagini si sono avvicinate al livello più alto: ai rapporti mafia-politica.

19. I TEMPI VERBALI NEL DISCORSO INDIRETTO

19.1 IL DISCORSO INDIRETTO AL PASSATO

Se il discorso indiretto è introdotto da un verbo passato, che si riferisce quindi a qualcosa di detto non poche ore fa, ma "veramente" nel passato, alcuni cambiamenti verbali sono frequenti (ma non sempre automatici).

presente indicativo	→ **imperfetto indicativo**	"*__Lavoro__* troppo" → Ha detto che *__lavorava__* troppo.
imperfetto indicativo	→ **imperfetto indicativo**	"*__Faceva__* caldo" → Ha detto che *__faceva__* caldo.
passato prossimo	→ **trapassato prossimo**	"*__Ho mangiato__*" → Ha detto che *__aveva mangiato__*.
futuro	→ **condizionale composto** (colloquialmente **imperfetto indicativo**)	"*__Partirò__*" → Ha detto che *__sarebbe partito__* (*__partiva__*).
condizionale semplice	→ **condizionale composto**	"*__Partirei__*" → Ha detto che *__sarebbe partito__*.
presente congiuntivo	→ **imperfetto congiuntivo**	"Penso che *__piova__*" → Ha detto che pensava che *__piovesse__*.
imperfetto congiuntivo	→ **imperfetto congiuntivo**	"Pensavo che *__piovesse__*" → Ha detto che pensava che *__piovesse__*.
imperativo	→ di + **infinito**	"*__Scrivi!__*" → Ha detto *__di scrivere__*.

19.2 IL PERIODO IPOTETICO NEL DISCORSO INDIRETTO

Nel discorso indiretto le frasi ipotetiche **diventano tutte del terzo tipo,** ovvero tutte dell'irrealtà, con il congiuntivo trapassato e il condizionale composto.	*"Se corri non arrivi tardi."* *"Se corressi non arriveresti tardi."* *"Se avessi corso non saresti arrivato tardi."* → Ha detto che *__se avesse corso non sarebbe arrivato tardi__*.
L'uso del periodo ipotetico con l'**imperfetto** indicativo è colloquiale e informale.	Ha detto che se *__correva__* non arrivava *__tardi__*.

19.3 I TEMPI VERBALI NELL'INTERROGATIVA INDIRETTA

Nel discorso indiretto con una frase interrogativa (interrogativa indiretta) si può passare dall'indicativo al congiuntivo. Mantenere l'indicativo è comunque estremamente frequente, specialmente nel parlato.

presente indicativo	→ **imperfetto congiuntivo**	"***Parli*** inglese?" → Ha chiesto se lui ***parlasse*** (***parlava***) inglese.
imperfetto indicativo	→ **imperfetto congiuntivo**	"***Studiavi*** molto?" → Ha chiesto se lui ***studiasse*** (***studiava***) molto.
passato prossimo	→ **trapassato congiuntivo**	"***Hai finito***?" → Ha chiesto se lui ***avesse*** (***aveva***) finito.
futuro	→ **condizionale composto**	"***Andrai*** all'estero?" → Ha chiesto se lui ***sarebbe andato*** all'estero.

19.4 IL *CHI*, IL *DOVE* E IL *QUANDO* NEL DISCORSO INDIRETTO

Nel discorso indiretto si cambiano i termini che hanno una relazione diretta con **chi ha pronunciato** il discorso diretto. Ecco cosa cambia.

I pronomi soggetto, tonici, atoni, possessivi, ecc.	"***Mi*** piace la birra" → Ha detto che ***gli*** piaceva la birra.
Le determinazioni spaziali (vedi vol. **1** cap. **19**). **Es.** *questo, quello, qui, lì, andare, venire,* ecc.	"***Questo*** quadro è famoso" → Ha detto che ***quel*** quadro era famoso.
Le determinazioni temporali (vedi vol. **1** cap. **19**). **Es.** *adesso, ieri, oggi, domani, ora, scorso, prossimo, fa, fra,* ecc.	"L'estate ***scorsa*** sono andato al mare" → Ha detto che l'estate ***prima*** era andato al mare.

19.5 IL DISCORSO INDIRETTO ALL'INFINITO

Se il soggetto del verbo dichiarativo e il soggetto del discorso indiretto sono uguali è possibile usare **di + infinito**. Non è possibile però se questo può provocare confusione e fare immaginare un discorso diretto all'imperativo.	"Mi sento bene" → Ha detto ***di*** sentirsi bene. "Sto tranquillo" → *Ha detto di stare tranquillo. (Rischio confusione con discorso diretto "Sta' tranquillo!" Meglio quindi: → Ha detto ***che stava tranquillo***.
Nel discorso indiretto si usa la preposizione **di** anche per introdurre **sì** e **no**.	■ Vuoi un caffè? ● Sì, lo bevo volentieri → Ha chiesto se volesse un caffè. Ha risposto ***di sì***, che lo beveva volentieri.

19.6 IL FUTURO NEL DISCORSO INDIRETTO

Come detto in **19.1**, il futuro, nel discorso indiretto introdotto da un verbo al passato, diventa di solito condizionale composto. Il **futuro di dubbio**, però, deve essere risolto con formule diverse.	"Cambierò casa" (futuro) → Ha detto che ***avrebbe cambiato*** casa. "Sarà bello ma non mi piace" (futuro di dubbio) → Ha detto che ***forse era bello*** ma non gli piaceva.
Le frasi costruite con futuro e futuro anteriore si trasformano spesso in **temporali - ipotetiche** e il futuro anteriore nel discorso indiretto può perciò diventare **congiuntivo trapassato**.	"Andrà al cinema quando i miei genitori ***saranno tornati*** a casa" → Ha detto che sarebbe andato al cinema quando i suoi genitori ***fossero tornati*** a casa.

19.7 GLI "ELEMENTI PERSONALI" E LA CORNICE DEL DISCORSO INDIRETTO

Non si possono trasferire nel discorso indiretto interiezioni, esclamazioni, segnali discorsivi tipici del parlato, elementi dialettali, formule di saluto, vocativi, frasi desiderative o nominali, ecc.
Questi elementi possono essere resi solo da una cornice descrittiva che può interessare diversi elementi.

L'intera frase. Alcune frasi, come le formule di saluto o le esclamazioni, nel discorso indiretto di solito vengono completamente rielaborate.	"Buongiorno Maria" → ***Ha salutato Maria***. "Blah, che schifo!!!" → ***Ha storto la bocca***.
Il verbo di introduzione. **Es.** *dire, esclamare, minacciare, affermare, bisbigliare, ordinare, salutare, imprecare, rimpiangere*, ecc.	"Magari avessi vent'anni!" → ***Ha esclamato*** che avrebbe voluto avere vent'anni. "Minchia!" → ***Ha imprecato*** in siciliano.
Una locuzione avverbiale o un gerundio. **Es.** *a bassa voce, a brutto muso, ridendo, arrabbiandosi*, ecc.	"Ma che cavolo dici?!" → Gli ha chiesto ***a brutto muso*** cosa stesse dicendo.
Una "descrizione" gestuale. **Es.** *alzando gli occhi al cielo, mettendosi le mani fra i capelli*, ecc.	"Ma non capisci proprio niente" → Gli ha detto che non capiva niente ***mettendosi le mani nei capelli***.
Il discorso indiretto può anche essere introdotto da alcune locuzioni. **Es.** *a sentir lui, a suo dire, stando a quello che dice*, ecc.	"È tutto facilissimo" → ***A sentir lui*** era tutto facile...

1 **Abbina le citazioni alle foto di chi le ha pronunciate. Poi svolgi il compito nella pagina successiva.**

1 _H_ **Valeria Golino**: "Vorrei essere una licantropa e nelle notti di luna piena trasformarmi in un mostro".

2 ___ **Artemisia Gentileschi**: "Ricordo la mia delusione quando papà mi ha fatto vedere la *Giuditta* di Caravaggio... aveva concentrato tutta l'emozione sull'uomo. Evidentemente non riusciva a immaginare che una donna fosse in grado di pensare. Io invece volevo dipingere i suoi pensieri, se una cosa del genere era possibile".

3 ___ **Andrea Camilleri**: "Io sono di una regolarità deprimente. D'estate mi sveglio alle sei, d'inverno alle sette. Mi lavo, mi sbarbo, mi vesto, attraverso il pianerottolo ed entro nel mio studio. Non so scrivere "sciamannato". Lavoro ininterrottamente fino alle undici. Scrivo quello che mi è venuto in mente la sera prima. Ho una memoria ferrea. Poi tre pomeriggi a settimana correggo".

4 ___ **Pier Paolo Pasolini**: "Amo ferocemente, disperatamente la vita. E credo che questa ferocia, questa disperazione mi porteranno alla fine. Amo il sole, l'erba, la gioventù. L'amore per la vita è divenuto per me un vizio più micidiale della cocaina. Io divoro la mia esistenza con un appetito insaziabile. Come finirà tutto ciò? Lo ignoro".

5 ___ **Don Vito Corleone**: "Gli farò un'offerta che non potrà rifiutare!".

6 ___ **Marcello Mastroianni**: "Adesso vorrei interpretare un vecchio Tarzan, l'ho detto, e mi prenderanno in giro, sì, perché io non sono mai stato un uomo giovane e robusto. Mi piacerebbe darla a bere: non si può pretendere che a questa età uno abbia i muscoli".

7 ___ **Paolina Bonaparte**: "Bambini? Preferisco cominciarne cento che finirne uno".

8 ___ **Tiziano Terzani**: "Trovo che ci sia una bella parola in italiano che è molto meglio della parola *felice* ed è *contento*, *accontentarsi*: uno che si accontenta è un uomo felice".

9 ___ **Giorgio Gaber**: "Sui libri di psicologia ho imparato a educare mio figlio. Se un bambino cresce libero è molto più contento! L'ho lasciato fare... mi è venuto l'esaurimento!".

10 ___ **Clint Eastwood**: "Quando un uomo con la pistola incontra un uomo con il fucile, l'uomo con la pistola è un uomo morto".

1a Trasforma le citazioni da discorso diretto a discorso indiretto, come nell'esempio.

1 Valeria Golino un giorno ha detto che avrebbe voluto essere una licantropa e nelle notti di luna piena (avrebbe voluto) trasformarsi in un mostro.

2 Paolina Bonaparte un giorno ha detto ____________________

3 Artemisia Gentileschi un giorno ha detto ____________________

4 Marcello Mastroianni un giorno ha detto ____________________

5 Pierpaolo Pasolini un giorno ha detto ____________________

6 Clint Eastwood un giorno ha detto ____________________

7 Tiziano Terzani un giorno ha detto ____________________

8 Andrea Camilleri un giorno ha detto ____________________

9 Giorgio Gaber un giorno ha detto ____________________

10 Don Vito Corleone un giorno ha detto ____________________

2 Su un quaderno, trasforma il discorso indiretto in discorso diretto.

1 Roberto ha detto che era stanco di quella situazione.
2 Angelica ha affermato che aveva letto quel libro una settimana prima.
3 Valeria ha aggiunto che le sarebbe piaciuto andare a casa loro per prendere un tè.
4 Giulia ha detto che dopo un mese sarebbe partita per New York.
5 La mamma ha detto di telefonarle subito.
6 Ha domandato se Marco fosse partito con Lucia.
7 Ha detto che credeva che avessero paura.
8 Ha risposto che aveva saputo il giorno prima che era il suo compleanno.
9 Ha affermato che se il giorno dopo avesse potuto, sarebbe sicuramente tornato in città.
10 Ha detto poco convinto che quel museo forse era interessante, ma non gli andava di visitarlo.
11 Ha imprecato contro il destino che faceva capitare tutte le disgrazie sempre a lui.
12 Ha tossito imbarazzato dicendo che avrebbe preferito non sentire certe cose.
13 Ha detto a Paolo di essere puntuale, dandogli del Lei e chiamandolo con il cognome, Rossi.

3 **Collega alle immagini le frasi che indicano i vari gesti o atteggiamenti.**

A ___ Allargare le braccia
B ___ Alzare gli occhi al cielo
C ___ Annuire
D ___ Arricciare il naso
E ___ Fare una smorfia
F ___ Guardare in cagnesco
G ___ Grattarsi il capo
H ___ Incrociare le dita
I ___ Indicare
L ___ Ridere a denti stretti
M ___ Saltellare dalla gioia
N ___ Scrollare la testa
O ___ Sfregarsi le mani
P ___ Sgranare gli occhi
Q ___ Strizzare l'occhio

4 **Fa' il discorso indiretto usando in ogni frase una espressione tra quelle dell'esercizio 3. Attenzione: devi usare il gerundio, come nell'esempio.**

Es. "Ma sei proprio sicuro?"
Gli ha chiesto se era sicuro, grattandosi il capo.

1 "Puah che puzza! Ma che roba mi hai dato da mangiare? Sembra cibo per cani"
____

2 "Ahi che dolore!"
____

3 " No, questa risposta è sbagliata"
____

4 "Dov'è via La Spezia?" – "Guarda è proprio lì"
____

5 "Oh mio Dio non ne posso più!"
____

6 "Ok, affare fatto! Ci sto!"
____

7 "Evviva, si parte per le vacanze!"
____

8 "Ma dai! Ma dici sul serio?"
____

9 "Eh eh questa volta se l'affare va in porto siamo ricchi!"
____

10 "Ah Ah... ride bene chi ride ultimo!"
____

lettura 8. AL RISTORANTE, DOMANI

Cameriere Buongiorno signore. Prende un antipastino?

Cliente Sì, grazie, Lei cosa mi consiglia?

Cameriere Non so… Le va bene un classico antipasto italiano o Le porto un antipasto di mare?

Cliente Preferisco un antipasto di mare… ma il pesce è surgelato, sì?

Cameriere Naturalmente, signore, vuole scherzare? Questo è un ristorante serio! Abbiamo solo pesce surgelato, naturalmente! Per primo Le va una bella pastasciutta?

Cliente Certamente. Le devo dire che la pastasciutta mi piace molto, anzi moltissimo!

Cameriere Allora, se Le piace la pastasciutta, Le consiglio un piatto di bucatini alla carbonara: sono la specialità della casa. I bucatini sono garantiti, tutti di grano tenero (secondo le norme dell'Unione Europea)… e si vede! Sono sempre belli scotti ed incollati.

Cliente Va bene, va bene, mi fido di Lei. Ma per secondo qualcosa di leggero.

Cameriere Abbiamo ottimo salmone di Grecia, trota del mare Mediterraneo, cervello di mucca-pazza cotto con l'elettro-shock… magari ne può assaggiare solo una mezza porzione!

Cliente No no, volevo qualcosa di più leggero.

Cameriere Va bene. Allora Le consiglio una mozzarella della casa, fatta con latte di toro. Una vera delizia. Le migliori, naturalmente, sono quelle del 1999 (una grande annata quella!) ma costano un po'… Altrimenti anche le mozzarelle del 2004 sono molto buone.

Cliente Ecco, una bella mozzarella del 1999, grazie!

Cameriere Ah, complimenti: il signore è un vero intenditore! Con vicino un'insalatina? Di serra[1] eh, può stare tranquillo.

Cliente Sì grazie, prendo un'insalatina. Condita con pochissimo olio extra-vergine di soia.

Cameriere Certamente signore. Per il dolce Le consiglio invece sicuramente il nostro tiramisù speciale: il latte è tutto in polvere, la percentuale di cacao minima e il mascarpone conservato in contenitori di metallo all'uranio radioattivo, che gli dà anche quel leggero sapore frizzante. Eh?

Cliente Addirittura? Ma così mi viene l'acquolina in bocca!

Cameriere Allora una fetta di tiramisù per il signore. Da bere vino bianco, vino rosso o vino blu?

---

[1] di serra → coltivata in una serra, in un locale chiuso.

1 **Completa le frasi usando gli avverbi ADDIRITTURA, ANZI, ECCO, MAGARI, MICA.**

1 Vuoi assaggiare un po' di tiramisù? ____________ solo un cucchiaino, dai!
2 Vorrei una mozzarella... ____________ ne voglio due! Una normale e una di bufala!
3 Ehi, in questo ristorante non abbiamo ____________ prodotti surgelati! Qui è tutto fresco!
4 Questo vino non è solo buono, ma ____________ fantastico!
5 ____________, questi sono i bucatini per Lei, signore!
6 Ah, ____________ potessi mangiare la pasta! Purtroppo sono a dieta...
7 Questo ristorante è famoso, ____________ famosissimo in tutta la città!
8 ____________ male questo antipasto! Me ne porta ancora un po'?

2 **Il verbo ANDARE, in terza persona, usato con i pronomi indiretti, significa AVERE VOGLIA DI, AVERE DESIDERIO DI. Sostituisci la forma AVERE VOGLIA DI con il verbo ANDARE + pronome indiretto, come negli esempi.**

Es. Ho voglia di andare al ristorante. — *Mi va di andare al ristorante.*
Es. Lui ha voglia di pastasciutta. — *Gli va la pastasciutta.*
Es. Lei ha voglia di bucatini. — *Le vanno i bucatini.*
1 Hai voglia di un antipasto? ____________
2 Lui ha voglia di una mozzarella. ____________
3 Lei ha voglia di mangiare. ____________
4 Noi abbiamo voglia di olive. ____________
5 Avete voglia di un dolce? ____________
6 Loro hanno voglia di un piatto di salmone. ____________
7 Ho voglia di due carciofini. ____________

3 **Prova a trasformare sul quaderno il dialogo in discorso indiretto. Per avere un buon risultato devi fare attenzione, oltre che alle normali questioni grammaticali, anche alla "cornice" per introdurre le frasi.**

Cameriere Buongiorno signore. Prende un antipastino?
Cliente Sì, grazie. Lei cosa mi consiglia?
Cameriere Non so... Le va bene un classico antipasto italiano o Le porto un antipasto di mare?
Cliente Preferisco un antipasto di mare... ma il pesce è surgelato, sì?
Cameriere Naturalmente, signore, vuole scherzare? Questo è un ristorante serio!
Cliente Ah, bene, allora mi può portare un antipasto di mare.
Cameriere Bene. Per primo Le va una pastasciutta?
Cliente Certamente. Le devo dire che la pastasciutta mi piace molto.
Cameriere Grazie, signore. Per secondo carne o pesce?
Cliente Volevo qualcosa di leggero.
Cameriere Le consiglio una mozzarella della casa.
Cliente Va bene, va bene, mi fido di Lei.
Cameriere Ah, complimenti: è un vero intenditore! Anche un'insalata? Di serra eh, può stare tranquillo.
Cliente Eh... tranquillo... Come si fa a stare tranquilli al giorno d'oggi? Con tutti i prodotti biologici che ci sono... Comunque sì, grazie, prendo un'insalatina.
Cameriere Per il dolce Le consiglio il nostro tiramisù speciale: è conservato in contenitori di metallo all'uranio, che gli dà anche quel leggero sapore frizzante. Eh?
Cliente Be'... ma così mi viene l'acquolina in bocca!
Cameriere Da bere vino bianco, rosso o blu?

20. LE CONGIUNZIONI

20.1 LE CONGIUNZIONI COORDINANTI

Le congiunzioni coordinanti uniscono fra loro frasi (o parti della frase) "sullo stesso piano", indipendenti. Di solito non richiedono l'uso del congiuntivo. Possono essere di vario tipo.	Io lavoro ***e*** tu dormi.
Aggiuntive	E, inoltre, oltre che, oltre a, per di più, ecc.
Avversative	Al contrario, anzi, bensì, ciò nonostante, eppure, invece, ma, mentre, però, piuttosto, pure, se non che, tuttavia, ecc.
Conclusive	Allora, dunque, ebbene, inoltre, insomma, perciò, per cui, pertanto, quindi, ecc.
Copulative	Anche, ancora, e / ed inoltre, né, neanche, nemmeno, neppure, perfino, pure, ecc.
Correlative	Come… così, così… come, da un lato… dall'altro, e… e, né… né, non solo… ma anche, o… o, sia… sia, tanto… quanto, ecc.
Dichiarative	Cioè, difatti, in altre parole, in altri termini, in effetti, effettivamente, infatti, in realtà, ossia, ovvero, ovverosia, per essere precisi, vale a dire, ecc.
Disgiuntive	Altrimenti, o / od, oppure, ovvero, se no (sennò) , ecc.

20.2 LA CONGIUNZIONE *MA*

Alcune congiunzioni hanno preso un valore autonomo e si usano non solo per "congiungere" due frasi, ma anche per **introdurre una nuova frase**. Prima fra tutte **ma**, che all'inizio di frase significa circa "Anche se è vero quello che ho detto prima, devo aggiungere altro".	I Romani hanno portato il latino in tutto l'impero. ***Ma*** la latinizzazione non è stata uguale in tutte le aree.
Nel parlato **ma** si usa anche come segnale per indicare sorpresa o contrarietà di chi parla.	***Ma*** guarda un po'… ***Ma*** bravo! ***Ma*** che mi dici? ***Ma*** basta, adesso! ***Ma*** che idiota sono!

20.3 LE CONIUGAZIONI SUBORDINANTI

Uniscono due frasi in cui una dipende dall'altra. **Es.** *Io lavoro* ***perchè*** *devo guadagnare*.
Suggeriamo qui il modo verbale (**INF**: infinito; **IND**: indicativo; **CON**: congiuntivo) preferito dalle congiunzioni subordinanti più frequenti.

		sono seguite da		
		INF	**IND**	**CON**
Avversative	Anziché, invece che (di), piuttosto che	X		
	Mentre		X	
Causali	Dal momento che, dato che, giacché, perché, per il fatto che, per via che, poiché, siccome, visto che, se (***se*** *sei qui c'è un motivo*), che (*alzati* ***che*** *sono le nove!*)		X	
	Per il fatto di	X		
Comparative e modali	Più / Meno di... come / quanto; più / meno *o* meglio / peggio... di quello che; più / meno... di		X	X
	Come se			X
Concessive	Anche se		X	
	Anche quando, benché, malgrado, nonostante, per quanto, sebbene			X
	Pur senza	X		
Condizionali	A condizione che, a patto che, nel caso che, purché, qualora			X
	Se		X	X
Consecutive e modali	Al punto che, tanto... che		X	
	Cosicché, in modo che			X
	Al punto da, in modo da, tanto da	X		
Eccettuative	A meno che, eccetto che, fuorché, salvo che, senza che, tranne che			X
	A meno di non, se non, senza, tranne che	X		
Finali	Affinché, cosicché , in modo che, perché			X
	Al fine di, allo scopo di, in modo da	X		
Interrogative	Che, che cosa, chi, come, dove, perché, quando, se (sempre possibile il congiuntivo nell'interrogativa indiretta)		X	X
Limitative	Per quanto		X	X
	Per quello che		X	
	Quanto a	X		
Relative	Che, chi, cui, dove, il quale, quando		X	raro
Temporali	Allorché, (non) appena, come, da che, da quando, dopo che, finché, fintantoché, mentre, ogni volta che, ora che, quando,		X	
	Prima che			X
	Dopo	X		

1 **Inserisci le congiunzioni della lista nella conversazione.**

allora	cioè	infatti	insomma	invece
né	quindi	sennò	né	

Dialogo fra un domatore e una elefantessa (di Arianna Fioravanti)

Domatore _______________... Avanti...! Stop! In equilibrio sullo sgabello!
Elefantessa Signor Domatore, sono stanca e vorrei riposarmi. Mi fanno male le zampe, ho fame e sete!
Domatore Girare, girare! Non dimenticare che con me ho uncini e pungoli elettrici.
Elefantessa Signor Domatore, nel mio habitat naturale percorro anche 50 chilometri al giorno e passo la maggior parte del mio tempo mangiando. Qui _______________ l'unico movimento possibile è muovere la testa, quando Lei non mi costringe a fare gli esercizi.
Domatore _______________, ti vuoi muovere? In piedi sulle zampe posteriori _______________ ti metto un ferro rovente sotto la gola!
Elefantessa Signor Domatore, io sono molto socievole, _______________ ho un alto senso della famiglia, dell'amore e dell'amicizia. Non mi piace fare esercizi, ma vivere con tutte le altre femmine e pensare all'educazione dei più piccoli.
Domatore Sei un animale! Un vero animale!
Elefantessa _______________, signor Domatore! Io sono un animale, e non mi piace _______________ stare con le catene alle zampe _______________ esibirmi davanti a un pubblico che applaude. Ci sono molti esempi di elefanti impazziti per la sofferenza e lo stress della loro vita nei circhi, non lo sa?
Domatore Adesso basta! Io sono più intelligente e più forte di te, _______________ decido io cosa devi fare tu.
Elefantessa Se Lei è più intelligente di me, può capire benissimo come mi sento, no?
Domatore Avanti...! Stop! In equilibrio sullo sgabello! Girare! In piedi sulle zampe posteriori!

2 **Completa le frasi con le congiunzioni della lista.**

anche se	a patto che	benché	che	come se
dal momento che	nemmeno se	nel caso che	perché	piuttosto che

1 _______________ il viaggio era lungo, sono uscito presto e così sono arrivato puntuale.
2 _______________ l'acqua del mare è molto fredda, voglio fare lo stesso un bagno.
3 Preferisco leggere un libro _______________ stare a guardare la televisione.
4 Dice il filosofo: "Vivi _______________ ogni giorno fosse l'ultimo della tua vita!"
5 Mi ha pregato tanto _______________ alla fine ho accettato la sua proposta.
6 Ti regalo uno *Smartphone* solo _______________ possa scrivermi spesso quando sarai lontano.
7 Massimo gioca tutte le sere con il figlio, _______________ sia stanchissimo quando torna dal lavoro.
8 Ti aiuterò solo _______________ tu mi dica la verità.
9 _______________ tu cambiassi idea, non esitare a metterti di nuovo in contatto con me.
10 Non ti dirò mai questo segreto, _______________ me lo chiedi in ginocchio!

3 Scegli la congiunzione più opportuna.

1 Mi dici queste cose ***come se / anziché / piuttosto che*** io non le sapessi!
2 Chiunque può essere bravo in cucina ***purché / sebbene / affinché*** ci metta passione.
3 ***Quanto a / In modo da / Al punto da*** guidare la macchina, ho una certa esperienza!
4 Alcune persone guardano il dito ***anziché / come se / affinché*** guardare la luna.
5 ***Cosicché / Anziché / Dal momento che*** l'amore e la paura possono difficilmente coesistere, se dobbiamo scegliere fra uno dei due, è molto più sicuro essere temuti che amati (*Machiavelli*).
6 Mi ha offeso e, ***per quanto / come se / in modo che*** non bastasse, mi ha dato anche uno schiaffo!
7 Gli volevo bene ***come se / per quanto / al punto che*** fosse mio figlio.
8 Si veste ***come se / pur senza / piuttosto che*** avesse ancora diciotto anni!
9 ***Pur senza / Quanto a / Tranne che*** dirlo, riesce a farmi capire cosa vuole da me.
10 Parlate pure male di me, ***anche se / purché / da quando*** ne parliate.
11 Amo la musica in tutte le sue forme, ***purché / malgrado / affinché*** sia bella.
12 Che tipo di computer voglio? Uno qualunque, ***finché / giacché / purché*** costi poco.
13 Fa' pure ***tranne che / come se / benché*** fossi a casa tua.
14 La mostra è aperta tutti i giorni ***senza che / in modo che / a patto che*** ognuno possa vedere con i propri occhi l'opera di questo artista.
15 Dovresti ringraziarmi ***quanto a / anziché / finché*** criticarmi!
16 Mi ha spiegato la questione ***anziché / affinché / cosicché*** io ho cambiato idea.
17 Ho lavorato anche sabato e domenica ***eccetto che / in modo da / siccome*** poter essere libero lunedì.
18 Ho liberato una camera ***finché / in modo che / piuttosto che*** voi possiate restare a dormire da me.
19 ***Quanto a / Appena / Purché*** arrivato, si è subito messo a dormire.
20 ***Dopo / Prima / Appena*** essersi laureato, ha trovato lavoro in un laboratorio informatico.
21 ***Da quando / Prima che / Dopo che*** nascesse nostro figlio, vivevamo in un appartamento più piccolo.
22 ***A meno che / Ogni volta che / Poiché*** ci incontriamo, è sempre come ritrovare un vecchio amico.
23 ***Nel caso che / Malgrado / Prima che*** tu mi chiamassi, non avrei problemi a venire da te.
24 ***Perché / Piuttosto che / Dato che*** sei qui, è l'occasione giusta per fare due chiacchiere.
25 La donna ideale? Non importa come sia, ***purché / come se / non appena*** sappia cucinare.
26 Mi ha infastidito ***ogni volta che / al punto che / a patto che*** ho smesso di rispondergli.

4 Completa le frasi con le congiunzioni che ti sembrano più opportune.

1 Ho parlato con lei _______________ sapessi che non sarebbe servito a niente.
2 Gli ho telefonato _______________ ci invitasse nella sua bella casa in montagna.
3 L'ho fatto _______________ mio marito se ne rendesse conto.
4 Le ho comprato il vestito _______________ lo mettesse per la festa di Capodanno.
5 I ragazzi hanno riordinato la camera _______________ arrivassimo.
6 Vi racconto un'altra favola _______________ poi andiate a dormire.
7 Si comporta _______________ fosse ubriaco.
8 Posso dire tutto di lui _______________ sia disonesto.
9 Ho letto tutto il libro fino alla fine _______________ fosse noiosissimo.
10 _______________ non sia una brava cuoca, mi piace moltissimo cucinare.

21. IL PARTICIPIO

21.1 IL PARTICIPIO PRESENTE

Il participio presente finisce di solito con **-ante** e con **-ente** (*parlante, vedente*). Ha quasi perso il suo valore verbale ed è usato nella maggior parte dei casi come **aggettivo** o come **sostantivo**.	Acqua sorg***ente*** (che sorge) Sole nasc***ente*** (che nasce) Il dirig***ente*** (la persona che dirige) Il cant***ante*** (la persona che canta) L'assist***ente*** (la persona che assiste)

21.2 IL PARTICIPIO PASSATO

Il participio passato dei verbi regolari finisce con ***-ato***, ***-uto***, ***-ito*** (*parlare → parlato; credere → creduto; sentire → sentito*). Un grande numero di verbi in *-ere* ha però le forme del participio passato irregolari (*vedere → visto; rispondere → risposto; confondere → confuso*, ecc.).

Il participio passato si usa in tutti i tempi verbali composti con **l'ausiliare essere** e **avere**. Con l'ausiliare **venire** serve a fare il passivo.	Ho ***visto***, ero ***andata/o***, avrei ***mangiato***, fossi ***tornata/o***. Il portone ***viene chiuso*** alle sette.
Con l'ausiliare **andare** indica un'azione che deve essere fatta e ha valore passivo.	Questo lavoro ***va fatto*** (deve essere fatto). Le cose cominciate ***vanno finite*** (devono essere finite).
In una frase dipendente ha **valore temporale** e significa *dopo avere fatto qualcosa*.	***Uscito dal cinema***, ho incontrato Maria. ***Comprata la moto***, la mia vita è cambiata. ***Dette queste parole***, è andato via.
Spesso è introdotto da (*non*) *appena* e *una volta*. In alcuni casi è intradotto anche da *dopo*, che però di solito preferisce l'infinito passato.	***(Non) Appena arrivato***, ha cominciato a lamentarsi. ***Una volta partito*** mi sono sentito meglio. ***Dopo aver giocato*** vado a riposare.
In altri casi ha valore **causale o ipotetico**.	***Se richiesto***, l'albergo offre la connessione *wi-fi*.
Preceduto da *anche se*, *sebbene*, *benché*, *per quanto*, *pur* ha valore **concessivo**.	***Anche se / Pur*** spaventato, è riuscito a reagire.
Il participio passato in frase dipendente **concorda la vocale finale** con l'oggetto se il verbo è transitivo, con il soggetto se il verbo è intransitivo.	Maria, ***letto il libro***, è andata a dormire. ***Maria, uscita*** dall'ufficio, ha preso la macchina.
Nelle forme di "participio assoluto" i pronomi **io** e **tu** possono diventare **me** e **te**.	Parlo per tutti, ***te compreso***. Siamo tutti d'accordo, ***me incluso***.

21.3 ACCORDO DELLA VOCALE FINALE DEL PARTICIPIO PASSATO

Il participio passato si accorda obbligatoriamente:

con il **soggetto** della frase quando il verbo ha **l'ausiliare essere**, è **riflessivo** o è **passivo**;	***Maria*** è andat***a*** a casa. ***I bambini*** si sono lavat***i***. ***Le visite guidate*** sono stat***e*** programmat***e***.
con i pronomi diretti **lo / la / li / le** e con la particella pronominale **ne**;	***I fiori*** per Sonia? ***Li*** ho comprat***i*** stamattina! Mi piacciono ***i film western*** e ***ne*** ho vist***i*** molt***i***.
nelle forme con **si passivante** (vedi Vol. **2**, cap. **17.2**).	Dopo che ***si sono lette*** le notizie di cronaca politica qualche volta ci si deprime.
nei **verbi pronominali** che hanno un rapporto con un pronome diretto (esplicito o sottinteso) o con **ne**.	Me ***la*** sono pres***a***. Ce ***la*** siamo cavat***a***. L'ho convinto, ma ce ***ne*** è volut***a***!

 **e inoltre...**

21.4 UN ACCORDO SPECIALE

Non obbligatoriamente, il participio passato può accordarsi con l'oggetto di un verbo con ausiliare **avere**. Di solito oggi questa possibilità è scarsamente usata e si preferisce il participio in **-o**.	Dopo che ho sentit***o questa storia*** sono andato via. (Dopo che ho sentit***a questa storia*** sono andato via.) Ieri sei andata anche tu al convegno? Peccato non ***ti*** ho incontrat***a***! (= non ***ti*** ho incontrat***o***!)
Quando l'oggetto è un pronome personale, l'accordo, **anche se non obbligatorio**, è un po' più frequente.	***Ci*** avete sorpres***i***. = Ci avete sorpreso. ***Vi*** ho perdonat***e***. = Vi ho perdonato. ***Mi*** avete fatta felic***e***. = Mi avete fatto felice.

21.5 UNA POSSIBILITÀ DI CONFUSIONE: *ANDARE* + PARTICIPIO PASSATO

Andare + participio passato ha di solito un senso di "dovere passivo" (*va fatto = deve essere fatto*).	Le regole ***vanno rispettate***. Gli errori ***vanno perdonati***.
Con alcuni verbi, **andare + participio passato** ha **solo un senso passivo** (con un valore di *piano piano, progressivamente, con il tempo*).	Con la crisi economica molti posti di lavoro ***sono andati perduti***. (= sono stati perduti progressivamente.)
Alcune frasi possono quindi avere un doppio senso: la frase *Il denaro va speso in cose inutili,* pronunciata da un ricco amante della bella vita, significa *Il denaro deve essere speso in cose inutili,* ma pronunciata dal Ministro dell'Economia significa *Il denaro viene speso (purtroppo) in cose inutili.*	Certe esperienze ***vanno dimenticate*** (= devono essere dimenticate o vengono dimenticate con il tempo?). Con la vecchiaia l'energia fisica ***va perduta*** (il buon senso in questa frase suggerisce il significato di un normale passivo: viene perduta).
Non esiste problema di confusione nei tempi composti: il significato di frasi come *Quel documento è andato perduto* è semplicemente passivo (*è stato perduto, si è perduto con il passare del tempo*).	La casa ***è andata distrutta***. Alcune tradizioni ***sono andate dimenticate***. Con l'incendio molti libri ***sono andati bruciati***.

21.6 IL PARTICIPIO E I PRONOMI

Attenzione: se nella frase dipendente retta da un participio passato c'è un pronome (diretto, indiretto, combinato, **ci** o **ne**) **è obbligatorio** che il pronome formi **una sola parola con il participio**. Tuttavia forme come *vistolo, dettoglielo, andatoci* suonano arcaiche e oggi addirittura buffe. Quindi questa forma si evita e si preferisce ripetere il nome senza usare il pronome o usare una struttura di frase diversa.	IN TEORIA: *Guarda quel film. ***Vistolo***, capirai molte cose. IN PRATICA: Dopo ***averlo visto*** capirai molte cose. ***Visto*** quel film capirai molte cose. ***Se lo guardi*** capirai molte cose.

Esercizi

1 **Completa le frasi con il participio presente dei verbi.**

1 Il treno (*provenire*) _______________ da Milano arriverà con quindici minuti di ritardo.
2 Il Grillo (*parlare*) _______________ è un personaggio importante nella storia di Pinocchio.
3 È stata pubblicata la lista dei (*latitare*) _______________ più pericolosi d'Italia.
4 Sono un (*amare*) _______________ della cucina italiana.
5 Devi assolutamente fare questa cosa, (*volere*) _______________ o nolente.
6 L'antico dipinto (*raffigurare*) _______________ l'immagine di Santa Teresa si può comprare su *e-bay*.
7 Lei è sempre (*sorridere*) _______________ mentre lui è antipaticissimo.
8 La borsa (*contenere*) _______________ cento Euro in contanti è stata rubata da uno scippatore.
9 Il Presidente (*uscire*) _______________ ha fatto un bel discorso alla Nazione.
10 Finirà la scuola e l'anno (*seguire*) _______________ andrà all'università.
11 Il suo è davvero un lavoro molto (*gratificare*) _______________.

2 **Trova nel crucipuzzle i participi passati irregolari dei verbi della lista. Le lettere restanti formeranno una frase su una curiosità del participio passato.**

accorgersi	bere	corrompere	dare	deludere	emettere	fondere
giungere	illudere	leggere	mordere	nascondere	proporre	ridere
spendere	spegnere	togliere	uccidere	vincere		

A	C	C	O	R	T	O	D	E	L	U	S	O	N	I
U	O	L	P	A	O	R	T	M	E	I	C	I	A	S
C	R	G	P	I	L	F	O	E	T	P	A	S	S	P
C	R	V	I	N	T	O	U	S	T	S	A	T	C	E
I	O	O	D	U	O	R	I	S	O	I	S	P	O	S
S	T	L	E	N	N	D	E	O	O	M	O	R	S	O
O	T	R	E	N	O	T	P	R	O	P	O	S	T	O
N	O	B	E	V	U	T	O	I	L	L	U	S	O	E
S	S	P	E	N	T	O	I	S	D	A	T	O	T	E

_ _	_ _ _ _ _ _ _ _ _ _ _ _	_ _ _ _ _ _ _ _ _	_ _	_ _ _ _ _ _ _ _ _ _ _	_ _ _	_ _ _ _ _ _ _

3 **Sostituisci le forme esplicite delle frasi dipendenti con un participio passato semplice o introdotto dalla congiunzione opportuna, come nell'esempio.**

Es. Nel caso lo richiedessero (__Se richiesto__), diamo informazioni.

1 **Sebbene fosse offesa** (____________________), Alessandra non ha detto niente.
2 **Dopo che avevano superato gli esami** (____________________) tutti i ragazzi partivano per le vacanze.
3 **Dopo che si finisce di mangiare** (____________________) non è bello alzarsi e andarsene.
4 **Anche se ero sorpreso** (____________________) ho fatto in modo che nessuno se ne accorgesse.
5 **Appena è stato nominato** (____________________), il Presidente ha subito preso delle decisioni impopolari.
6 **Se fosse restaurata** (____________________) sarebbe un'opera d'arte meravigliosa.
7 **Dopo che i soldi sono finiti** (____________________), non potevamo far altro che tornare a casa.
8 **Immediatamente dopo aver cambiato lavoro** (____________________) è cambiata anche la sua vita.

Esercizi

4 **Abbina i proverbi e i modi di dire con il loro significato, come nell'esempio.**

1 A caval donato non si guarda in bocca.
2 È acqua passata.
3 *Gobba a ponente luna crescente, gobba a levante luna calante.*
4 Ogni lasciata è persa.
5 Se non è zuppa è pan bagnato.
6 Sposa bagnata, sposa fortunata.
7 Uomo avvisato, mezzo salvato.
8 Non è il primo venuto.

A Se si capisce un consiglio, si evita un problema.
B Una cosa è più o meno uguale a un'altra.
C *Per capire le fasi lunari bisogna guardare se la luna è verso ovest (a ponente, dove tramonta il sole) o verso est (a levante, dove sorge il sole).*
D Si deve essere sempre grati per un regalo.
E Le occasioni che non abbiamo sfruttato sono perdute.
F È una cosa che ormai non ha più importanza.
G Non è uno sconosciuto, una persona incompetente o senza importanza.
H Se il giorno del matrimonio piove, il matrimonio sarà fortunato.

1.__ • 2.__ • 3.C • 4.__ • 5.__ • 6.__ • 7.__ • 8.__

5 **Anche se non è obbligatorio, accorda in queste frasi il participio passato evidenziato.**

1 Io e Lucia abbiamo salutato Giuseppe ma lui non ci ha **visto** (____________).
2 Dopo aver **ascoltato** (____________) i tuoi consigli, deciderò il da farsi.
3 Valeria, Marco ti ha **guardato** (____________) come fossi un angelo caduto dal cielo!
4 Io vi ho **creduto** (____________) ciecamente.
5 Mi avete **fatto** (____________) sentire importante con i vostri complimenti, non sono mai stata così felice in vita mia!

6 **Coniuga i verbi tra parentesi nella forma passiva ANDARE + participio passato.**

1 La vodka (*bere*) ____________ fredda.
2 Il denaro (*disperdere*) ____________.
3 Certi ricordi (*dimenticare*) ____________.
4 Se il computer non funziona (*aggiustare*) ____________.
5 L'alcool (*bere*) ____________ senza moderazione.
6 Con l'età che avanza l'energia fisica giovanile (*perdere*) ____________.
7 Questo libro è bellissimo, (*leggere*) ____________ assolutamente.
8 Le sigarette (*spegnere*) ____________ nel posacenere e non per terra!

7 **Indica quando le frasi dell'es. 6 possono avere un doppio senso e spiega il motivo.**

22. L'INFINITO

22.1 L'INFINITO

L'infinito presente finisce generalmente con -are, -ere, -ire. In alcuni casi finisce con -arre, -orre, -urre.	Cant***are***, ved***ere***, part***ire***, ecc. Tr***arre***, p***orre***, trad***urre***, ecc.
L'infinito passato si forma con l'infinito di essere o avere + **il participio passato** del verbo. Nell'infinito passato l'ausiliare perde spesso la -e finale.	Essere partito, avere cantato, ecc. ***Esser*** partito, ***aver*** cantato, ecc.

22.2 L'INFINITO SOSTANTIVATO

L'infinito può avere valore di **sostantivo**. In questo caso è preceduto da un articolo.	Non c'è più ***il mangiare*** di una volta! Tra ***il dire*** e ***il fare*** c'è di mezzo il mare.

22.3 L'INFINITO NELLE FRASI PRINCIPALI

L'infinito si usa in frasi principali con valore "esclamativo". Esprime diversi significati.

Un imperativo generalizzato (per esempio in un cartello stradale).	***Non parlare*** ad alta voce! ***Non calpestare*** le aiuole!
Un dubbio "impersonale" (spesso in ipotetiche della realtà).	***Che fare*** in quella situazione? Se è così pauroso, ***come dirgli*** la verità?
Una sorpresa (qualche volta e + **infinito** + che).	Vivo in Norvegia. ***E pensare che*** io sono freddoloso!
Un desiderio impossibile.	Ah, ***avere 20 anni di meno***!
Un fatto improvviso (preceduto da ecco).	***Ecco arrivare*** Marco!
Una domanda generica e "ironico - provocatoria", spesso seguita da no?.	■ Non ho soldi e non so come chiederli alla mia famiglia... ● ***Lavorare no?*** (nel senso di: l'idea di lavorare non vuoi considerarla?)

22.4 L'INFINITO CON VERBI MODALI O FRASEOLOGICI

Si usa dopo i verbi modali e dopo numerosi verbi fraseologici.	Devo partire; voglio restare; so guidare; posso incontrarlo; comincio a lavorare; ecc.
Il pronome può formare un'unica parola con l'infinito o anche precedere il verbo reggente.	Voglio ***parlargli / Gli voglio parlare***. Devo ***dirglielo / Glielo devo dire***.

22.5 L'INFINITO NELLE FRASI DIPENDENTI

Come tutti i modi infiniti (infinito, gerundio e participio), si usa in frasi dipendenti quando **il soggetto è facilmente identificabile**. Per questo, il suo soggetto di solito è uguale a quello della frase principale.	Non so come ***andare*** alla stazione (soggetto uguale). Comincio a ***lavorare*** (soggetto uguale). Sento la pioggia ***cadere*** sul mio viso (soggetto differente ma chiaramente identificabile).
L'infinito si usa in molte frasi dipendenti, per esempio in quelle con funzione soggettiva o oggettiva. Spesso è preceduto dalla preposizione **di**.	È bello ***avere*** tue notizie. Mi sembra giusto ***aspettare***. Uscire? No, grazie. Preferisco ***dormire***. Penso ***di avere*** ragione.
Preceduto da **per** è causale, limitativo, finale o concessivo.	Sono qui ***per aiutarti***. ***Per essere*** straniero parli bene l'italiano!
Preceduto da **da** è consecutivo o si riferisce a un qualcosa che deve / può essere fatto.	Ho riso ***da morire***! Ha ***da fare***, è un libro ***da leggere***; ecc.
Preceduto da **a** può avere valore ipotetico o temporale.	***A pensarci*** bene forse hai ragione. Partiremo ***al sorgere del sole***.
Preceduto da **in** con articolo (**nel / nell'**) ha valore temporale, con un senso simile a **mentre**.	***Nel dire*** queste parole, sorrideva. ***Nel vederlo*** non ho provato nessuna emozione.
Si usa dopo *neanche a, nemmeno a, manco a, pur senza; oltre a, oltre che; tranne che, se non, senza; anziché, invece di, invece che.*	Cambiare lavoro? ***Neanche a pensarci***! ***Oltre a studiare*** devi anche divertirti un po'! ***Anziché ringraziarmi*** fammi un regalo!
Ha valore finale-limitativo dopo **quanto a**.	***Quanto a spendere*** soldi sono bravissimo!
Preceduto da **pur di** ha valore finale molto intenso, carico di "volontà" (come sottintendendo *a ogni costo, senza esitazione*).	Sono pronto a ***tutto pur di vendicarmi***! ***Pur di avere*** quella costosissima macchina sarei pronto a vendere la mia casa.
In tutti questi casi un eventuale pronome deve formare un'unica parola con l'infinito.	Quella macchina è bellissima: pur di ***averla*** farei di tutto!

22.6 USO DELL'INFINITO PASSATO

Si usa in frasi dipendenti introdotte da **dopo**: indica una azione precedente a quella espressa dal verbo. In questi casi i pronomi atoni devono formare **un'unica parola con l'infinito**.	***Dopo avere mangiato***, ho preso un caffè. ***Dopo essere partito***, ho avuto molta nostalgia Dopo ***averlo*** conosciuto, sono cambiato.

1 Indica l'infinito presente delle seguenti forme verbali, come nell'esempio.

1 abbi → avere
2 agente → ______
3 contratto → ______
4 differente → ______
5 esatto → ______
6 esploso → ______
7 finto → ______
8 fossero → ______
9 giungevo → ______
10 mosso → ______
11 muoiono → ______
12 posto → ______
13 raccolga → ______
14 reso → ______
15 spento → ______
16 stessi → ______
17 tenga → ______
18 tradotto → ______

2 Completa le frasi con l'infinito presente o con l'infinito passato dei verbi della lista.

andare	aggiungere	avere	bere	calpestare	fare
finire	mangiare	mescolare	poterlo rivedere	riuscire	tenere

1 Non ______ le aiuole.
2 Si è sentito male per ______ troppo vino ieri sera.
3 Per ______ il risotto alla milanese, ______ lentamente per dieci minuti prima di ______ lo zafferano.
4 Dopo ______ il nostro lavoro festeggeremo per una settimana!
5 Sono contento di non ______ a scuola ieri: c'era sciopero e non avremmo comunque fatto lezione.
6 Ad ______ tempo, sarei andata a spasso con le amiche.
7 Sono stata talmente tanto davanti al computer da non ______ più a ______ gli occhi aperti.
8 Dopo ______, esco con Federica.
9 Ah! ______ almeno una volta...

3 Completa con una preposizione solo dove necessaria (fai una X dove la preposizione non è necessaria).

Es. Mi sembra di essere stato sincero con lui.
1 Mi hanno invitato _____ partecipare a quella manifestazione.
2 Bisogna _____ uscire subito da qui.
3 Sono felice _____ conoscerla.
4 Prendi una medicina per dimagrire? _____ mangiare meno no, eh?
5 Non vedo l'ora _____ rivederti.
6 Farò di tutto _____ finire il lavoro entro la settimana prossima.
7 È facile _____ chiedere scusa adesso che il guaio à fatto!
8 È vegano? _____ averlo saputo non gli avrei mai regalato quel formaggio!
9 _____ avere sei anni suona benissimo il pianoforte.
10 Invece _____ comprarsi un altro *iPad* potrebbe regalarmi un bel paio di scarpe.
11 _____ giocare a calcio sono bravissimo, mentre _____ sciare sono una schiappa.
12 Roberto ha preso una multa _____ aver parcheggiato in doppia fila.
13 È inutile _____ studiare... tanto il lavoro non si trova.
14 Vorrei iniziare _____ fare sport.
15 Devo _____ andare al supermercato, anche se non mi va.
16 Volete smetterla _____ urlare?
17 Ho una fame da lupi: voglio subito qualcosa _____ mangiare.
18 Io lavoro e tu stai _____ dormire tutto il giorno! Ti pare bello?
19 Neanche _____ farlo apposta ti sei trovato a passare di lì proprio al momento giusto!
20 Oltre _____ fare la dieta devi pure fare sport se vuoi avere un fisico come una statua greca!
21 Come posso riuscire _____ fare questo calcolo se tu chiacchieri continuamente?

4 **Collega le frasi della colonna di sinistra con quelle della colonna di destra attraverso una preposizione, una congiunzione o un avverbio, come nell'esempio.**

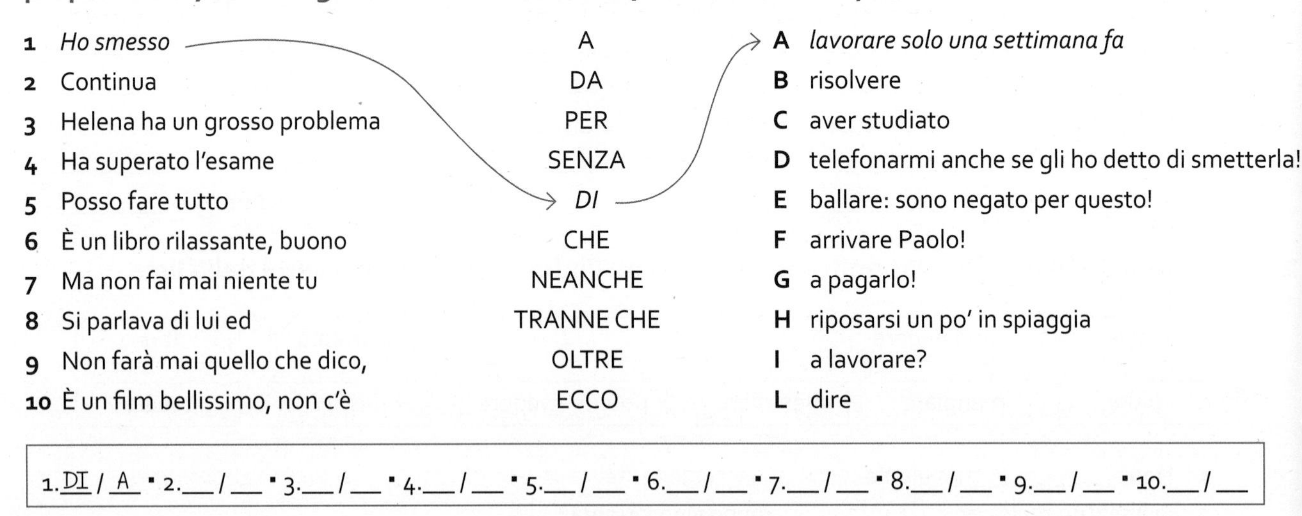

1	*Ho smesso*	A	A	*lavorare solo una settimana fa*
2	Continua	DA	B	risolvere
3	Helena ha un grosso problema	PER	C	aver studiato
4	Ha superato l'esame	SENZA	D	telefonarmi anche se gli ho detto di smetterla!
5	Posso fare tutto	*DI*	E	ballare: sono negato per questo!
6	È un libro rilassante, buono	CHE	F	arrivare Paolo!
7	Ma non fai mai niente tu	NEANCHE	G	a pagarlo!
8	Si parlava di lui ed	TRANNE CHE	H	riposarsi un po' in spiaggia
9	Non farà mai quello che dico,	OLTRE	I	a lavorare?
10	È un film bellissimo, non c'è	ECCO	L	dire

1. DI / A • 2.__ / __ • 3.__ / __ • 4.__ / __ • 5.__ / __ • 6.__ / __ • 7.__ / __ • 8.__ / __ • 9.__ / __ • 10.__ / __

5 **Esprimi le frasi implicite in altri modi, come nell'esempio.**

Es. Ad aver ascoltato i tuoi consigli, ora non sarebbe nei guai.
Se avesse ascoltato i tuoi consigli, ora non sarebbe nei guai.

1 **A dire la verità,** quel romanzo non mi è piaciuto per niente.

2 **A giudicare dai fatti,** non possiamo certo dire che lui si sia comportato onestamente.

3 **Dopo aver finito il corso d'italiano,** saremo tutti molto più bravi.

4 **A dare ascolto ai grandi,** noi ragazzi dovremmo stare solo a studiare.

5 Ho spesso degli incubi **da svegliarmi in piena notte**.

6 **Nel parlare con lui** mi sono reso conto che non sarei mai riuscito a farmi capire.

7 Continuava a sostenere **di avere ragione,** nonostante fosse evidente il contrario.

8 Mi ha offerto un lavoretto **per farmi guadagnare qualcosa**.

9 Mah, **per essere stanco sono stanco,** ma questo non significa che rinuncerò a giocare a pallone!

10 **Quanto a raccontare bugie** nessuno sa farlo meglio di me!

11 Non mi aiuterà mai, **neanche a chiederglielo in ginocchio**.

12 Non credo si possa fare altro **se non sperare** che vada tutto bene.

13 Esiste una forma di vita intelligente su altri pianeti? Ah, **saperlo**...

14 Sono disposto a pagare qualunque cifra **pur di avere** quel quadro.

Esercizi

6 Completa le "istruzioni per l'uso" con i verbi delle liste, come nell'esempio.

Preparare il caffè con la caffettiera napoletana (che a Napoli viene chiamata *cuccumella*) significa ripercorrere un rito casalingo fatto di lentezza, e celebrato da molti napoletani illustri.

Per preparare alla perfezione la napoletana:

avvitare	*calcolare*	essere	inserire	superare	versare

1 Calcolare ______ 5-6 grammi di caffè per ogni tazzina. La macinatura della polvere deve ______ media e il caffè va collocato nel serbatoio bucherellato. ______ l'acqua necessaria nella parte inferiore della macchina, senza ______ il forellino. ______ il serbatoio del caffè completo di filtro. ______ le due parti della macchina.

capovolgerla	mettere	portare	raccogliersi	togliere

2 ______ la napoletana (col becco all'ingiù) sul fuoco e ______ l'acqua ad ebollizione.
L'acqua bolle quando un filo di vapore esce dal forellino.
A questo punto ______ la macchina dal fuoco e, afferrandola saldamente per i due manici, ______ con un colpo secco... in modo che l'acqua scenda attraverso il filtro con la polvere di caffè e vada a ______ nel deposito inferiore. Ci vuole qualche minuto.

asciugarla	lavare
dimenticare	servire

3 ______. Non ______, poi, di ______ bene la napoletana con acqua calda e di ______ accuratamente.

7 Riscrivi le frasi sostituendo l'infinito con un nome, come nell'esempio.

Es. Ha fatto il volere di suo padre, non il suo. Ha fatto la volontà di suo padre, non la sua.

1 Lavorare stanca. ______
2 Mi piace leggere. ______
3 Studiare la matematica è noioso. ______
4 Mangiare troppo la sera non fa bene. ______
5 Fumare nuoce gravemente alla salute. ______
6 Collezionare farfalle è non solo un *hobby* interessante ma anche utilissimo! ______
7 Visitare Napoli è un'esperienza incredibile. ______

8 Completa le frasi con PRIMA DI / DOPO + infinito presente o passato del verbo tra parentesi, come nell'esempio.

Es. Prima di prendere (*prendere*) una decisione pensateci due volte!
1 ______ (*fare*) quel viaggio in Cina, voglio studiare un po' di cinese.
2 Non vorrei vedere quel film ______ (*leggere*) il libro.
3 Partiremo ______ (*caricare*) i bagagli nella macchina.
4 Bevo sempre una tisana ______ (*andare*) a dormire.
5 ______ (*andare*) al cinema ci vediamo per un aperitivo?
6 ______ (*sentir parlare*) quel dottore ho capito che devo proprio cambiare stile di vita.
7 ______ (*mangiare*) la frutta, lavala!
8 Non accettare quel posto di lavoro ______ (*informarsi*).
9 Non guidare ______ (*bere*).
10 Fa colazione soltanto ______ (*preparare*) le bambine che devono andare a scuola.

9 Forma i proverbi collegando le frasi di sinistra con quelle di destra.

1 *A pagare e a morire*
2 Chi va con lo zoppo
3 Fidarsi è bene,
4 Non c'è peggior sordo
5 Non si può avere la botte piena e
6 Tentar
7 Tra il dire e il fare
8 Vivi e
9 Voglia di lavorar
10 Non dire gatto se
11 Chi ha orecchie per intendere
12 Prevenire è
13 A pensar male
14 Male non fare e
15 Tanto va la gatta al lardo

A c'è di mezzo il mare.
B lascia vivere.
C paura non avere.
D che ci lascia lo zampino.
E raramente si sbaglia.
F meglio che curare.
G intenda.
H saltami addosso.
I non nuoce.
L *c'è sempre tempo.*
M di chi non vuol sentire.
N non ce l'hai nel sacco.
O non fidarsi è meglio.
P impara a zoppicare.
Q la moglie ubriaca.

1.L • 2.__ • 3.__ • 4.__ • 5.__ • 6.__ • 7.__ • 8.__ • 9.__ • 10.__ • 11.__ • 12.__ • 13.__ • 14.__ • 15.__

10 Leggi le celebri frasi dette da un famoso politico italiano e spiegane il significato.

1 A pensare male si fa peccato, ma spesso ci si azzecca.
2 Il potere logora chi non ce l'ha.
3 Non basta avere ragione: bisogna avere anche qualcuno che te la dia.
4 Meglio tirare a campare che tirare le cuoia.
5 I pazzi si distinguono in due tipi: quelli che credono di essere Napoleone e quelli che credono di risanare le Ferrovie dello Stato.

Chi è questo personaggio? ______

23. IL GERUNDIO

23.1 IL GERUNDIO

Il gerundio presente dei verbi è quasi sempre regolare e finisce con **-ando** nei verbi in **-are** e con **-endo** nei verbi in **-ere** e **-ire**. Il gerundio passato si forma con il gerundio di **essere** e **avere** + **il participio passato** del verbo.	Sto parl***ando***. Sta scriv***endo***. Stiamo dorm***endo***. ***Essendo arrivato*** prima, ora sono libero. Abbiamo vinto ***avendo giocato*** meglio. Pur ***avendo studiato*** greco, oggi non ricordo niente.

23.2 IL GERUNDIO PRESENTE

Il gerundio si usa in **frasi dipendenti** e il suo soggetto è di solito lo stesso del verbo principale.	Io cammino ***cantando*** = io cammino mentre (io) canto.
Se la frase principale è **impersonale** anche il gerundio prende un valore impersonale.	È meglio affrontare i problemi ***sorridendo***.

23.3 TIPI DI GERUNDIO

Il gerundio può avere diverse funzioni.

Temporale - Significa *mentre*, *quando*, *nello stesso tempo*.	Cammino ***cantando***. Loro, ***studiando***, sentono la radio.
Modale - Significa *in questo modo*.	Traduce ***aiutandosi*** con un dizionario.
Causale - Significa *per questo motivo*, spiega un *perché*.	***Essendo*** italiano so riconoscere un buon caffè.
Concessivo - Preceduto da *pur* (o da *anche*) sostituisce le forme introdotte da *malgrado*, *sebbene*, *nonostante* (+congiuntivo) o quelle introdotte da *anche se* (+indicativo).	***Pur non essendo*** più giovane è sempre in forma! ***Pur sapendo*** che non fa bene, beve sempre vodka.
Ipotetico - può sostituire le forme introdotte da **se** nelle frasi ipotetiche.	***Avendo*** (= se avrò) i soldi, comprerò quella macchina. ***Avendo*** (= se avessi) i soldi, comprerei quella macchina. ***Avendo*** (= se avessi avuto) i soldi, avrei comprato quella macchina.
Il soggetto della frase con gerundio, se diverso da quello della principale, deve essere espresso subito dopo il gerundio stesso (**gerundio assoluto**).	***Arrivando il freddo***, ho deciso di mettere una giacca. ***Essendo giugno***, cominciano le vacanze scolastiche.

23.4 IL GERUNDIO CON I PRONOMI

Il gerundio in frasi dipendenti forma obbligatoriamente una sola parola con pronomi diretti, indiretti, riflessivi, combinati, **ci** e **ne**.	***Parlandogli*** ho capito che aveva ragione lui. ***Avendolo avuto*** come studente, posso dire che è proprio un bravo ragazzo.

23.5 IL GERUNDIO PASSATO

Il **gerundio passato** esprime un'azione precedente a quella del verbo della principale. Di solito ha valore causale e si usa spesso nella lingua scritta *burocratico-amministrativa.*	***Avendo conseguito*** la laurea in Lingue Straniere, richiedo di partecipare al prossimo concorso per l'insegnamento nella scuola pubblica.

23.6 IL GERUNDIO CON IL VERBO *STARE* E CON IL VERBO *ANDARE*

Il gerundio presente si usa spesso con il verbo **stare** nelle forme progressive dei verbi (vedi Vol. **1**, cap. **10.1**).	Io ***sto lavorando***. Ieri non hai risposto al telefono: che ***stavi facendo***? Credi che io ***stia scherzando***?
L'espressione **andare** + **gerundio** indica un'**azione che si sviluppa progressivamente** o viene ripetuta con una certa continuità: qualche volta può esprimere una punta di giudizio critico.	La situazione economica ***va migliorando***. ***Va perdendo*** tempo invece di lavorare. Che ***vai cercando***?

e inoltre...

23.7 ALCUNE STRUTTURE "TIPICHE" CON IL GERUNDIO

Il gerundio è frequente nelle frasi incidentali dopo un indefinito.	***Chi, trovandosi in quella situazione***, si sarebbe comportato diversamente?
Il gerundio modale si trova talvolta in strutture del tipo **non è** + **gerundio** + **che...**	***Non è piangendo che*** risolverai il problema. ***Non è stando a letto che*** troverai un lavoro.
Con valore modale, dopo **come** e dopo **quasi** sostituisce le forme con il congiuntivo introdotte da **come se** e **quasi che**.	Parlava ***quasi piangendo***. Affrontava l'argomento ***come disinteressandosene***.

23.8 IL GERUNDIO SOSTANTIVATO

In qualche caso il gerundio ha preso valore di sostantivo. Il senso è per lo più legato a una condizione che deve realizzarsi.	Il ***reverendo*** (deve essere riverito). Il ***laureando*** (deve laurearsi). Il ***maturando*** (deve prendere la maturità).

Esercizi

1 Completa le frasi con il gerundio, come nell'esempio.

Come si possono imparare le lingue straniere? Da un video "virale" in Internet!

Matthew Youlden parla con disinvoltura nove lingue e se la cava in almeno altre dieci. Passa da una lingua all'altra come un camaleonte che cambia colore. Ecco alcuni suoi consigli per imparare le lingue straniere. Se pensi sia impossibile diventare bilingui, leggi qui sotto.

Es. (*Esercitarsi*) Esercitandosi tutti i giorni e (*parlare*) parlando molto.

1 (*Mettere*) __________ davvero in pratica quello che si sta (*imparare*) __________, (*scrivere*) __________ una mail, (*parlare*) __________, oppure (*ascoltare*) __________ radio o musica in quella lingua.
2 (*Trovare*) __________ un partner con cui parlare.
3 (*Tenere*) __________ vivo l'interesse. La parte creativa dell'apprendimento è proprio la capacità di inserire la lingua che si sta (*studiare*) __________ in un contesto quotidiano.
4 (*Divertirsi*) __________ mentre si impara.
5 (*Tornare*) __________ bambini. Non sto consigliando di fare i capricci o pasticciare con il piatto al ristorante (*farsi*) __________ schizzare il purè nei capelli; sto (*parlare*) __________ di imitare il modo in cui i bambini imparano: (*fare*) __________ errori, perché (*sbagliare*) __________ si impara.
6 (*Osare*) __________ e (*mettersi*) __________ in situazioni potenzialmente imbarazzanti: parlare a sconosciuti, chiedere indicazioni ai passanti, ordinare al bar e al ristorante, raccontare una barzelletta.
7 (*Ascoltare*) __________ e (*osservare*) __________ chi parla la lingua.
8 (*Parlare*) __________ da soli. Parlare da soli è molto utile per tenere a mente nuove parole e frasi e acquisire più fiducia per la prossima volta che avrete occasione di parlare con altre persone.
9 (*Rilassarsi*) __________ e non (*preoccuparsi*) __________ troppo: non darai fastidio alle persone se provi a parlare nella loro madrelingua, anche se fai errori. Basta dire subito che stai (*imparare*) __________ e vuoi far pratica: la maggior parte delle persone sarà paziente e disponibile e ti incoraggerà con piacere.

2 **Leggi le frasi e scrivi nella tabella i diversi gerundi identificandone il significato più probabile.**

1 Avendo lavorato molti anni per un'industria farmaceutica, ho molta esperienza in questo settore.
2 Pur non conoscendolo bene, so per certo che si vendicherà.
3 Essendo arrivato in Italia solo da una settimana, è normale che non abbia ancora trovato lavoro.
4 Uscendo mi sono scordato di prendere l'ombrello.
5 Fa sempre colazione ascoltando la musica.
6 Avendo l'opportunità, me ne andrei subito da qui.
7 Ha vissuto tutta la vita divertendosi come un matto.
8 Pur non avendo che pochi Euro, credo proprio che non rinuncerò al mio solito cappuccino al bar.
9 Non è andando sempre a spasso che combinerai qualcosa di buono.
10 È facile trovare un buon lavoro avendo un papà che fa il politico.
11 Esiste qualcuno che, avendone l'occasione, non passerebbe una vacanza a Roma?
12 Scrivendo su un blog, è diventato molto famoso.
13 Pur non avendo fatto l'università, è proprio una persona di grande cultura.
14 Lo so che mangiando non si dovrebbero scrivere gli sms agli amici.

FRASE TEMPORALE (mentre, quando)	FRASE IPOTETICA (se)	FRASE CAUSALE (siccome, poiché)	FRASE MODALE (con, in questo modo)	FRASE CONCESSIVA (benché)

3 **Trasforma le frasi implicite dell'esercizio precedente in esplicite, come nell'esempio.**

1 *Dato che ho lavorato molti anni per un'industria farmaceutica, ho molta esperienza in questo settore.*
2 ______
3 ______
4 ______
5 ______
6 ______
7 ______
8 ______
9 ______
10 ______
11 ______
12 ______
13 ______
14 ______

4 Unisci le frasi che raccontano un "prima" e un "dopo" attraverso un gerundio passato con valore causale, come nell'esempio.

	PRIMA	DOPO
Es.	*Mi è piaciuto quel dolce*	*Sono tornata ancora in quella pasticceria*
1	Ho bevuto troppo ieri sera	Sono tornato a casa in taxi
2	Hanno comprato una casa	Adesso devono pagare un bel mutuo alla banca
3	È andata a dormire tardissimo	Questa mattina non si è svegliata
4	Siamo già stati sulle Dolomiti	Abbiamo deciso di andare in vacanza in Val d'Aosta
5	Non ha avuto istruzioni	Ha fatto di testa sua

Es. Essendomi piaciuto quel dolce, sono tornata ancora in quella pasticceria.

1 ________________

2 ________________

3 ________________

4 ________________

5 ________________

5 Coniuga i verbi tra parentesi all'infinito, al participio presente o passato e al gerundio presente.

L'appetito vien mangiando

Se a Totò avessero detto che l'appetito viene (*mangiare*) ________________, avrebbe sicuramente risposto: "Ma mi faccia il piacere, l'appetito viene a star digiuni!".

Sembra invece che il celebre proverbio abbia qualche base di verità scientifica e non solo pratica. Quanti di noi, (*mettersi*) ________________ a tavola anche senza troppo appetito iniziano poi a (*mangiare*) ________________ di gusto (*stare*) ________________ di fronte a una serie di piatti invitanti?

"Questo avviene - spiega Roberto Volpe del Servizio Prevenzione e Protezione del Centro Nazionale Ricerche di Roma - per una serie di fattori: contano molto il sapore del cibo, ma anche il suo profumo, il modo in cui viene (*presentare*) ________________ e addirittura il suo colore, perché... anche l'occhio vuole la sua parte".

Non vanno (*trascurare*) ________________ inoltre, l'ambiente, ovvero l'ospitalità della casa, e la compagnia.

Un processo simile si verifica anche per gli *snack*: da quelli salati (*utilizzare*) ________________ negli aperitivi, a quelli dolci che accompagnano le merende a base di bevande calde. Ciò è (*spiegare*) ________________ scientificamente.

"Nel nostro cervello quando mangiamo alimenti salati o dolci si ha un aumento di molecole dette *endocannabinoidi* così (*chiamare*) ________________ in quanto sono (*produrre*) ________________ dal nostro corpo e hanno un effetto simile a quello dei cannabinoidi della marijuana", continua il ricercatore.

"Gli *endocannabinoidi* interagiscono con l'area del cervello in cui vengono (*controllare*) ________________ fame e sazietà, con il risultato di (*bloccare*) ________________ il senso di sazietà e di (*stimolare*) ________________ l'appetito. Il risultato è un aumento del desiderio proprio verso questi cibi che inducono a (*ripetere*) ________________ l'esperienza, sia nell'immediato sia nel tempo".

Conclude Volpe: "Se si considera che questi cibi (*gratificare*) ________________ sono spesso oggetto di una pubblicità (*accattivare*) ________________ che ha come bersaglio soprattutto i ragazzi, ben si comprende la preoccupazione per la loro salute. Ma il problema è soprattutto nel (*ripetere*) ________________ l'errore. Quindi, con Seneca, potremmo concludere che *semel in anno licet insanire* e cioè che una volta all'anno è lecito fare cose pazze. Ma non tutti i giorni!"

da *almanacco.cnr.it*

Esercizi

6 **Trasforma le frasi implicite rette dal gerundio in frasi esplicite nella forma preceduta dalle congiunzioni: ANCHE SE + indicativo; BENCHÉ, SEBBENE, NONOSTANTE + congiuntivo.**

1 Pur studiando molto, i suoi risultati non sono eccezionali.
____

2 Pur stando a dieta, non dimagrisco di un grammo.
____

3 Pur avendo lavorato molti anni, non aveva esperienza in quel campo.
____

4 Pur guadagnando molto, non spende mai soldi per viaggiare o divertirsi.
____

5 Pur conoscendo la verità, loro non ti hanno detto niente.
____

6 Pur avendo la febbre alta, non abbiamo voluto prendere medicine.
____

Il gerundio può essere relativo?
Le frasi con gerundio hanno molti valori: temporale, modale, ipotetico e causale.
Non hanno mai valore di frase relativa, frase cioè introdotta da un ***che*** con valore di pronome relativo.
Es. *Vedo tanta gente andando in bicicletta = mentre vado in bicicletta / se vado in bicicletta.*
Non significa assolutamente: *vedo tanta gente che va in bicicletta.*

7 **Trasforma le frasi sostituendo la parte evidenziata con PUR + gerundio, PUR DI + infinito, PUR + participio passato / aggettivo, a seconda dei casi, come negli esempi.**

Es. Anche se sono stanca morta, vado lo stesso in discoteca. → Pur essendo stanca morta, vado lo stesso in discoteca.
Es. Sono disposto cambiare vita **per sposare quella donna**. → Pur di sposare quella donna sono disposto a cambiare vita.
Es. Benché avessi freddo sono uscita lo stesso. → Pur avendo freddo sono uscita lo stesso.

1 **Sebbene avessi dormito molto**, avevo ancora sonno. → _______________
2 **Per mangiare qualcosa** credo che ruberei! → _______________
3 **Benché sia offesa**, ha detto che verrà ugualmente alla festa. → _______________
4 **Nonostante fosse domenica**, i negozi erano tutti aperti. → _______________
5 **Anche se ama gli animali**, ha deciso di non averli in casa. → _______________
6 C'è chi è pronto a farsi uccidere, **per sostenere le proprie idee**. → _______________
7 **Anche se poco preparato**, ha ugualmente superato l'esame. → _______________

e inoltre...

8 **Inserisci nelle frasi il gerundio con valore di aggettivo o sostantivo.**

addendi	crescendo	educanda	laureanda
maturanda	reverendo	tagliando	veneranda

1 Alla mia ________________ età gli stravizi non sono permessi.
2 La mia vita è stata un ________________ di successi.
3 La prego di accogliere, ________________ Padre, i miei più devoti ossequi.
4 É una ________________ in giurisprudenza, le manca solo un esame e la discussione della tesi.
5 Maria è proprio un'________________! Diventa subito rossa appena si toccano certi argomenti.
6 Ho appena fatto il ________________ alla macchina, posso viaggiare in tutta sicurezza.
7 Cambiando l'ordine degli ________________ il risultato non cambia.
8 Federica è una ________________ del Liceo classico "Virgilio".

9 **Scrivi dei consigli usando la struttura NON È + gerundio + CHE, come nell'esempio.**

Es. Voglio dimagrire! *Non è mangiando dolci che dimagrirai!*
1 Voglio un nuovo lavoro! ________________
2 Voglio cambiare marito! ________________
3 Voglio superare quell'esame! ________________
4 Voglio incontrare nuovi amici! ________________
5 Voglio sembrare più giovane! ________________

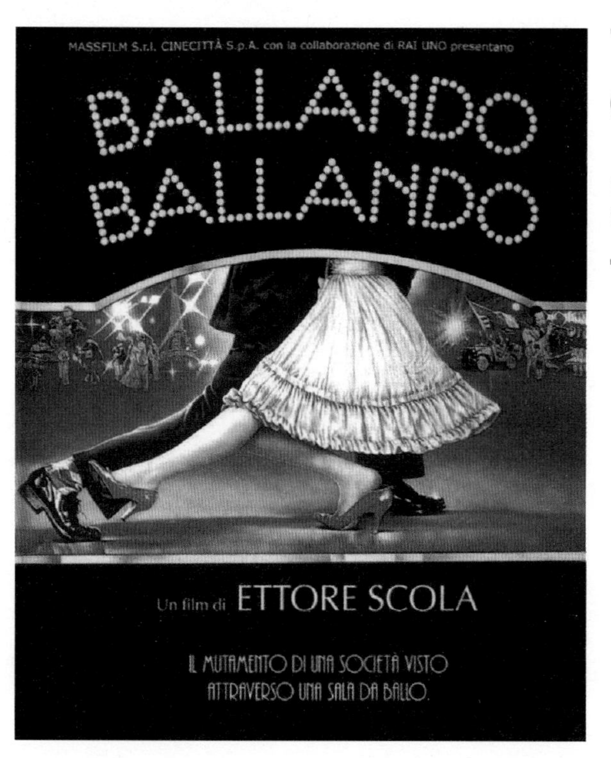

Ci sono dei casi con il gerundio in frasi indipendenti?
Il gerundio si trova spesso nei titoli (di film, di canzoni o di spettacoli) in forma indipendente. ***Ballando ballando*** (film di Ettore Scola, 1983), ***Fotografando Patrizia*** (film di Salvatore Sampieri, 1984).

lettura 9. LE ORIGINI DELL'ITALIANO

Fra il I secolo a.C. e il II secolo d.C. il latino è diventato la lingua ufficiale di tutti - o quasi tutti - i popoli che vivevano nell'impero romano.

È facile supporre che non dappertutto si parlasse lo stesso latino e che di pronunce differenti ce ne fossero molte: pensandoci bene, anche oggi, potendo, tutti vorrebbero parlare inglese senza avere inflessioni[1] nazionali; ma in genere le differenze fra l'inglese di un italiano, di un indiano o di un americano sono sempre piuttosto forti. Va detto che la stessa antica Roma, pur essendo il cuore della latinità, doveva essere una città in cui la lingua parlata era un bel po'[2] differente dalla lingua dei grandi poeti e scrittori.

Ovviamente i maestri avevano il compito di far imparare a tutti lo stesso latino in modo da mantenerlo omogeneo nell'impero: ma non era un compito facile.

Nel III secolo un maestro romano (si chiamava Probo, secondo alcuni studiosi) aveva scritto degli appunti per i suoi allievi. Pensando che gli sbagli degli studenti, per lo più, erano sempre gli stessi, aveva fatto una lista dei più frequenti cosicché i suoi ragazzi potessero ricordarsi le forme giuste più facilmente.

La lista, da imparare a memoria, diceva fra l'altro:

Si dice ***pecten***, non ***pectinis***! (E pensare che in italiano oggi si dice *pettine*!)
Si dice ***columna***, non ***colomna***! (Nemmeno a dirlo: in italiano oggi si dice *colonna*.)
Si dice ***lancea***, non ***lancia***! (Tuttavia in italiano oggi si dice *lancia*.)
Si dice ***februarius*** non ***febrarius***! (Come sbagliare? In italiano oggi si dice *febbraio*.)
Si dice ***rabidus*** non ***rabiosus***! (Eppure in italiano oggi si dice *rabbioso*.)

A pensarci bene il povero Probo si sentirebbe proprio come un pesce fuor d'acqua[3] se sapesse come sono andate a finire le cose. Come immaginare del resto che la lingua dei suoi studenti, piena di errori, avrebbe avuto un grande futuro e che la sua invece era destinata a diventare solo una importantissima "lingua morta"? Sapendolo ci rimarrebbe sicuramente molto, molto male!

Dopo il V secolo i mutamenti nella lingua latina diventano ancora più profondi di quanto si possa immaginare: le invasioni barbariche, la crisi dell'istruzione e dell'amministrazione statale, le guerre, la difficoltà dei contatti fra regione e regione provocano un vero terremoto linguistico. Per quanto fossero meno civilizzati dei romani, i "barbari" se ne andavano in giro liberamente per l'impero portando con sé cultura e molte parole nuove: e fra queste parecchi colori. Sono di origine germanica per esempio bianco (in latino si diceva *albus*) e rosso (in latino si diceva *fulvus*); e poi sono germaniche numerose parole di guerra (*guerra*, appunto, che in latino si diceva *bellum*, mentre in germanico *werra*).

Ma soprattutto a quel punto cambia la grammatica, la struttura stessa della lingua. Passati alcuni secoli, la gente comincia a non capire più la lingua "classica". Per molto tempo infatti si è parlata una lingua di mezzo fra latino e italiano, la lingua *volgare*, la lingua del popolo. Ma è stato necessario aspettare il XIII secolo per trovare qualcuno che, in Sicilia, cominciasse a scrivere "ufficialmente" in questa nuova lingua: i poeti siciliani. Eh sì, l'italiano letterario è nato proprio in Sicilia (anche se è un po' difficile per i toscani ingoiare questo rospo[4]!).

---

[1] inflessioni → accenti, intonazioni.
[2] un bel po' → molto, abbastanza.
[3] un pesce fuor d'acqua → al posto sbagliato.
[4] ingoiare il rospo → accettare a malincuore.

Esercizi

1 L'indovinello veronese.

Uno dei primi documenti di lingua "volgare" è considerato l'indovinello veronese (VIII-IX secolo).

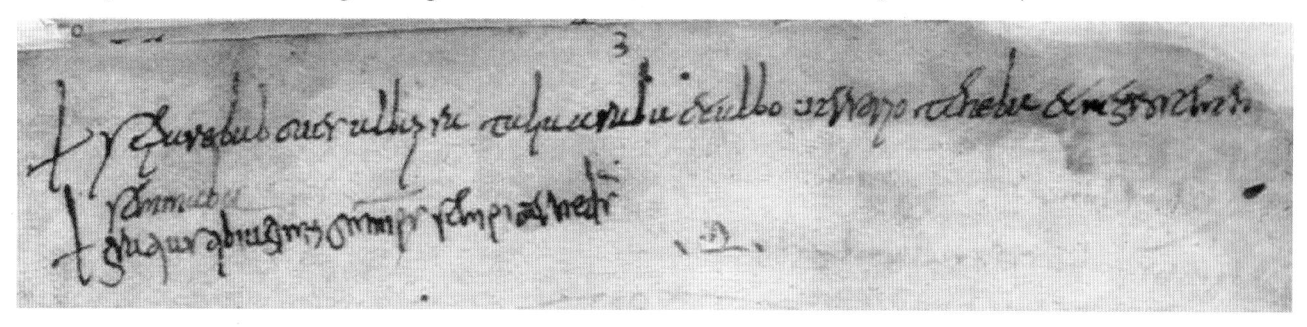

Se pareba boves, alba pratàlia aràba et albo versòrio teneba, et negro sèmen seminaba.

Significa: Teneva davanti a sé i buoi, arava prati bianchi, e teneva un aratro bianco e un seme nero.
Riesci a risolvere l'indovinello?

2 Inserisci le parole mancanti nelle frasi, come nell'esempio.

a	a	da	e	e pensare che	far
in modo da	passati	per quanto	*potendo*	va detto	pur essendo

1 Anche oggi, ___potendo___, tutti vorrebbero parlare inglese senza avere inflessioni nazionali; ma in genere le differenze fra l'inglese di un italiano, di un indiano o di un americano, sono sempre piuttosto forti.
2 ________________ che la stessa antica Roma, ________________ il cuore della latinità, doveva essere una città in cui la lingua parlata era un bel po' differente dalla lingua dei grandi poeti ________________ degli scrittori.
3 Ovviamente la scuola aveva il compito di ________________ imparare a tutti lo stesso latino ________________ mantenerlo omogeneo nell'impero: ma non era un compito facile.
4 La lista, ________________ imparare a memoria, diceva fra l'altro: si dice *pecten*, non *pectinis!* (________________ in italiano oggi si dice *pettine*!).
5 ________________ pensarci bene il povero Probo si sentirebbe proprio come un pesce fuor d'acqua se sapesse come sono andate ________________ finire le cose.
6 ________________ fossero meno civilizzati dei romani, i "barbari" se ne andavano in giro per l'impero portando con sé cultura e molte parole nuove: e fra queste parecchi colori.
7 ________________ alcuni secoli, la gente comincia a non capire più la lingua "classica".

3 Trasforma sul quaderno le parti evidenziate, da implicite a esplicite, come nell'esempio.

Es. Roma, **pur essendo il cuore della latinità**, doveva essere una città in cui la lingua parlata era un bel po' differente dalla lingua dei grandi poeti e scrittori.
Roma, nonostante fosse il cuore della latinità, doveva essere una città in cui la lingua parlata era un bel po' differente dalla lingua dei grandi poeti e scrittori.

1 I maestri avevano il compito di far imparare a tutti lo stesso latino **in modo da mantenerlo omogeneo nell'impero**: ma non era un compito facile.
2 Probo aveva fatto una lista degli errori più frequenti **pensando che gli sbagli degli studenti erano sempre gli stessi**.
3 **A pensarci bene** il povero Probo si sentirebbe proprio come un pesce fuor d'acqua se sapesse come sono andate a finire le cose.
4 **Sapendolo** ci rimarrebbe sicuramente molto, molto male!
5 **Passati alcuni secoli**, la gente ha cominciato a non capire più la lingua "classica".

Esercizi

4 **Abbina le espressioni latine (ancora oggi in uso nella lingua italiana) alle definizioni.**

Espressioni latine

1 *ad personam*
2 *aut aut*
3 *carpe diem*
4 *verba volant, scripta manent*
5 *do ut des*
6 *errare humanum est*
7 *sui generis*
8 *inter nos*
9 *lupus in fabula*
10 *mors tua vita mea*

Definizioni

A Tra noi. Qualcosa che si fa o si dice in confidenza.
B Do perché tu dia, faccio una cosa che può sembrare generosa perché penso che potrò avere un vantaggio da questa mia azione.
C Il lupo nel discorso. Si usa per dire: eccolo qui, arriva proprio mentre parliamo di lui.
D Le parole volano, gli scritti rimangono. Come dire: meglio mettere per iscritto quanto si è detto perché altrimenti si finisce con il dimenticare.
E La tua morte è la mia vita. La tua sconfitta equivale alla mia vittoria.
F Proprio per una persona, a suo vantaggio.
G O questo o quello, non ci sono altre possibilità.
H Sbagliare è umano.
I Cogli l'attimo, sfrutta l'occasione, non perdere tempo.
L Particolare, originale, con caratteristiche proprie.

1.__ • 2.__ • 3.__ • 4.__ • 5.__ • 6.__ • 7.__ • 8.__ • 9.__ • 10.__

5 **Completa le frasi con i verbi tra parentesi.**

1 Malgrado i maestri (*insegnare*) ____________ il latino, gli studenti preferivano di solito parlare la lingua della strada
2 È normale che la gente non (*stare*) ____________ a pensare troppo alla grammatica quando parla.
3 La gente rinuncia all'esattezza e usa espressioni semplici e familiari pur di (*farsi*) ____________ immediatamente intendere.
4 Un esempio? Il popolo cominciò piano piano a usare *testa* per indicare il capo, il cranio dell'uomo, dopo (*usare*) ____________ questo termine per indicare un vaso di argilla.
5 Chiunque oggi (*dire*) ____________ *zucca* per indicare la testa, vuole evidentemente prendere in giro una persona con poco cervello.
6 L'aggettivo *cattivo* vuol dire *malvagio, perverso*. Deriva dal latino *captivus* cioè *prigioniero*. Come si è passati dal senso originario a quello attuale? Si diceva che l'uomo che commetteva il male (*diventare*) ____________ a tal punto schiavo dei suoi peccati da non riuscire a liberarsene più: era quindi prigioniero del demonio: *captivus diaboli*.

6 **Guarda la frase usata nel testo e prova a collegare i proverbi e i modi di dire con gli animali ai significati appropriati, come nell'esempio.**

Il povero Probo si sentirebbe proprio come un pesce fuor d'acqua se sapesse come sono andate a finire le cose.

1 *Avere una gatta da pelare.*
2 Andare a dormire con le galline.
3 Essere cane e gatto.
4 Campa cavallo che l'erba cresce.
5 Il cavallo di battaglia.
6 Avere una febbre da cavallo.
7 Essere la pecora nera.
8 Essere muto come un pesce.
9 Essere un pesce fuor d'acqua.
10 Non sapere che pesci prendere.
11 Non essere né carne né pesce.
12 Essere sano come un pesce.
13 Prendere qualcuno a pesci in faccia.
14 Non cavare un ragno dal buco.
15 Prendere lucciole per lanterne.
16 Ingoiare il rospo.
17 In bocca al lupo!

A L'attività in cui siamo particolarmente bravi.
B Buona fortuna!
C Stare bene in salute.
D Non parlare, saper mantenere un segreto.
E Trattare malissimo qualcuno.
F Non avere una personalità ben definita o caratteristiche precise.
G Essere a disagio.
H Non andare d'accordo, essere sempre pronti a litigare.
I Non concludere nulla nonostante gli sforzi.
L Avere la febbre alta.
M Sbagliarsi, capire o vedere una cosa per un'altra.
N *Avere un problema difficile da risolvere.*
O Sopportare qualcosa di sgradevole.
P Non sapere cosa fare.
Q Pazientare e aspettare forse all'infinito, senza certezza che la cosa desiderata avvenga realmente.
R Distinguersi in modo negativo dal resto del gruppo o della famiglia.
S Andare a letto molto presto.

1.N • 2.__ • 3.__ • 4.__ • 5.__ • 6.__ • 7.__ • 8.__ • 9.__ • 10.__ • 11.__ • 12.__ • 13.__ • 14.__ • 15.__ • 16.__ • 17.__

7 **Trova i sostantivi italiani collegati all'aggettivo in forma "latineggiante", come nell'esempio.**

1 floreale	*fiore*	7 aureo	
2 plateale		8 fraterno	
3 frigido		9 paterno	
4 speculare		10 mensile	
5 oculare		11 ecclesiastico	
6 radioso		12 magistrale	

24. IL PASSATO REMOTO E IL TRAPASSATO REMOTO

24.1 IL PASSATO REMOTO

Il passato remoto esprime un'azione avvenuta in passato. Dal punto di vista temporale è simile al passato prossimo.
Ma il passato remoto è più "epico" e "importante": l'azione espressa vuole essere storica, lontana dal presente, non tanto nel tempo quanto psicologicamente. Si usa specialmente nella lingua scritta, nei romanzi, nei racconti di favole, nei racconti storici e anche nella canzoni o nelle ballate che raccontano fatti lontani. Nel sud Italia il passato remoto è abbastanza frequente anche nella lingua parlata. Si usa talvolta nel parlato anche in centro Italia. Nel nord è quasi completamente assente.

24.2 LE FORME REGOLARI DEL PASSATO REMOTO

	PARL -ARE	POT -ERE	SENT -IRE
io	parl **-ai**	pot **-ei**	sent **-ii**
tu	parl **-asti**	pot **-esti**	sent **-isti**
lui / lei	parl **-ò**	pot **-é**	sent **-ì**
noi	parl **-ammo**	pot **-emmo**	sent **-immo**
voi	parl **-aste**	pot **-este**	sent **-iste**
loro	parl **-arono**	pot **-erono**	sent **-irono**

ESSERE	AVERE
fui	**ebbi**
fosti	**avesti**
fu	**ebbe**
fummo	**avemmo**
foste	**aveste**
furono	**ebbero**

24.3 FORME IRREGOLARI DEL PASSATO REMOTO

Molti verbi, specialmente in **-ere**, hanno il passato remoto irregolare.
I verbi irregolari hanno forme speciali nella **prima**, nella **terza** e nella **sesta** persona (*io, lui, loro*).
Le altre persone (*tu*, *noi*, *voi*) sono sempre regolari.
Per coniugare i verbi irregolari è necessario ricordare la forma della prima persona. Per esempio: la prima persona del passato remoto del verbo ***nascondere*** è ***io nascosi***. Le forme regolari (*tu*, *noi*, *voi*) sono ***nascondesti***, ***nascondemmo*** e ***nascondeste***. Quelle irregolari (*io, lui, loro*) sono ***nascosi***, ***nascose***, ***nascosero***.
E tutti i verbi seguono questo schema. Qualche esempio nella tabella.

	NASCERE	RISPONDERE	VENIRE	VIVERE	VOLERE
io	**nacqui**	**risposi**	**venni**	**vissi**	**volli**
tu	nasc-esti	rispond-esti	ven-isti	viv-esti	vol-esti
lui / lei	**nacque**	**rispose**	**venne**	**visse**	**volle**
noi	nasc-emmo	rispond-emmo	ven-immo	viv-emmo	vol-emmo
voi	nasc-este	rispond-este	ven-iste	viv-este	vol-este
loro	**nacquero**	**risposero**	**vennero**	**vissero**	**vollero**

24.4 I PRINCIPALI VERBI IRREGOLARI AL PASSATO REMOTO

Avere → **ebbi**	Esprimere → **espressi**	Porre → **posi**	Stringere → **strinsi**
Bere → **bevvi**	Essere → **fui**	Rimanere → **rimasi**	Succedere → **successe**
Cadere → **caddi**	Fare → **feci**	Risolvere → **risolsi**	Tenere → **tenni**
Chiedere → **chiesi**	Giungere → **giunsi**	Rispondere → **risposi**	tradurre → **tradussi**
Conoscere → **conobbi**	Mettere → **misi**	Rompere → **ruppi**	Trarre → **trassi**
Correre → **corsi**	Muovere → **mossi**	Sapere → **seppi**	Vedere → **vidi**
Crescere → **crebbi**	Nascere → **nacqui**	Scrivere → **scrissi**	Venire → **venni**
Dare → **diedi**	Nascondere → **nascosi**	Spegnere → **spensi**	Vincere → **vinsi**
Dire → **dissi**	Piacere → **piacqui**	Spendere → **spesi**	Vivere → **vissi**
Dovere → **dovei/dovetti**	Piovere → **piovve**	Stare → **stetti**	Volere → **volli**

24.5 LE FORME DEL TRAPASSATO REMOTO

Il trapassato remoto si forma con il **passato remoto degli ausiliari essere o avere + il participio passato** del verbo.

io	ebbi capito	fui tornata/o
tu	avesti capito	fosti tornata/o
lui / lei	ebbe capito	fu tornata/o
noi	avemmo capito	fummo tornate/i
voi	aveste capito	foste tornate/i
loro	ebbero capito	furono tornate/i

24.6 L'USO DEL TRAPASSATO REMOTO

Il trapassato remoto si usa in una **frase dipendente** per indicare un'azione avvenuta prima di quella espressa dal verbo principale.
Ma per usarlo ci devono essere almeno due condizioni (che rendono l'uso del trapassato remoto molto raro).

Appena ***fui uscito*** di casa, una macchina sportiva si fermò davanti a me.
Laura mi chiamò dopo che suo figlio ***ebbe finito*** la partita di calcio.
Non aprii bocca finché gli altri non ***ebbero finito*** di parlare.

1. Il verbo della frase principale deve essere un **passato remoto**.

Uscì dopo che ebbe finito di bere il suo caffè.

2. La frase dipendente deve essere introdotta da una **congiunzione di tempo** (*quando, dopo che, finché, appena*, ecc.).

Appena fu entrato cominciò a innervosirsi.
Quando ebbe concluso il suo lavoro si riposò.

1 Coniuga i verbi al passato remoto e indica se l'affermazione secondo te è vera (V) o falsa (F).

		V	F
1	Galileo Galilei (*nascere*) ____________ a Firenze.	☐	☐
2	Salvatore Quasimodo (*vincere*) ____________ il Premio Nobel.	☐	☐
3	Caravaggio (*dipingere*) ____________ l'*Ultima Cena*.	☐	☐
4	Luciano Pavarotti (*cantare*) ____________ *O sole mio*.	☐	☐
5	Casanova (*vivere*) ____________ a Venezia.	☐	☐
6	Giuseppe Verdi (*comporre*) ____________ *La Traviata*.	☐	☐
7	L'Italia (*vincere*) ____________ i mondiali di calcio nel 1934.	☐	☐
8	Sofia Loren (*recitare*) ____________ nel film di Vittorio De Sica *La Ciociara*.	☐	☐
9	Cristoforo Colombo (*morire*) ____________ in Italia.	☐	☐
10	Luigi Pirandello (*scrivere*) ____________ *La Divina Commedia*.	☐	☐

2 Ricerca nella tabella le forme verbali coniugate al passato remoto. Le lettere restanti formeranno il nome di un personaggio storico molto famoso rappresentato in questa pagina.

C	O	N	O	B	B	E	R	O	G
R	U	P	P	E	R	O	F	U	I
E	U	R	A	V	O	L	L	I	V
B	S	E	V	V	I	N	S	E	O
B	C	S	O	E	I	D	R	I	L
I	I	E	L	B	A	S	I	L	L
E	S	P	L	O	D	E	S	T	E
B	T	D	E	S	T	E	D	E	R
B	I	I	R	F	E	C	E	R	O
I	S	C	O	M	P	A	R	V	E

Giuseppe ____________

Il trapassato remoto si usa nella lingua parlata?

No, è praticamente scomparso. È raro anche nello scritto perché nella frase dipendente temporale si può usare spesso anche un semplice **participio passato** (vedi Vol. **2**, cap. **21.2**) o un ***dopo*** + **infinito passato** (vedi Vol. **2**, cap. **22.6**).

Es. ***Appena entrato*** *cominciò a innervosirsi;* ***Dopo avere concluso*** *il suo lavoro uscì.*

3 Sostituisci le forme evidenziate con un trapassato remoto. Aggiungi una congiunzione di tempo dove necessario.

1 **Preparata** (________________________) la cena, bevvi un bel bicchiere di vino rosso.
2 **Dopo aver finito** (________________________) di studiare, andai al cinema.
3 **Appena arrivato** (________________________) a casa, si mise a giocare con le bambine.
4 **Detta** (________________________) la verità, si mise a piangere.
5 **Una volta partito** (________________________), si sentirono tutti meglio.
6 **Sentita** (________________________) l'ultima canzone del concerto, andai via.

4 **Coniuga i verbi tra parentesi al passato remoto o all'imperfetto.**

Un popolo di mangiaspaghetti?

Carlo Camillo di Rudio (*nascere*) _______________ a Belluno nel 1832.
In quegli anni in tutta Italia (*esserci*) _______________ movimenti di insurrezione contro i sovrani che (*governare*) _______________ il paese: contro i Borboni a Palermo e a Napoli, contro gli austriaci in Lombardia e in Veneto, contro il Papa nell'Italia Centrale.
Dopo essersi formato all'Accademia Militare, nel 1848 Carlo di Rudio (*partecipare*) _______________, a soli sedici anni, alle rivolte antiaustriache nelle famose *5 giornate di Milano* e nella Repubblica di Venezia.
Nel 1849 (*andare*) _______________ a Roma con altri eroi del Risorgimento, Garibaldi, i fratelli Dandolo, Goffredo Mameli, per difendere la *Repubblica Romana* fondata da Mazzini.
Inseguito dalla polizia di mezza Europa, alla fine (*scappare*) _______________ in Inghilterra dove (*sposarsi*) _______________ con una donna inglese e dove (*restare*) _______________ per qualche tempo.
Ma la passione rivoluzionaria (*rimanere*) _______________ fortissima: quando nel 1857 Felice Orsini, un patriota italiano, (*decidere*) _______________ di uccidere il re di Francia Napoleone III (colpevole di aver fatto fallire i moti rivoluzionari italiani del 1848), Carlo di Rudio (*partecipare*) _______________ all'azione.
L'attentato però (*fallire*) _______________. Felice Orsini (*essere condannato*) _______________ alla ghigliottina e Carlo di Rudio all'ergastolo nella terribile colonia penale della Caienna, nella Guyana francese, nell'America del Sud.
In quel momento (*avere*) _______________ venticinque anni. (*Arrendersi*) _______________? No.
(*Riuscire*) _______________ a fuggire, (*imbarcarsi*) _______________ per l'Inghilterra e nel 1860 (*essere*) _______________ di nuovo con la sua famiglia.
(Noi - *Essere*) _______________ ormai nell'anno della *Spedizione dei Mille*. Carlo (*volere*) _______________ naturalmente partecipare a queste battaglie decisive per la storia italiana, ma (*essere inseguito*) _______________ sia dalla polizia francese che da quella austriaca: per lui viaggiare (*essere*) _______________ pericolosissimo.
(*Decidere*) _______________ quindi di emigrare negli Stati Uniti. (*Arrivare*) _______________ a New York proprio all'inizio della Guerra di Secessione americana.
(*Arruolarsi*) _______________ come "sostituto" di un ricco giovane americano che (*preferire*) _______________ stare a casa, e (*diventare*) _______________ sottotenente dell'esercito. (*Prendere*) _______________ allora il nome americano di Charles De Rudio. Pensate forse che la sua storia finisca qui? Assolutamente no.
Dopo la *Guerra di secessione* (*essere assegnato*) _______________ al famoso 7° Cavalleria (quello dei film western): agli ordini del Generale Custer (*partecipare*) _______________ alle guerre indiane contro i Sioux e i Cheyenne guidati da Cavallo Pazzo (Crazy Horse) e nel 1876 (*essere*) _______________ uno dei pochi superstiti della battaglia di Little Big Horn. In seguito, promosso capitano, (*occuparsi*) _______________ ancora di guerre indiane, (*combattere*) _______________ contro Capo Giuseppe, (*conoscere*) _______________ anche Geronimo, celebre capo Apache, e (*raggiungere*) _______________ la pensione in una guarnigione del Texas.
(*Morire*) _______________ nel suo letto nel 1910, si dice, fra i ritratti dei suoi compagni di avventura nelle lotte risorgimentali italiane, primo fra tutti Giuseppe Mazzini.

lettura 10. TRA MOGLIE E MARITO...

Compare Alfio tornò a casa carico di soldoni e portò in regalo alla moglie una bella veste nuova per le feste.
- Avete ragione a portarle dei regali - gli disse Santa - perché mentre voi siete via, vostra moglie vi "adorna" la casa.
Compare Alfio cambiò colore: - Santo diavolone - esclamò - se non avete visto bene non vi lascerò gli occhi per piangere, a voi e a tutto il vostro parentado!
- Non sono usa a piangere, - rispose Santa - non ho pianto nemmeno quando ho visto con questi occhi Turiddu entrare di notte in casa di vostra moglie.
- Va bene, - rispose Compare Alfio - grazie tante.

Turiddu era all'osteria con gli amici. Come entrò Compare Alfio, comprese che era venuto per quell'affare e posò la forchetta sul piatto.
- Avete comandi da darmi, Compare Alfio?
- No, Compare Turiddu, era un pezzo che non vi vedevo e volevo parlarvi di quella cosa che sapete voi.
- Sono qui, Compare Alfio.
Alfio gli buttò le braccia al collo.
- Se domattina volete venire nei fichidindia potremo parlare di quell'affare, Compare.
- Aspettatemi sullo stradone allo spuntar del sole e ci andremo insieme.
Con queste parole si scambiarono il bacio di sfida. Turiddu strinse tra i denti l'orecchio di Alfio e così gli fece solenne promessa di non mancare.

Gli amici accompagnarono Turiddu a casa dove Nunzia, la madre, lo aspettava ogni sera fino a tardi.
- Mamma, ricordate quando sono andato soldato, che credevate che non sarei tornato più? Datemi un bel bacio come allora, perché domattina andrò lontano.

Prima di giorno si prese il suo coltello a molla e si mise in cammino per i fichidindia.

- Compare Alfio - cominciò Turiddu dopo che ebbe fatto un pezzo di strada accanto al suo compagno - come è vero Iddio so che ho torto e mi lascerei ammazzare. Ma prima di venire qui ho visto la mia vecchia che si era alzata per vedermi partire. Quant'è vero Iddio io vi ammazzerò per non far piangere la mia vecchierella.
- Così va bene, Compare Alfio, e picchieremo sodo tutti e due.
Entrambi erano bravi tiratori. Turiddu prese la prima botta nel braccio. Subito la rese all'inguine.
- Ah, Compare Turiddu, avete proprio intenzione d'ammazzarmi!
- Ve l'ho detto: ora che ho visto la mia vecchia mi pare d'averla sempre davanti agli occhi.
- Apriteli bene allora gli occhi - disse Compare Alfio che acchiappò rapidamente una manata di polvere e la gettò negli occhi dell'avversario.
- Ah, - urlò Turiddu accecato - son morto!
Cercava di salvarsi facendo salti all'indietro, ma Compar Alfio lo raggiunse con un'altra botta allo stomaco e una terza alla gola.
- E tre! E questa è per la casa che tu m'hai adornato!
Turiddu annaspò per un pezzo di qua e di là tra i fichidindia e poi cadde come un masso. Il sangue gli gorgogliava nella gola e non poté dire nemmeno:
- Mamma mia!

Adattamento della novella *Cavalleria Rusticana* di Giovanni Verga (poi opera di Pietro Mascagni)

1 Completa con le forme del passato remoto dei verbi nella lista.

acchiappare	accompagnare	annaspare	buttare	cadere
cambiare	cominciare	comprendere	dire	entrare
esclamare	fare	gettare	mettersi	portare
posare	potere	prendere	prendersi	rendere
rispondere	scambiarsi	stringere	tornare	urlare

Compare Alfio _______________ a casa carico di soldoni e _______________ in regalo alla moglie una bella veste nuova per le feste.
- Avete ragione a portarle dei regali - gli _______________ Santa - perché mentre voi siete via vostra moglie vi "adorna" la casa.
Compare Alfio _______________ colore: - Santo diavolone - _______________ - se non avete visto bene non vi lascerò gli occhi per piangere, a voi e a tutto il vostro parentado!
- Non sono usa a piangere, - _______________ Santa - non ho pianto nemmeno quando ho visto con questi occhi Turiddu entrare di notte in casa di vostra moglie.

Turiddu era all'osteria con gli amici. Come _______________ Compare Alfio, _______________ che era venuto per quell'affare e _______________ la forchetta sul piatto.
Alfio gli _______________ le braccia al collo.
- Se domattina volete venire nei fichidindia potremo parlare di quell'affare, Compare.
- Aspettatemi sullo stradone allo spuntar del sole e ci andremo insieme.
Con queste parole _______________ il bacio di sfida. Turiddu _______________ tra i denti l'orecchio di Alfio e così gli _______________ solenne promessa di non mancare.

Gli amici _______________ Turiddu a casa dove Nunzia, la madre, lo aspettava ogni sera fino a tardi. Prima di giorno _______________ il suo coltello a molla e _______________ in cammino per i fichidindia.
- Compare Alfio - _______________ Turiddu - Quant'è vero Iddio io vi ammazzerò per non far piangere la mia vecchierella.
Entrambi erano bravi tiratori. Turiddu _______________ la prima botta nel braccio. Subito la _______________ all'inguine.
- Ora che ho visto la mia vecchia mi pare d'averla sempre davanti agli occhi.
- Apriteli bene allora gli occhi - disse Compare Alfio che _______________ rapidamente una manata di polvere e la _______________ negli occhi dell'avversario.
- Ah, - _______________ Turiddu accecato - son morto!
Cercava di salvarsi facendo salti all'indietro, ma Compare Alfio lo raggiunse con un'altra botta allo stomaco e una terza alla gola.
Turiddu _______________ per un pezzo di qua e di là tra i fichidindia e poi _______________ come un masso. Il sangue gli gorgogliava nella gola e non _______________ dire nemmeno:
- Mamma mia!

2 Completa le frasi con le preposizioni.

1 Compare Alfio tornò ____ casa.
2 Avete ragione ____ portarle dei regali.
3 Non vi lascerò gli occhi ____ piangere.
4 Turiddu era ____ osteria con gli amici.
5 Alfio gli buttò le braccia ____ collo.
6 Turiddu faceva salti ____ indietro.
7 Aspettatemi sullo stradone ____ spuntar del sole.
8 Turiddu strinse ____ i denti l'orecchio di Alfio.
9 Nunzia lo aspettava ogni sera fino ____ tardi.
10 Avete proprio intenzione ____ ammazzarmi!
11 La mia vecchia è sempre davanti ____ occhi.
12 Volevo parlarvi ____ quella cosa che sapete voi.

3 Sostituisci le parole evidenziate con pronomi diretti, indiretti, combinati, CI o NE, come nell'esempio.

Es. Mentre voi siete via, vostra moglie **vi** "adorna" **la casa**.
Vostra moglie ve la adorna.

1 Compare Alfio tornò a casa e portò in regalo **alla moglie una bella veste nuova**.

2 Avete ragione a portar**le dei regali**.

3 Compare Alfio cambiò **colore**.

4 Se non avete visto bene, non **vi** lascerò **gli occhi per piangere**.

5 Ho visto con questi occhi Turiddu entrare di notte **in casa di vostra moglie**.

6 Turiddu posò **la forchetta sul piatto**.

7 Volevo parlar**vi di quella cosa**.

8 Alfio **gli** buttò **le braccia** al collo.

9 Se domattina volete venire nei fichidindia, potremo parlare **di quell'affare**.

10 Con queste parole **si** scambiarono **il bacio**.

11 Turiddu **gli** fece **una solenne promessa**.

12 Gli amici accompagnarono **Turiddu a casa**.

13 Date**mi un bel bacio** perché domattina andrò lontano.

14 Prima di giorno **si** prese **il suo coltello a molla**.

15 Prima di venire qui ho visto **la mia vecchia** che si era alzata per vedermi partire.

16 Quant'è vero Iddio io vi ammazzerò per non far piangere **la mia vecchierella**.

4 Scegli la forma corretta.

1 Santa ha detto ad Alfio che aveva ragione a portare dei regali a sua moglie perché, mentre lui era via, lei gli ***aveva adornato / ebbe adornato / adornerà*** la casa.
2 Santa ha detto anche che non ***piange / aveva pianto / ebbe pianto*** nemmeno quando aveva visto Turiddu entrare di notte in casa di sua moglie.
3 Quando Compare Alfio entrò nell'osteria, Turiddu comprese che ***è venuto / fu venuto / era venuto*** per quell'affare.
4 Turiddu ha detto ad Alfio ***di aspettarlo / che lo aveva aspettato / che lo aspetta*** il giorno dopo sullo stradone.
5 Turiddu strinse tra i denti l'orecchio di Alfio ***per gli fare / per fargli / per avergli fatto*** solenne promessa di non mancare.
6 Turiddu ha domandato a sua madre se si ricordava quando ***è andato / fu andato / era andato*** soldato.
7 Turiddu ha detto ad Alfio che ***sapeva / seppe / aveva saputo*** di avere torto.
8 Ma prima di andare al duello Turiddu aveva visto sua madre che si ***era alzata / è alzata / fu alzata*** per vederlo partire

5 Completa le frasi ipotetiche con i verbi tra parentesi.

1 Se Santa non (*fare*) ______________ la spia, Alfio non avrebbe sfidato a duello Turiddu.
2 Se Santa avesse mentito, Alfio non le (*lasciare*) ______________ gli occhi per piangere.
3 Se Turiddu (*stare*) ______________ a casa sua, non sarebbe successo niente.
4 A non aver accettato la sfida, Turiddu (*essere*) ______________ un vigliacco.
5 Se Turiddu (*andare*) ______________ il giorno dopo ai fichidindia, avrebbe potuto parlare con Alfio.
6 Se Turiddu avesse aspettato Alfio sullo stradone, loro (*potere*) ______________ andarci insieme.
7 Turiddu si sarebbe lasciato ammazzare se non (*avere*) ______________ davanti agli occhi la mamma.
8 Chiudendo gli occhi in tempo, Turiddu non (*rimanere*) ______________ accecato dalla polvere.
9 Se (*potere*) ______________ parlare, prima di morire, Turiddu avrebbe detto "Mamma mia!".

6 Scegli il tempo passato corretto.

1 Si scambiarono il bacio di sfida e Turiddu gli ***fece / ebbe fatto*** solenne promessa di non mancare.
2 Gli amici accompagnarono Turiddu a casa dove Nunzia lo ***aspettava / ebbe aspettato***.
3 Prima di giorno si prese il suo coltello a molla e ***si mise / si fu messo*** in cammino per i fichidindia.
4 Turiddu, dopo che ***fece / ebbe fatto*** un pezzo di strada, parlò al suo compagno.
5 Prima di venire qui ho visto la mia vecchia che si ***alzò / era alzata*** per vedermi partire.
6 Entrambi ***erano / furono*** bravi tiratori.
7 Turiddu annaspò tra i fichidindia e poi ***cadde / fu caduto***.

7 Fai il discorso indiretto delle seguenti frasi.

1 Santa disse a Compare Alfio: - Avete ragione a portare dei regali a vostra moglie.

____

2 Alfio esclamò: - Se non avete visto bene non vi lascerò gli occhi per piangere, a voi e a tutto il vostro parentado!

____

3 Turiddu chiese: - Avete comandi da darmi, Compare Alfio?

____

4 Alfio rispose: - No, Compare Turiddu, era un pezzo che non vi vedevo e volevo parlarvi di quella cosa che sapete voi.

____

5 Alfio disse a Turiddu: - Se domattina volete venire nei fichidindia potremo parlare di quell'affare, Compare.

____

6 Turiddu rispose: - Aspettatemi sullo stradone allo spuntar del sole e ci andremo insieme.

____

7 Alfio disse alla madre: - Mamma, ricordate quando sono andato soldato, che credevate che non sarei tornato più? Datemi un bel bacio come allora, perché domattina andrò lontano.

____

8 Turiddu disse: - Come è vero Iddio so che ho torto e mi lascerei ammazzare. Ma prima di venire qui ho visto la mia vecchia che si era alzata per vedermi partire. Quant'è vero Iddio io vi ammazzerò per non far piangere la mia vecchierella.

____

9 Compare Alfio gridò: - Apriteli bene allora gli occhi.

____

25. ALTRO SUL CONGIUNTIVO

25.1 IL CONGIUNTIVO NELLE FRASI PRINCIPALI

Il congiuntivo nelle frasi principali si usa per esprimere:

cortesia (imperativo con il "Lei" e con il "loro");	***Scriva*** la lettera che Le detto. ***Risponda*** alle mie domande e ***non cambi*** argomento.
una **esortazione o concessione** (una preghiera o una supplica);	Dio ci ***aiuti***!; Che la forza ***sia*** con te!; ***Venga*** pure; Mi ***scusi***; La ***prego***; ***Abbia*** pazienza, ecc.
un dubbio in frasi **interrogativo-dubitative** (valore simile a quello del futuro di dubbio);	Non sono venuti! Che ***abbiano cambiato*** idea? ***Fosse*** un genio e io non me ne sono mai accorto?
un **forte desiderio** (imperfetto o trapassato, talvolta anche introdotto da *magari*).	Ah, ***avessi*** i soldi! (Magari) ***Sapessi*** parlare il cinese!
Si usa anche in numerose **espressioni** ormai **cristallizzate**, simili a veri modi di dire.	***Fossi*** matto!; ***Sia ringraziato*** il cielo!; ***Sia*** chiaro!; ***Vada*** come ***vada***!; ***Costi*** quel che ***costi***!; ***Basti*** pensare che...; Mi ***consenta***...; ***Sapessi***...!, ecc.

25.2 IL CONGIUNTIVO RETTO DA VERBI

Il congiuntivo si trova, in diversa misura **in alternanza con l'indicativo,** dopo molti verbi reggenti.

Dopo i verbi che esprimono **desiderio, augurio, volontà** l'uso del congiuntivo è obbligatorio.	***Voglio che*** lui sappia la verità. ***Spero che*** abbiate tutta la fortuna che meritate.
Dopo verbi che esprimono **sentimenti, opinione, dubbio, necessità, probabilità, possibilità** e dopo i **verbi impersonali** l'uso del congiuntivo è frequente ma non sempre obbligatorio: quanto più uso il congiuntivo tanto più esprimo un pensiero "argomentato".	***Sono felice che*** siate tornati. ***Ritengo che*** vada bene. ***Dubito che*** abbia cambiato idea. ***È probabile che*** sia arrivato. Attenzione: ***Mi sa*** che oggi ***è*** lunedì. ("Mi sa" richiede l'indicativo)
Nelle frasi **interrogative indirette** o dopo un **verbo negativo** l'uso del congiuntivo è poco frequente nel parlato e più presente nello scritto.	***Mi ha domandato se*** fossi (ero) italiano. ***Non dico che*** stia (sta) bene, ma comunque meglio.
Il congiuntivo non si usa di solito dopo i verbi del "dire" o del "percepire"; viene però utilizzato **quando la frase dipendente precede la principale**.	Ho sentito dire ***che Tommaso lavora*** in Germania. ***Che Tommaso lavori*** in Germania l'ho sentito dire.
Si usa obbligatoriamente nei casi in cui **non introduciamo** la frase con **che**.	***Penso stia*** bene. ***Ero sicuro fosse*** sabato.

25.3 IL CONGIUNTIVO DOPO LA COSTRUZIONE *ESSERE* + AGGETTIVO + *CHE*

Il congiuntivo si usa spesso dopo **essere** + **aggettivo** + **che** (*è bello che, è giusto che*, ecc.), in particolare dopo i seguenti aggettivi:

ammesso	felice	indiscutibile	persuaso	soddisfatto
contento	giusto	inevitabile	possibile	sorpreso
convinto	impossibile	inteso	previsto	sottinteso
difficile	improbabile	inutile	probabile	stupito
escluso	incredibile	naturale	raro	strano
facile	indispensabile	necessario	sicuro	sufficiente

25.4 IL CONGIUNTIVO DOPO LE CONGIUNZIONI

Congiunzioni che di preferenza vogliono il congiuntivo sono:

a meno che **eccetto che** **tranne che** **salvo che**	**malgrado** **per quanto** **benché** **sebbene** **nonostante** **seppure**	**a patto che** **a condizione che** **purché** **qualora**	**perché** (finale) **affinché**	**a seconda che**
prima che	**come se** **comunque** **in qualunque modo**	**purché**	**in modo che** **in maniera che** **cosicché**	**(pur) senza che**

25.5 IL CONGIUNTIVO IN ALTRE FRASI DIPENDENTI

Il congiuntivo si usa anche nei seguenti casi.

Dopo una **frase principale al condizionale**.	***Vorrei*** che tu mi capissi.
Dopo un **superlativo relativo**.	Ho avuto ***più*** fortuna ***di quanto*** sperassi.
Dopo gli **indefiniti**.	Non c'è ***niente*** che potessi rispondergli.
Dopo **perché** di causa fittizia *(non perché* + congiuntivo... *ma perché* + indicativo).	Parlo ***non perché*** sia arrabbiato ma solo perché ho ragione.
Nelle **frasi ipotetiche**.	***Se*** potessi, starei volentieri a casa.

25.6 IL CONGIUNTIVO NELLE FRASI RELATIVE

Nelle frasi relative, introdotte da **che**, da **il quale** o da preposizione + **cui** si usa quasi sempre l'**indicativo**.	Mangio quel dolce ***che mi piace***. Questa è la casa ***in cui vivo***.
Quando la frase relativa dipende da un verbo che indica scelta o selezione, se il requisito richiesto è la descrizione di una **caratteristica nota al parlante** si usa l'indicativo.	Il mio bambino si è perso nell'aeroporto: cerco un bambino che ***ha*** gli occhi azzurri e i capelli biondi!
Se il requisito è una **vera preferenza** allora si usa in genere il congiuntivo.	Voglio girare un film: cerco un bambino che ***abbia*** gli occhi azzurri e i capelli biondi!

25.7 QUANDO L'USO DEL CONGIUNTIVO CAMBIA IL SIGNIFICATO

Alcuni verbi, seguiti da congiuntivo o da indicativo, assumono sfumature diverse.

Ammettere	+ indicativo = *riconoscere* + congiuntivo = *supporre*	Ammetto che ***hai*** ragione. Ammesso che questo ***sia*** vero, che posso fare?
Capire	+ indicativo = *rendersi conto* + congiuntivo = *trovare naturale*	Capisco che non ***è*** il momento di partire. Capisco che tu ***abbia reagito*** in questo modo.
Considerare	+ indicativo = *tener conto* + congiuntivo = *valutare*	Considera che ***è*** lunedì e ***c'è*** molto traffico. Ho considerato che lui non ***potesse*** fare altro.
Pensare	+ indicativo = *essere convinto* + congiuntivo = *ritenere*	Penso che ***è*** ora di andare. Penso che ***sia*** necessario valutare bene questa cosa.

Le congiunzioni **magari** e **perché**, seguite da congiuntivo o indicativo, hanno un senso diverso.

Magari	+ indicativo = *perché no?* + congiuntivo = *che bello se...*	Magari tu domani ***cambi*** idea... Magari tu ***cambiassi*** idea!
Perché	+ indicativo = indica una causa + congiuntivo = indica un fine	Io lavoro tanto perché tu non ***fai*** niente! Io lavoro tanto perché tu non ***faccia*** niente.

1 Correggi l'errore della scritta sul muro.

____

____

____

____

2 Scegli il verbo giusto.

1 Mi auguro che loro ***imparano / imparino*** molto il prossimo anno a scuola.
2 Era probabile che loro da giovani ***ascoltano / ascoltassero*** una musica diversa.
3 Magari anche io ***ho / avessi*** diciott'anni come voi!
4 È un segreto e non so se ***dovrei / dovessi*** dirtelo.
5 Sarà bene che ***fai / faccia*** molta attenzione.
6 È inutile che voi ***cercherete / cerchiate*** di sembrare moderni!
7 Vorrei che voi ***sentireste / sentiste*** questa musica.
8 Prima che ***nascevano / nascessero*** i suoi figli lui era un irresponsabile.
9 Forse alcuni stereotipi sull'Italia oggi ***sono / siano*** finalmente superati.
10 Non ha voluto aiutarmi anche se ***avrebbe potuto / avesse potuto***.
11 Ci auguriamo che questi ragazzi ***parlano / parlino*** bene italiano.
12 Se si ***guarda / guardi*** al debito pubblico, l'Italia ha certamente dei problemi.
13 Sarà bene che si ***distingue / distingua*** fra essere mammoni e non avere la possibilità di vivere da soli.
14 Se è vero che non ***bisognerebbe / bisognasse*** mai usare la violenza, è anche vero che non bisogna nemmeno sopportare l'ingiustizia.
15 Spero che i partecipanti alla manifestazione non ***sono / siano*** violenti.
16 Che molti ragazzi italiani ***fumano / fumino*** hashish lo sanno tutti!
17 I "pariolini" sono quelli che ***vivono / vivano*** nel quartiere Parioli a Roma.
18 Se tu mi conoscessi non ***avresti pensato / abbia pensato*** questo di me!
19 Che molti giovani ***sentono / sentano*** volentieri la musica rap è sicuro.
20 Mio figlio mi ha dato un dvd perché io ***posso / possa*** imparare qualcosa sulla musica rap.

vai su www.alma.tv

Sulla morte del congiuntivo CERCA

nella rubrica GRAMMATICA CAFFÈ

Ogni volta che si parla di grammatica italiana, gli stessi italiani sostengono che il congiuntivo è in crisi, che ormai il congiuntivo si usa pochissimo, che solo chi parla bene usa il congiuntivo. È vero?

Difendere il congiuntivo è diventato lo sport preferito dei (cosiddetti) amanti dell'italiano. In realtà - e studi e statistiche lo dimostrano - non è l'uso o il disuso del congiuntivo il problema più caratteristico dell'italiano parlato.
Il discorso può essere lungo e per qualche dettaglio in più guarda il video qui accanto.

3 In tutte queste frasi è possibile usare l'indicativo. Ma in alcune il congiuntivo renderebbe il senso più efficace. Indica in quali frasi è possibile usare il congiuntivo.

1 In quel negozio vendono oggetti che non si ***trovano / trovino*** in nessun altro negozio della città.
2 Anche in Italia c'è una legge che ***obbliga / obblighi*** gli automobilisti a non guidare se hanno bevuto.
3 Domani comincerò a leggere quel libro che tu mi ***hai / abbia*** consigliato.
4 Assumerò per quel lavoro solo una persona che ***sa / sappia*** prendersi le sue responsabilità.
5 Per comprare una lavagna dovremmo trovare un negozio che ***vende / venda*** attrezzature per le scuole.
6 Ho intenzione di andare a Berlino che è una città che io non ***ho / abbia*** mai visitato nella mia vita.
7 Mi serve un computer che ***ha / abbia*** un hard disc di almeno 500 Giga.
8 Voglio andare in un ristorante dove ***fanno / facciano*** una pizza napoletana buona come a Napoli!
9 Sembra impossibile trovare una persona che ***capisce / capisca*** la situazione.
10 Devo scrivere un biglietto di auguri a Maria che ***festeggi / festeggia*** i suoi venticinque anni di matrimonio.
11 Ho comprato un televisore che ***costa / costi*** solo duecento Euro.
12 Lui è un uomo che ***sa / sappia*** fare un po' di tutto.
13 Non avrei bisogno di molto: solo di una persona che ***viene / venga*** a casa mia per fare le pulizie.

4 Completa le frasi con la forma verbale opportuna.

1 Anche se mi (*dispiacere*) ________________ ammetterlo, devo dire che Mario è molto competente.
2 È possibile che Angela (*telefonare*) ________________ a Giorgio a Natale dell'anno scorso.
3 Non voglio disturbarlo ora che è appena tornato dal lavoro e magari (*essere*) ________________ stanco.
4 Che lui (*sapere*) ________________ perfettamente l'inglese non lo metto assolutamente in dubbio!
5 Ti ho già detto che io (*capire*) ________________! Non devi ripetermi ancora la stessa cosa!
6 Dopo che io (*conoscere*) ________________ Nicola personalmente, ho cambiato opinione su di lui.
7 Prima che voi (*venire*) ________________ a lavorare qui, gli affari non andavano tanto bene.
8 Mi farebbe molto piacere se Silvia (*andare*) ________________ a vivere ai Caraibi.
9 So che hai avuto qualche problema, ma spero che ora tu (*stare*) ________________ bene.
10 Qualunque cosa io (*dire*) ________________ tu sei subito pronto a sostenere il contrario!
11 Si vede benissimo che tu stanotte non (*dormire*) ________________!
12 Bisogna che tu (*fare*) ________________ un po' più di attenzione a come parli: così nessuno si offenderà.
13 Andare in vacanza? Magari (*avere*) ________________ il tempo! Partirei subito!
14 Non ne sono sicuro, ma forse lui (*sbagliare*) ________________ a comportarsi così.
15 Se aspetti che le cose (*cambiare*) ________________ da sole, senza che tu faccia niente, sei un illuso!
16 Suppongo che loro (*studiare*) ________________ l'italiano già da parecchio tempo.
17 Mi sa che loro (*studiare*) ________________ l'italiano già per parecchio tempo.
18 Pronto? No, il direttore non c'è. (*Volere*) ________________ lasciargli un messaggio?
19 Hanno divorziato perché lei (*passare*) ________________ tutte le notti su *Facebook*!
20 Ha regalato il computer a sua figlia per darle uno strumento di studio e non perché lei (*passare*) ________________ tutte le notti su *Facebook*!

5 Scegli la forma verbale all'indicativo o al congiuntivo.

1 Capisco bene quello che ***dici / dica***.
2 Ammetto senza problemi che ***hai / abbia*** ragione tu al cento per cento!
3 Anche ammettendo che tu ***hai / abbia*** ragione almeno in parte, le cose non cambiano.
4 Bisogna prendere questa medicina prima di mangiare perché ***fa / faccia*** effetto.
5 Vorrei che tu andassi a riposarti un po' perché ***sei / sia*** stanco.
6 Di lui non puoi fidarti: dice una cosa e magari il giorno dopo ***cambia / cambi*** idea.
7 Magari ***torna / tornasse***! Sento molto la sua mancanza.
8 Facile dire "compra una casa"! Considera che ***ho / abbia*** in banca non più di mille Euro!

6 Riscrivi gli annunci economici utilizzando il congiuntivo, come nell'esempio.

Cercasi badante con esperienza, automunita, paziente e amante degli animali.

Es. Si cerca una badante che abbia esperienza, che abbia la macchina, che sia paziente e che ami gli animali.

Agente immobiliare cercasi, diplomato, max 30 anni, esperienza e forte motivazione alla vendita, spiccate doti di comunicazione, conoscenza inglese.

1 ______________________________
____
____
____

Famiglia con due bambine cerca colf, referenziatissima, tempo pieno, disponibilità a trasferirsi, cucina, pulizia, baby sitter. Ottimo stipendio.

2 ______________________________
____
____
____

Albergo ristorante in Trentino Alto Adige ricerca per periodo estivo cameriera con conoscenza lingua italiana e tedesca, solo personale con esperienza, si offre vitto e alloggio.

3 ______________________________
____
____
____

Supermercato ricerca cassiera, bella presenza, residente nella provincia di Perugia, anche prima esperienza. Inviare cv con foto.

4 ______________________________
____
____
____

Cercasi Barman ambosessi max 35 anni per locale in Sardegna. Capacità a lavorare in gruppo, disponibilità immediata.

5 ______________________________
____
____
____

7 Questi sono gli inizi di alcuni romanzi italiani. Completali con un congiuntivo.

1 Benché suo padre (*immaginare*) ________________ per lui un brillante avvenire nell'esercito, Hervé Joncour aveva finito per guadagnarsi da vivere con un mestiere insolito.
Alessandro Baricco, *Seta*.

2 Non è detto che Kublai Kan (*credere*) ________________ a tutto quel che dice Marco Polo quando gli descrive le città visitate nelle sue ambascerie.
Italo Calvino, *Le città invisibili*.

3 Non c'è nessuno che (*smettere*) ________________ di fumare.
Gianrico Carofiglio, Ad occhi chiusi.

4 Chi (*essere*) ________________ papa a quell'epoca non è importante saperlo.
Vincenzo Cerami, *La lepre*.

5 Sto tornando dall'aver registrato un'altra versione del discorso del Terzo Anniversario che deve andare in onda tra un mese e mezzo come se (*essere*) ________________ in diretta.
Andrea de Carlo, *Macno*.

6 Era meravigliato di essere vivo, ma stanco di aspettare soccorsi. Stanco soprattutto degli alberi che crescevano lungo il burrone, dovunque ci fosse posto per un seme che (*capitare*) ________________ a finirvi i suoi giorni.
Beppe Fenoglio, *Tempo di uccidere*.

7 Che il capitano Gaddus (*perdere*) ________________ un orecchio in guerra, la storiografia critica, dopo accurato riesame dei documenti, è oggimai pervenuta ad escluderlo.
Carlo Emilio Gadda, *Racconti dispersi: Le bizze del capitano in congedo*.

8 Dicono che quando uno muore, poco prima di schiattare, (*ripercorrere*) ________________ con lo sguardo tutta la sua vita in pochi istanti.
Matteo Galiazzo, *Cargo*.

9 Che io (*essere*) ________________ un Re, mi pare sia cosa da non dubitare.
Giorgio Manganelli, *Agli dèi ulteriori*.

10 Ho guardato, anzi visto Silvia per la prima volta quando ho avuto la sensazione che mi (*tradire*) ________________.
Goffredo Parise, *L'odore del sangue*.

11 Che qualcuna delle ultime poesie (*essere*) ________________ convincente, non toglie importanza al fatto che le compongo con sempre maggiore indifferenza e riluttanza.
Cesare Pavese, *Il mestiere di vivere*.

12 Chi (*essere*) ________________ i miei compagni di quelle giornate non ricordo.
Cesare Pavese, *Feria d'agosto*.

13 Quella sera la taverna *El Toro*, contrariamente al solito, brulicava di persone, come se qualche importante avvenimento fosse avvenuto o (*stare*) ________________ per succedere.
Emilio Salgari, *Jolanda, La Figlia del Corsaro Nero*.

14 Mia Cara, credo che il diametro di quest'isola non (*superare*) ________________ i cinquanta chilometri.
Antonio Tabucchi, *Si sta facendo sempre piu tardi*.

15 Che il re di Peronospoli avesse un figlio unico chiamato Trittico non è un fatto di un'eccezionalità tale che varrebbe la pena di tramandare ai posteri se il figlio unico del re di Peronospoli non (*avere*) ________________ tre gambe.
Sergio Tofano, *Il re che aveva una gamba in più*.

16 Uno dei più vecchi ricordi che mi (*essere*) ________________ possibile di precisare nel tempo, perché si riferisce a un fatto storicamente controllabile, risale al 30 luglio 1900.
Giuseppe Tomasi di Lampedusa, *Ricordi d'infanzia*.

17 L'inverno del '44 è stato a Milano il più mite che si (*avere*) ________________ da un quarto di secolo.
Elio Vittorini, *Uomini e no*.

1 Completa le frasi

Ogni frase completa 1 punto

1 Luciano è ______ marito di Nicoletta. ______
2 Questo è ______ ultimo libro di Baricco. ______
3 Roma e Milano sono ______ più grandi città italiane. ______
4 Il mio appartamento ha quattro camer______. ______
5 Nel deserto di giorno fa caldo ma le nott______ sono fredde. ______
6 Sofia e Elena sono due ragazze ingles______. ______
7 Quello studente è molto giovan______. ______
8 Abito ______ Roma da cinque anni. ______
9 Finisco ______ lavorare alle sei e mezza. ______
10 Juan Carlos vive ______ Spagna. ______
11 Stefano fum______ molto. ______
12 Mia sorella dorm______ fino a mezzogiorno. ______
13 Se vuoi tu (*potere*)____________ telefonarmi oggi pomeriggio, mi trovi a casa. ______
14 Loro (*volere*) ____________ studiare l'italiano. ______
15 Ho fame perché stamattina non (*fare*) ____________ colazione. ______
16 Ieri sera Anna (*tornare*) ____________ a casa alle undici. ______
17 Ho cominciato a lavorare quando (*avere*) ____________ 17 anni. ______
18 È un libro bellissimo: tu ______ hai letto? ______
19 In estate vado in Turchia e ______ voglio restare un mese. ______
20 Le caramelle sono finite: le hai mangiat______ tutte tu? ______
21 Quando ho parlato con Mario ______ ho detto la verità. ______
22 Il giorno 27 gli impiegati statali prendono ______ stipendio. ______
23 ______ esempi che hai fatto sono molto chiari. ______
24 Lui è ______ mio migliore amico. ______
25 Questo è veramente ______ grande problema. ______
26 Devo andare alla posta per fare un telegramm______. ______
27 Siamo in una situazione difficil______. ______
28 La mia macchina è molto vecchi______. ______
29 Ho cominciato ______ studiare italiano due mesi fa. ______
30 Lavoro di mattina ______ nove all'una. ______
31 Stasera devo andare ______ dottore. ______
32 Lui (*preferire*) ____________ stare a letto. ______
33 Quando mi hai telefonato stavo (*leggere*) ____________ un libro. ______
34 Voi cosa (*fare*) ____________ domani sera? ______
35 Quando io ero piccolo (*bere*) ____________ latte, non vodka! ______
36 Non ricordo più dove io (*mettere*) ____________ le chiavi. ______
37 Quando le ho parlato lei (*arrabbiarsi*) ____________ moltissimo. ______
38 Se vuoi parlare con Paola devi telefonar______ la sera. ______
39 Sono tuoi questi fiori? Chi ______ ______ ha regalati? ______
40 Quel poliziotto mi ha chiesto i documenti e io ______ ho dati. ______
41 La Cina è ______ paese con più di un miliardo di abitanti. ______
42 Tutte ______ regioni italiane hanno tradizioni antichissime. ______
43 Fra noi c'è qualche person______ che parla molte lingue. ______

44 Domani partiamo per le vacanz_____.
45 Non so cosa farò perché non dipende ______ me.
46 Bill vive ______ Stati Uniti da molti anni.
47 Non camminare in mezzo ______ strada!
48 Questo non è l'unico ma è il più grave ______ sbagli che hai fatto.
49 Laura è caduta e (*farsi*) ____________ male.
50 Ieri sera ho visto un film che (*durare*) ____________ quattro ore.
51 Sta' zitto e (*uscire*) ____________ subito di qui!
52 Ieri volevi la moto, oggi la macchina... e cosa (*volere*) ____________ domani? Un aereo?
53 Voglio che tu (*andare*) ____________ subito a casa.
54 Che bello sarebbe se io (*avere*) ____________ il tempo per partire!
55 Quando ero piccolo pensavo che io, da grande, (*diventare*) ____________ un dottore.
56 Vengo a trovarti domani, anche se (*fare*) ____________ freddo.
57 Gli ho prestato dei libri e lui non ______ ______ ha restituiti.
58 Mi (*piacere*) ____________ tanto andare in Brasile, ma costa troppo...
59 Hai un pacchetto di caramelle? Puoi dar______ una?
60 Signora, scusi, ______ dispiacerebbe rispondere Lei al telefono?

TOTALE _____ / 60

2 Completa le frasi

Ogni frase corretta 2 punti

1 Bisogna mangiare per ______ meno due volte al giorno.
2 Molti anni fa, a Lourdes, (*apparire*) ____________ la Madonna.
3 Io (*volere*) ____________ avvertirti, ma non ho fatto in tempo.
4 Dopo che io (*finire*) ____________ di parlare, anche tu dirai quello che pensi.
5 Prima che il treno (*partire*) ____________ vorrei dirti una cosa.
6 Se io (*immaginare*) ____________ le conseguenze non avrei detto quelle cose.
7 Se avessimo un po' di tempo noi (*restare*) ____________ molto di più.
8 Ho fatto l'esame e (*cavarmela*) ____________ piuttosto bene.
9 Quando mi hai telefonato stavo ______ uscire.
10 Questa è una situazione in ______ non vorrei mai trovarmi.
11 Voglio provare ______ studiare il cinese.
12 Se non avete i soldi ______ ______ posso prestare io.
13 Per andare a casa mia, con la macchina, ______ metto un'ora.
14 Cappuccetto rosso uscì di casa e (*andare*) ____________ dalla nonna.
15 Mi piacerebbe che gli altri mi (*capire*) ____________.
16 Se piove forte e non si ha l'ombrello ______ ______ bagna.
17 Va' a casa, prendi il libro e (*portare il libro a me*) ____________ subito qui.
18 Faccio questo solo perché tu (*capire*) ____________ quanto ti amo!
19 Quel libro (*leggere*) ____________ da intere generazioni di adolescenti.
20 ______ faccia freddo, andremo al mare e faremo il bagno!

TOTALE _____ / 40

TOTALE TEST _____ / 100

SOLUZIONI

1. I PRONOMI COMBINATI

1 **1.** *D* - **2.** A - **3.** C - **4.** D - **5.** C - **6.** A - **7.** D - **8.** B - **9.** D - **10.** A.

2 **1.** E - **2.** A - **3.** L - **4.** I - **5.** B - **6.** C - **7.** H - **8.** D - **9.** G- **10.** F.

3 **1.** *Gliele ho già comprate;* **2.** Glielo ho già comprato; **3.** Glieli ho già comprati; **4.** Gliele ho già comprate; **5.** Glieli ho già comprati; **6.** Glielo ho già comprato; **7.** Gliele ho già comprate; **8.** Gliela ho già comprata; **9.** Gliele ho già comprate; **10.** Glielo ho già comprato.

4 **1.** Te *l'ho già dato*; **2.** Ve le ho già date; **3.** Glieli ho già dati; **4.** Gliele ho già date; **5.** Ve li ho già dati; **6.** Te le ho già date; **7.** Gliela ho già data; **8.** Te l'ho già data; **9.** Glielo ho già dato; **10.** Ve l'ho già data.

5 **1.** Gliela ha scritta Raul Bova - La; **2.** Ce li hanno comprati i nostri genitori - Li; **3.** Gliela ha preparata il suo fratellino - La; **4.** Me li ha dati il mio fidanzato - Li; **5.** Me lo ha consigliato mia sorella - *andarci*; **6.** Glieli ha spiegati l'insegnante di italiano - *capirli*; **7.** Gliele ha fatte sua madre - Le; **8.** Ce la ha raccontata nostro padre - *ascoltarla*.

6/7 *mi* (*indiretto - a me, Giosuè*), mi (indiretto - a me, Roberto), **Gliel'** (gli, indiretto - agli organizzatori; lo, diretto - il fatto che al ritorno prenderanno l'autobus), **Me lo** (mi, indiretto - a me, Giosuè; lo, diretto - che gioco è), ci (verbo *esserci*), ci (verbo *esserci*), ci (indiretto - a noi, Roberto e Giosuè), lo (diretto - uno), **Me lo** (mi, indiretto - a me, Giosuè; lo, diretto - che premio è), **te l'** (ti, indiretto - a te, Giosuè; lo, diretto - che premio è), **ce l'** (ci, verbo *averci*; lo, diretto - un carro armato), **te lo** (ti, indiretto - a te, Giosuè; lo, diretto - che il premio era un caro armato), t' (ti, indiretto - a te, Giosuè), ci (indiretto - a noi), Ci (verbo riflessivo, *stringersi*), ci (particella di luogo - lì, dalla mamma), **Ce la** (ci, indiretto - a noi; la, diretto - la merenda), C' (verbo *esserci*), Ti (indiretto - a te, Bartolomeo).

8 La, -Le, Le, Le, La, Le, mi, Le, Le, La, Le, mi, -li, -ci, glieli, -li, Le, lo, Le, Le, -glielo, Le, li, Le, mi.

9 ci si alza, ci si ferma, ci si saluta, ci si parla.

10 **1.** ce ne; **2.** Ci si; **3.** Ci si, ci si; **4.** Ci; **5.** La; **6.** Ce ne; **7.** ci; **8.** ce l'; **9.** ce ne.

11 **1.** ci si; **2.** ce l'; **3.** te lo; **4.** Le, se, l', le, -le, -la, li, -li.

lettura 1 - COM'È CHE TI CHIAMI?

1 Il Guercino.

2 **1.** me lo; **2.** glielo; **3.** glielo; **4.** ce lo; **5.** ve lo; **6.** glielo; **7.** me lo; **8.** te lo; **9.** se lo; **10.** se lo.

3 **1.** tenertelo!; **2.** tenerselo!; **3.** tenerselo!; **4.** tenercelo!; **5.** tenervelo!; **6.** tenerselo!

4 **1.** Sì, ce ne sono molti; **2.** ce ne sono; **3.** ce ne è; **4.** No, ce ne sono molte; **5.** ce ne sono; **6.** ce ne è.

5 **1.** me ne; **2.** te ne; **3.** se ne; **4.** ce ne; **5.** ve ne; **6.** se ne.

6 **1.** te la sei immaginata; **2.** se le è immaginate; **3.** se li è immaginati; **4.** ce la siamo immaginata; **5.** non ve lo siete immaginato; **6.** non se li sono immaginati.

7 **1.** ci si veste; **2.** ci si incontra con gli amici; **3.** ci si può ricordare sempre tutto; **4.** ci si arrabbia; **5.** ci si deprime.

8 **1.** -telo / -lo; **2.** lo; **3.** lo; **4.** ce ne; **5.** ci si; **6.** se lo; **7.** ve lo; **8.** se lo; **9.** glielo; **10.** ci si; **11.** gli; **12.** se ne.

9 **1.** *tenerselo - tenertelo; **2.** *chiamavano - lo chiamavano; **3.** *sono - sto; **4.** *Si ci - Ci si; **5.** *della - dalla; **6.** *ce lo - se lo; **7.** *di - dei; **8.** *più - il più; **9.** *si - lo; **10.** *se lo - se ne.

10 **1.** a; **2.** di; **3.** alle / alla; **4.** a; **5.** dalla; **6.** di; **7.** della / nella; **8.** nella; **9.** da; **10.** di.

11 **1.** non mi piace; **2.** le è piaciuta; **3.** gli piaceva; **4.** gli è dispiaciuto; **5.** non le dispiace; **6.** non mi dispiace; **7.** ci interessa; **8.** non gli interessa; **9.** le interessa; **10.** mi servivano; **11.** non ci sono serviti; **12.** le serve; **13.** non mi va; **14.** non ci andava; **15.** non gli va.

2. I NOMI IRREGOLARI

1 **1.** C - **2.** G - **3.** N - **4.** A - **5.** R - **6.** M - **7.** H - **8.** B - **9.** P - **10.** F - **11.** E - **12.** O - **13.** D - **14.** L - **15.** I - **16.** Q.

2 **1.** alcune; **2.** antiche; **3.** sode; **4.** espertissimo; **5.** belga; **6.** vecchio; **7.** socialista; **8.** moscovita; **9.** vietnamita; **10.** rosse.

3 **1.** bracci; **2.** ossa; **3.** i muri; **4.** i corni; **5.** le ciglia; **6.** membri; **7.** le braccia; **8.** le corna.

3. L'IMPERATIVO

1 **a.** 3/L - **b.** 6/A - **c.** 5/G - **d.** 1/F - **e.** 9/D - **f.** 2/C - **g.** 10/B - **h.** 7/H - **i.** 4/E - **l.** 8/I.

2 corri.

3 **1.** Parti; **2.** Resti; **3.** Compriamo; **4.** Non parlate; **5.** Leggi; **6.** Non interrompete; **7.** Non prenda; **8.** Pensa; **9.** Non cantiamo; **10.** Non dormite; **11.** Tenga; **12.** Vieni; **13.** Esci; **14.** Beviamo; **15.** Spegnete; **16.** Cerchi; **17.** Invii; **18.** Trattieni; **19.** Finisci; **20.** Scelga.

4 **1.** Non entrare allo stadio senza il biglietto! / Entra allo stadio con il biglietto!; **2.** Non guardare la Tv dopo le 23:00! / Guarda la Tv fino alle 23:00!; **3.** Non lavorate dopo le 19:00! / Lavorate fino alle 18:30!; **4.** Non fumi in camera da letto! / Fumi in terrazza!; **5.** Non tornate a casa dopo le 24:00 / Tornate a casa entro le 24:00; **6.** Non accenda il telefonino quando è al cinema! / Accenda il telefonino quando è fuori dal cinema!; **7.** Non mangiamo tanti gelati se vogliamo dimagrire! / Mangiamo tanti gelati se vogliamo ingrassare!

5 **1.** i - **2.** a - **3.** h - **4.** l - **5.** g - **6.** c - **7.** e - **8.** b - **9.** d - **10.** f.

6 Rilassati, Raccogliti, Allontana, Lascia, Dillo, Alza.

7 **1.** Dica; **2.** Sappiate; **3.** Sii; **4.** Abbi; **5.** Diamo; **6.** Stia; **7.** Siate; **8.** Diciamo; **9.** Mi dia; **10.** Fa' (fai); **11.** Pentiti; **12.** Ricordatevi; **13.** Non dimentichiamoci; **14.** Non arrabbiarti / Non ti arrabbiare; **15.** Lavatevi; **16.** Mettiamoci; **17.** Riguardati; **18.** Non fermatevi / Non vi fermate; **19.** Non arrendiamoci; **20.** Calmati.

8 **1.** Dichiara.. hai; **2.** Riempi... tua... parli; **3.** Ricordati; **4.** iscriverti... impara... tue; **5.** metterti / ti mettere... pensaci; **6.** dire; **7.** metterti... tuo... te; **8.** tatuarti / ti tatuare; **9.** canticchiare... mostrarti; **10.** mostrare.

9 **1.** *Ballalo / Non ballarlo* (Non lo ballare); **2.** Mangiala / Non mangiarla (Non la mangiare); **3.** Regalaglieli / Non regalarglieli (Non glieli regalare); **4.** Vacci / Non andarci (Non ci andare); **5.** Regalagliela / Non regalargliela (Non gliela regalare); **6.** Sposati / Non sposarti (Non ti sposare); **7.** Tagliateli / Non tagliarteli (Non glieli tagliare); **8.** Fallo / Non farlo (Non lo fare); **9.** Cambialo / Non cambiarlo (Non lo cambiare); **10.** Diglielo / Non dirglielo (Non glielo dire); **11.** Dammelo / Non darmelo (Non me lo dare); **12.** Spiegamela / Non spiegarmela (Non me la spiegare).

10 **1.** Inseriamoli, Inseriteli, Li inserisca; **2.** Prendiamole, Prendetele, Le prenda; **3.** Teniamola, Tenetela, La tenga; **4.** Evitiamola, Evitatela, La eviti; **5.** Mangiamola, Mangiatela, La mangi; **6.** Consumiamone due porzioni, Consumatene due porzioni, Ne consumi due porzioni;

7. Non aggiungiamoli, Non aggiungeteli, Non li aggiunga; 8. Non consumiamone troppe, Non consumatene troppe, Non ne consumi troppe;
9. Aumentiamole, Aumentatele, Le aumenti;
10. Preveniamole, Prevenitele, Le prevenga;
11. Non seguiamola, Non seguitela, Non la segua;
12. Parliamone con un medico, Parlatene con un medico, Ne parli con un medico.

11 *Soluzione possibile*: 1. Ma dai; 2. Ma va'; 3. Abbi pazienza; 4. Senti senti; 5. Guarda guarda; 6. figurati.

12 1. Non avrai; 2. Non nominare; 3. Ricordati; 4. Onora; 5. Non uccidere; 6. Non commettere; 7. Non rubare; 8. Non dire; 9. Non desiderare; 10. Non desiderare.

4. I PRONOMI RELATIVI

1 1. di cui - Baci; 2. con cui - Campari; 3. con cui - moka; 4. che - Dolce e Gabbana; 5. chi - Ferrari; 6. per cui - Fiat Cinquecento; 7. su cui - Parmigiano; 8. da cui - Nutella; 9. a cui - gelato; 10. che - motocicletta; 11. in cui - pentola; 12. a cui - scarpe; 13. che - occhiali.

2 che, in cui, a cui, che, con cui, che.

3 *Descrizioni possibili:* 1. b - *Sono gli strumenti con cui si taglia la carne*; 2.a - È il contenitore in cui si mette lo zucchero; 3. d - È lo strumento con cui si schiacciano le noci; 4. f - È l'oggetto con cui si scola la pasta; 5. c - È lo strumento con cui si stappano le bottiglie; 6. h - È l'oggetto che serve per coprire la pentola; 7. e - È lo strumento con cui si temperano le matite; 8. g - È il contenitore in cui si mette l'olio.

4 che, in cui, di cui, a cui, da cui, con cui, in cui.

5 1. che; 2. da cui; 3. che; 4. per cui; 5. con cui; 6. in cui.

6 Titolo: per cui; 2. che; 3. che, che; 6. che; 10. in cui, che.

8 i cui, che, in cui, per cui.

9 *Spiegazioni dei modi di dire*: 1. Chi non è attivo non ha risultati; 2. Avere un amico è una ricchezza; 3. Chi è troppo minaccioso non è necessariamente pericoloso; 4. Con la lentezza si raggiungono i propri obbiettivi; 5. Chi vuole troppo, spesso non ottiene niente; 6. Ogni posto ha le sue caratteristiche culturali e sociali; 7. Cominciare bene è importante; 8. Non rispondere è come dire di sì.

lettura 2. DI MAMME CE N'È UNA SOLA

1 1. non togliere; 2. dimmi; 3. levati; 4. vieni qui!; 5. non rispondermi; 6. siediti; 7. tienili; 8. di'; 9. fa'; 10. non sciupare; 11. non fare.

2 1. Lavati le mani! Lavatele!; 2. Mettiti la maglietta di lana! Mettitela!; 3. Di' grazie! Dillo!; 4. Saluta! 5. Non parlare ad alta voce!; 6. Chiedi scusa!; 7. Fa' i compiti! Falli!; 8. Lascia passare le signore! Lasciale passare!; 9. Non dire le parolacce! Non dirle!; 10. Non stare tutto il giorno davanti al computer! non starci!; 11. Va' a trovare la nonna! Vacci!; 12. Lavati i denti! Lavateli!; 13. Non intervenire quando parlano i grandi! 14. Asciugati i capelli! Asciugateli!; 15. Non fare il bagno! Non farlo!; 16. Va' a letto! Vacci!; 17. Telefonami!; 18. Non stare due ore al telefono! Non starci due ore!

3 1. Bettina; 2. Mammina; 3. Giochino; 4. Signorina; 5. Borsettina; 6. Piedino; 7. Scarpette / Scarpine; 8. Mutandine; 9. Bagnetto; 10. Borsetta; 11. Specchietto; 12. Tavolinetto; 13. Macchinetta; 14. Pranzetto; 15. Polletto; 16. Libretto; 17. Scarponcini; 18. Bottoncino; 19. Palloncino; 20. Peperoncino; 21. Padroncino; 22. Furgoncino; 23. Camioncino; 24. Bocconcino.

4 1. ce l'ho; 2. Ce l'ho; 3. ce l'ho; 4. Ce li ho; 5. Ce ne ho; 6. Ce le ho; 7. ce ne ho; 8. ce l'ho; 9. ce ne ho; 10. ce l'ho.

5. GLI INDEFINITI

1 Qualche, troppo, nessuno, niente, qualcosa; Qualcuno, parecchio, qualsiasi, nessuno; tutto, Certi, molto, altro.

2 1. Nessuno; 2. Niente; 3. Ciascuno / Ognuno; 4. Ognuno; 5. Certi; 6. altro; 7. nessuno; 8. alcuni, altri; 9. Molti, alcuni; 10. Pochi, parecchi.

3 1. Certe; 2. ognuno; 3. qualcosa; 4. Nessuno, nessuno; 5. Ogni; 6. qualcuno; 7. Quale; 8. niente; 9. troppo; 10. qualche.

4 *Soluzione possibile*: 1. qualsiasi ; 2. qualunque; 3. qualche; 4. qualcuno; 5. nessuno; 6. altri; 7. qualsiasi; 8. certa; 9. parecchie; 10. niente; 11. qualcosa; 12. nessuno; 13. ogni; 14. qualcosa; 15. tutti; 16. tutti; 17. ogni; 18. niente; 19. niente; 20. certi.

6. IL CONDIZIONALE

1 1. *prenderei una camomilla*, farei yoga, mangerei leggero, leggerei un libro, ascolterei musica classica, andrei a dormire più tardi; 2. faremmo un corso di specializzazione, manderemmo il curriculum in giro, dormiremmo meno la mattina, ci informeremmo su internet, chiederemmo consigli, giocheremmo spesso al totocalcio; 3. mangeresti meno dolci, faresti più movimento, non salteresti i pasti, consumeresti più frutta e verdura, non berresti bevande gassate, andresti da un dietologo; 4. vi svegliereste prima, uscireste di casa più presto, non perdereste tempo a mangiare, fareste la valigia il giorno prima, prendereste un taxi per la stazione, stareste più attenti; 5. passerebbe più tempo in cucina, si vestirebbe più sexy, risponderebbe sempre di sì, sarebbe più sottomessa, gli preparerebbe il caffè la mattina, lo lascerebbe più libero; 6. uscireste più spesso la sera, frequentereste gli amici, andreste al teatro o al cinema, prenotereste un viaggio all'estero, vi iscrivereste a una scuola di ballo, fareste qualche sport; 7. comprerebbero una baita in montagna, avrebbero un armadio pieno di vestiti, vivrebbero come sultani, berrebbero solo champagne, si trasferirebbero ai Caraibi, smetterebbero di lavorare; 8. mi rilasserei più spesso, frequenterei qualche discoteca, berrei qualche liquorino, cercherei un uomo, andrei dallo psicanalista, cambierei lavoro.

2 vorrei, spenderei, comprerei, sceglierei, andrei, potrei, preferirei, dovrebbero, Sarebbe, Potrebbe, preferirei, dovrei, vorrei.

3 1. Farei; 2. Correrei; 3. Urlerei, ascolterei; 4. Inventerei; 5. Giocherei; 6. Mi annoierei; 7. farei, cercherei; 8. Assaggerei; 9. Guarderei, esprimerei; 10. farei, chiuderei, giocherei, andrei; 11. Preparerei; 12. Inventerei.

4 1. mangeremmo; 2. dormirei; 3. berrebbe; 4. mi mangerei; 5. rimarreste; 6. mangerei; 7. picchierei; 8. chiuderebbero; 9. andrebbero; 10. prenderei.

5 1. Potrebbe portarmi una birra per favore?; 2. Mi potresti spiegare la lezione di matematica?; 3. Mi saprebbe dire dov'è il Colosseo?; 4. Mi prestereste 100 euro?; 5. Potresti parlare a bassa voce?; 6. Che ne direste di venire a casa mia per cena?; 7. Mi farebbe un favore?; 8. Staresti zitto un momento?;

9. Avrebbe un attimo per me? 10. Camminereste un po' più piano per piacere?

6 1. H - *Andremmo*; 2. G - rimarrebbe; 3. L - vorrebbero; 4. I - Potresti; 5. D - sareste; 6. B - Vedrei; 7. F - Avrebbe; 8. A - Fareste; 9. C - Berrei; 10. E - Vivremmo.

7 *avrebbe* mai *detto*, sarebbe diventato, avrebbe girato, avrebbe conosciuto, avrei mai pensato, avrei scommesso, avrebbe finito, sarebbe andato, avrei immaginato, avrebbe guadagnato, sarebbe andato, si sarebbe conclusa, avrebbe potuto, avrebbe avuto.

8 La vita che vorrei → La vita che avrei voluto;
Sarebbe stato facile → Sarebbe facile.

9 1. Io avrei cacciato di casa, sarei andata a letto con un suo amico, gli avrei svuotato il conto in banca, gli avrei bruciato i vestiti nell'armadio, avrei messo un virus nel suo computer, sarei partita per una vacanza a sue spese; 2. avremmo cercato un lavoro, avremmo affittato un appartamento, avremmo imparato a cucinare, ci saremmo fatti una famiglia, saremmo stati più indipendenti, avremmo tagliato il cordone ombelicale; 3. avresti fatto un trapianto di capelli, ti saresti messo a dieta, ti saresti iscritto in palestra, saresti andato da un chirurgo estetico, avresti smesso di bere e di fumare, avresti cambiato modo di vestirti; 4. non gli avrebbe dato così tanti soldi, non gli avrebbe regalato un suv, non gli avrebbe comprato un appartamento, non li avrebbe iscritti a una scuola privata, non li avrebbe coccolati troppo, non li avrebbe perdonati sempre.

10 1. ...*da vecchio avrebbe vissuto con la pensione*; 2. ...per la festa si sarebbe vestito in modo elegantissimo; 3. ...noi ci saremmo svegliati sempre alle undici; 4. ...forse il giorno dopo avrebbe piovuto; 5. ...il giorno dopo sarebbe voluto andare al cinema; 6. ...il giorno dopo avrebbe voluto fare una passeggiata; 7. ...al posto nostro si sarebbe annoiato tutto il giorno in casa; 8. ...non avrebbero dimenticato facilmente quella storia; 9. ...non si sarebbe dimenticato facilmente quella storia; 10. ... aveva un sonno che avrebbe dormito una settimana.

11 1. avrei telefonato; 2. avremmo finito; 3. avrei scritta; 4. sarei andato; 5. Sarebbero arrivati in tempo; 6. saremmo andati; 7. avrei comprato; 8. Si sarebbero sposati.

12 1. avrei trovato; 2. avrebbe fatte; 3. avrei potuto; 4. avrebbe dovuto / (avrebbero dovuto, *impersonale generico*); 5. ci sarebbe voluto; 6. sarebbe stato.

7. MODI PER ESPRIMERE IL DUBBIO

1 1. avrebbe giocato; 2. si conterebbero; 3. sarebbero; 4. avrebbe avuto; 5. sarebbero; 6. garantirebbe; 7. farebbe; 8. avrebbe deciso; 9. dovrebbe diminuire; 10. Sosterrebbe.

3 *La soluzione è soggettiva.*

4a 1. ...sarebbe una scuola...; 2. ...non avrebbe senso; 3. ... si scandalizzerebbe...; 4. ...basterebbe oggi...; 5. ...sarebbe delittuoso; 6. questa illusione lo renderebbe presuntuoso...; 7. ...altro non gli procurerebbero che...; 8. ...sarebbe esattamente come lui l'ha descritta; 9. questo sarebbe il nodo della questione.

5 1. dovrebbe; 2. potrebbe; 3. dovrebbe; 4. potrei; 5. dovrei; 6. potresti; 7. dovreste; 8. potrei; 9. dovresti; 10. potresti.

6 *Soluzione possibile*: 1. Avrà vent'anni, Dovrebbe avere vent'anni, Avrebbe vent'anni; 2. Lui sarebbe ricco, Sarà ricco, Dovrebbe essere ricco; 3. Saranno le sette e mezza, Dovrebbero essere le sette e mezza, Sarebbero state le sette e mezza.

8. ANCORA SUL DISCORSO INDIRETTO

1 1. Mussolini ha detto agli italiani di ascoltarlo; 2. Gesù ha detto a Lazzaro di alzarsi e camminare; 3. Mio nonno mi ha detto di fare del bene e dimenticarmelo, di fare del male e ricordarmelo; 4. Woody Allen ha detto che aveva smesso di fumare, che sarebbe vissuto una settimana di più e che in quella settimana avrebbe piovuto a dirotto; 5. Io dieci anni fa ho detto a mio figlio che un giorno avrebbe capito che avevo ragione io; 6. Giulietta ha chiesto a Romeo di giurarle amore, e lei non sarebbe stata più una Capuleti; 7. Oscar Wilde ha detto che preferiva una donna con un passato perché avrebbe sempre avuto qualcosa da raccontare; 8. Attilio regolo ha detto che non avrebbe proprio voluto essere in una botte di ferro.

2 1. Al posto vostro mi comporterei in un altro modo; 2. Non vorrei dirvelo, ma la situazione economica della società è abbastanza grave; 3. Forse sbaglio, ma la soluzione non mi sembra corretta; 4. Fate quello che vi pare giusto;
5. Magari è un capolavoro, ma a me non piace;
6. Non sputare in cielo perché torna in faccia;
7. Dammi castità e continenza, ma non subito!;
8. Per sembrare un genio dovresti essere completamente diverso.

3 *Soluzione possibile*: 1. Fat Moe ha chiesto a Noodles cosa aveva fatto tutti quegli anni. Lui ha risposto che era andato a letto presto. - 2. Noodles ha detto che i vincenti si riconoscevano alla partenza: alla partenza si riconoscevano i vincenti e i brocchi. Poi ha detto che nessuno avrebbe puntato su di lui. Fat Moe ha detto che lui avrebbe puntato su Noodles, Noodles ha risposto che Fat Moe avrebbe perso. - 3. Max ha detto che Noodles si sarebbe portato dietro per tutta la vita la puzza della strada e Noodles ha risposto che la puzza della strada a lui piaceva da matti, che gli si aprivano i polmoni quando la sentiva e che gli tirava anche di più. - 4. Deborah ha cominciato a parlare e poi si è interrotta. Noodles le ha detto di andare avanti e lei ha concluso dicendo che Noodles era l'unica persona di cui le era importato. Ha poi aggiunto che però Noodles probabilmente la avrebbe tenuta chiusa a chiave in una stanza e avrebbe gettato via la chiave. Noodles ha detto che probabilmente era così e Deborah ha considerato che probabilmente lei ci sarebbe stata volentieri. 5. Fat Moe ha detto a Noodles di prendere i soldi e di andarsene. Poi gli ha chiesto cosa lo teneva ancora lì. Noodles ha risposto che era la curiosità.

4 1. Le ha detto che sarebbe andata a casa sua il giorno dopo, Le ha detto di andarla a trovare, Le ha detto che quella sera sarebbe andato a cena suo zio, Le ha detto che in quel momento sarebbe andata volentieri a dormire, Le ha detto che al posto suo non sarebbe rimasta a casa; 2. Mi ha detto che sarebbe venuta a casa mia il giorno dopo, Mi ha detto di andarla a trovare, Mi ha detto che sapeva che quella sera suo zio sarebbe andato a cena da lei, Mi ha detto che sapeva che quella sera suo zio sarebbe venuto a cena da me, Mi ha detto che non ricordava il nome, ma che le sarebbe venuto in mente; 3. Le ho detto che presto sarei andata/o in vacanza,

Le ho detto di andare a casa sua, Le ho detto che sarei andata/o a casa sua il giorno dopo, Le ho detto di non andare con loro se la invitavano, Le ho detto che ero così arrabbiato che sarei andato via subito; **4.** Ci hanno detto che sarebbero potuti venire con noi, Ci hanno detto di andare a cena da loro, Ci hanno detto che sarebbero voluti venire con noi, Ci hanno detto di non andare via così presto, Ci hanno detto che saremmo dovuti andare con la macchina.

lettura 3. INTERVISTA AL MACHO LATINO

- Quot caelum stellas, tot habet tua Roma puellas... Seu caperis primis et ad huc crescentibus annis, ante oculos veniet vera puella tuos; sive cupis iuvenem, iuvenes tibi mille placebunt, cogeris et voti nescius esse tui; seu te forte iuvat sera et sapientior aetas, hoc quoque, crede mihi, plenius agmen erit.
- Forma viros neclecta decet... Munditie placeant... careant rubigine dentes, ... nec male odorati sit tristis anhelitus oris... sit coma, sit tuta barba resecta manu. ... Inque cava nullus stet tibi nare pilus. Cetera lascivae faciant, concede, puellae et siquis male vir quaerit habere virum.
- Nec timide promitte; trahunt promissa puellas; pollicito testes quos libet adde deos. Iuppiter ex alto periuria ridet amantum. ... Promittas facito; quid enim promittere laedit? Pollicitis dives quilibet esse potest.
- Ebrietas, ut vera nocet, sic ficta iuvabit. Fac titubet blaeso subdola lingua sono, ut, quidquid facias dicasve protervius aequo credatur nimium causa fuisse merum. Et "bene, dic, dominae; bene, cum quo dormiat illa"; sed, male sit tacita mente precare, viro. ... Sint etiam tua vota viro placuisse puellae; utilior vobis cactus amicus erit.
- Est tibi agendus amans imitandaque vulnera verbis ; haec tibi quaeratur qualibet arte fides. Nec credi labor est. ... Si lacrimae (neque enim veniunt in tempore semper) deficient, uncta lumina tange manu. Quis sapiens blandis non misceat oscula verbis?
- Illa licet non det, non data sume tamen. Pugnabit primo fortassis et "improbe" dicet; pugnando vinci se tamen illa volet. ...At quae cum posset cogi, non tacta recessit, ut simulet vultu gaudia, tristis erit.
- Ludite, seu furto celetur culpa modesto; gloria peccati nulla pretenda sui est. Nec dederis munus, cognosse quod altera possit... Quae bene celarsi, siquae tamen acta patebunt, illa, licet pateant, tu tamen usque nega. Tum neque subiectus solito nec blandior esto; haec animi multum signa nocentis habent.

1 **1.** saprò; **2.** avremo; **3.** dovrete; **4.** sarà; **5.** porterà; **6.** potrai; **7.** vorrà.

2 **1.** Li abbiamo chiesti; **2.** Ne ha parlato; **3.** Lo ha pubblicato; **4.** Ne potrà trovare; **5.** gli conviene; **6.** Dovrà averli; **7.** prometterle; **8.** toccarli; **9.** vantarsene; **10.** andarci.

3 **1.** ...si dovrebbe...; **2.** ...si potrebbero...; **3.** ...sarebbe meglio...; **4.** ...non costerebbe...; **5.** ...attirerebbero...; **6.** ...riderebbe...; **7.** crederebbero.

9. LE FRASI IPOTETICHE

1 **1.** Se abbiamo / avremo tempo, usciamo / usciremo; **2.** Se avete / avrete un po' di soldi da parte, comprate / comprerete una macchina; **3.** Se piove / pioverà, non vado / andrò in banca; **4.** Se Roberto e Angelica finiscono / finiranno in fretta questo lavoro, possono / potranno organizzare una grande festa; **5.** Se parti / partirai, vengo / verrò con te; **6.** Se Marco e Maria vanno / andranno al ristorante giapponese, Maria non può / potrà mangiare pesce crudo perché è allergica; **7.** Se faccio / farò tredici al totocalcio, compro / comprerò una villa in Sardegna; **8.** Se telefona / telefonerà, non rispondo / risponderò; **9.** Se non ci sono / saranno vendite, il negozio chiude / chiuderà; **10.** Se la befana porta / porterà il carbone, i bambini capiscono / capiranno che non sono stati buoni.

2 **1.** Se avessimo tempo, usciremmo; **2.** Se aveste un po' di soldi da parte, comprereste una nuova macchina; **3.** Se piovesse, non andrei in banca; **4.** Se Roberto e Angelica finissero in tempo questo lavoro, potrebbero organizzare una grande festa; **5.** Se tu partissi, verrei con te; **6.** Se Marco e Maria andassero al ristorante giapponese, Maria non potrebbe mangiare pesce crudo perché è allergica; **7.** Se facessi tredici al totocalcio, comprerei una villa in Sardegna; **8.** Se lui telefonasse, non risponderei; **9.** Se non ci fossero vendite, il negozio chiuderebbe; **10.** Se la befana portasse il carbone, i bambini capirebbero che non sono stati buoni.

3 *La soluzione è soggettiva.*

4 **1.** avessi, vorresti; **2.** avessi, chiederesti; **3.** potessi, ti trasformeresti; **4.** potessi, vorresti; **5.** potessi, cambieresti; **6.** potessi, cambieresti; **7.** potessi, mangeresti; **8.** potessi, andresti; **9.** fossi, faresti; **10.** ricevessi, vorresti; **11.** trovassi, faresti.

5 **1.** fossi andata/o, avrei mangiato; **2.** avessimo noleggiato, avremmo girato; **3.** avesse preso, avesse indossato, saremmo potuti; **4.** avesse messo, si sarebbe fatta; **5.** fosse passato, avremmo dovuto; **6.** avessimo lanciato, saremmo stati, avremmo speso; **7.** ci fossimo tuffati, avremmo fatto; **8.** fossimo andati, avremmo fatto; **9.** avesse fatto, avrei camminato, fossi stato, avrebbero cacciato; **10.** avessimo preso, avremmo speso, avremmo conosciuto.

6 **1.** A; **2.** E; **3.** C; **4.** B; **5.** F; **6.** D.

6a **1.** farei il servo; **2.** pulirei la cucina; **3.** sputerei sentenze; **4.** avrei fame; **5.** difenderei i miei soldi; **6.** balbetterei.

7 **1.** avessi studiato; **2.** avrebbe *mai* tradito; **3.** riuscirebbe; **4.** piacessero; **5.** avessimo vinto, saremmo; **6.** avessero comprato, potreste; **7.** ti saresti comportato; **8.** avessi ascoltato, **9.** avessimo preso, saremmo; **10.** fossi, sarei andata.

8 *Soluzione possibile*: **1.** spiegami questo problema!; **2.** fa' le corna!; **3.** va' all'ospedale!; **4.** comprala!; **5.** fa' una vacanza!; **6.** prendi l'ombrello!; **7.** fa' qualcosa!; **8.** comincia a lavorare!; **9.** iscriviti a un corso di ballo!; **10.** fa' il possibile per ottenerla!

9 *Soluzione varie.*

10 **1.** Potendo; **2.** Sposandomi; **3.** Avendo un figlio maschio; **4.** Andando a vivere insieme; **5.** Essendo meno acide; **6.** Facendo dei bambini; **7.** Smettendo di lavorare; **8.** Imparando a cucinare; **9.** Non essendo avari.

11 **1.** Se mi sposassi; **2.** Se restassi scapolo; **3.** Se avessi uno stipendio accettabile o almeno sufficiente per vivere; **4.** Se venisse a abitare con noi; **5.** se uscissi con il mio ex fidanzato, vero?; **6.** Se avessi voluto; **7.** Se non sei d'accordo con me; **8.** Se mi conosci bene.

12 *Le soluzioni sono soggettive.*

Soluzioni

lettura 4 . LA STORIA DI PAPIRIO

1 **1.** sarebbero dovute; **2.** avrebbero potuto; **3.** avresti; **4.** avrebbe tradito; **5.** avrebbe offeso; **6.** aveva; **7.** sarebbe; **8.** era; **9.** avrebbe mantenuto; **10.** portava; **11.** avrebbe potuto.

2 **1.** avrei potuto; **2.** saresti tornata/o; **3.** avresti telefonato; **4.** sarebbero dovuti; **5.** vi sareste sposati.

3 **1.** avrebbe offeso; **2.** avrebbero provocato; **3.** impareresti; **4.** aumenterebbe; **5.** sarebbero andate.

4 **1.** Questa storia sarebbe realmente accaduta; **2.** Il padre avrebbe portato Papirio in Senato; **3.** I maschi dovrebbero sposare due donne; **4.** Certe informazioni provocherebbero disordini; **5.** Il ragazzino avrebbe detto una bugia.

5 **1.** Papirio, non parlando, avrebbe offeso sua madre; **2.** Papirio, rivelando il segreto del Senato, avrebbe provocato gravi disordini in città; **3.** Leggendo con attenzione questa storia, impareresti perfettamente il condizionale; **4.** I maschi, prendendo due mogli, avrebbero più figli; **5.** La madre, mantenendo il segreto, non avrebbe provocato quei disordini; **6.** Rileggendo questa storia, capirei sicuramente tutto.

6 **1.** Se dicessi la verità, potresti avere dei problemi; **2.** Se Papirio non avesse rivelato il segreto, avrebbe offeso sua madre; **3.** Se sposassero due donne, i maschi avrebbero più figli; **4.** Se le donne avessero avuto due mariti, non avrebbero fatto più figli; **5.** Se non mi fossi fidata/o, non ti avrei detto questo segreto.

7 **1.** Se avessi avuto i soldi, non sarei stata/o qui; **2.** Se ci fosse stato il sole, sarei andata/o al mare; **3.** Se avessi avuto tempo, sarei venuta/o; **4.** Se me lo avessi detto, ti avrei aiutata/o; **5.** Se mi avessi dato retta, oggi saresti stata/o molto meglio; **6.** Se fossi venuta/o a piedi, avresti fatto prima; **7.** Se avessi avuto un computer, ti avrei dato un programma; **8.** Se avessi saputo l'inglese, sarei andata/o a vivere all'estero; **9.** Se lo avessi saputo, non te lo avrei detto; **10.** Se non mi fossi fidata/o, non ti avrei detto questo segreto.

8 **1.** lo; **2.** ce lo; **3.** *rivelar*glielo; **4.** Gliene; **5.** *tirar*gliela; **6.** l' (la); **7.** Gliene; **8.** gliela; **9.** Gliene; **10.** *portar*celi.

9 **1.** di; **2.** a; **3.** a; **4.** alla; **5.** in; **6.** dei; **7.** per; **8.** a; **9.** di; **10.** in; **11.** alla; **12.** a; **13.** da; **14.** al; **15.** a; **16.** a; **17.** da.

10 **1.** G; **2.**H; **3.**M; **4.**C; **5.**D; **6.**F; **7.**I; **8.**E; **9.**A; **10.**B; **11.**L.

10. IL CONGIUNTIVO

1 *Parlare*: *parli*, parli, parli, *parliamo*, parliate, parlino; *Vedere*: veda, *veda*, veda, vediamo, vediate, *vedano*; *Sentire*: senta, senta, *senta*, sentiamo, sentiate, sentano; *Finire*: finisca, finisca, finisca, finiamo, *finiate*, finiscano.

2 *Essere*: *sia*, sia, sia, siamo, siate, siano; *Potere*: possa, *possa*, possa, possiamo, possiate, possano; *Volere*: voglia, voglia, voglia, *vogliamo*, vogliate, vogliano; *Dire*: dica, dica, dica, diciamo, *diciate*, dicano.

3a **1.** *abbia*; **2.** voglia; **3.** legga; **4.** veda; **5.** viva; **6.** fotografi; **7.** sappia.

4a vengano - presente - senza che; possa - presente - ci si preoccupa che; possano - presente - la possibilità che; sia - presente - Sembra che; sia - presente - sembra che; sia - presente - pare che; si identifichino - presente - nel caso che; sappiano - presente - va benissimo che.

5 **1.** sia; **2.** tenga; **3.** consiste; **4.** sia; **5.** produca.

6 **1.** sia; **2.** sottopongano; **3.** debbano; **4.** siano; **5.** abbiano; **6.** abbiano; **7.** ci sia; **8.** cresca; **9.** potrà; **10.** sarà.

7 *La soluzione è soggettiva.*

8 **1.** faccia; **2.** abbia capito; **3.** abbia prestato; **4.** ridia; **5.** perdoni; **6.** voglia; **7.** abbiano avuto; **8.** si approfitti.

9 **1.** abbia bevuto, beva, beva / berrà; **2.** si sia arrabbiata, si arrabbi, si arrabbi / si arrabbierà; **3.** abbiano capito, capiscano, capiscano / capiranno; **4.** abbia preso, prenda, prenda / prenderà; **5.** sia stato, sia, sia / sarò; **6.** abbia passato, passi, passi / passerà.

10 *Parlare*: *parlassi*, parlassi, parlasse, parlassimo, parlaste, parlassero; *Vedere*: vedessi, vedessi, vedesse, vedessimo, vedeste, *vedessero*; *Sentire*: sentissi, sentissi, *sentisse*, sentissimo, sentiste, sentissero; *Capire*: capissi, capissi, capisse, capissimo, capiste, capissero; *Essere*: fossi, fossi, fosse, fossimo, foste, fossero; *Fare*: facessi, facessi, facesse, facessimo, faceste, facessero; *Dire*: dicessi, dicessi, dicesse, dicessimo, diceste, dicessero.

11 **1.** avesse bevuto / bevesse / avrebbe bevuto; **2.** si fosse arrabbiata / si arrabbiasse / si sarebbe arrabbiata; **3.** avessero capito / capissero / avrebbero capito; **4.** avesse preso / prendesse / avrebbe preso; **5.** fossi stato / fossi / sarei stato; **6.** avesse passato / passasse / avrebbe passato.

12a ragioni, creda, lecchino, storcessi, mordessi, stringessi, avesse, avesse, avesse, abbia, cadano, sia, faccia, metta, lasci, chiudessi, abbia, alzi.

13 faccia, sapessi, sia, facciano, pensi, abbia, lasciasse, sia, facciano, sapessero, avessero, stessero, fossero, dica, importi, si senta.

14 **1.** dessero; **2.** facessero; **3.** comprassero; **4.** stessero; **5.** lavorassero; **6.** venissero; **7.** potessimo; **8.** comprasse; **9.** regalassero; **10.** pensassero; **11.** portassero; **12.** uscissero; **13.** andassero; **14.** capissero; **15.** affittassero; **16.** smettesse.

15 **1.** ...come se gli italiani fossero tutti uguali; **2.** ...come se le mie parole gli fossero entrate da un orecchio e uscite dall'altro; **3.** ...come se gli altri non esistessero; **4.** ...come se fosse una mosca bianca; **5.** ...come se qualcuno non sapesse che ha più di quarant'anni.

16 **1.** Prima che; **2.** di quanto; **3.** purché; **4.** Ovunque; **5.** benché; **6.** Magari; **7.** chiunque; **8.** senza che; **9.** a meno che; **10.** perché; **11.** Se.

11. ALCUNI USI DELLE PREPOSIZIONI

1 **1.** a; **2.** in; **3.** da; **4.** alla; **5.** della; **6.** di; **7.** tra / fra; **8.** di; **9.** da; **10.** in; **11.** A; **12.** da; **13.** sul; **14.** con; **15.** su; **16.** per; **17.** in / per.

2 **1.** di; **2.** a; **3.** da; **4.** in; **5.** con; **6.** di; **7.** a; **8.** sul; **9.** per; **10.** da; **11.** nelle; **12.** Con; **13.** con; **14.** di; **15.** a; **16.** da; **17.** in.

3 in mezzo a, intorno a, a destra di, a proposito di, di fronte a, in fondo a, grazie a, a seconda di, insieme a, a sinistra di, oltre a, invece di, vicino a, alle spalle di.

4 allontanarsi da, avvicinarsi a, cominciare a, dipendere da, fidarsi di, finire di, innamorarsi di, occuparsi di, provare a, ricordarsi di, riuscire a, sperare di.

5 **1.** a piedi, **2.** in piedi; **3.** per caso; **4.** a caso; **5.** in tempo; **6.** da tempo; **7.** da fare; **8.** a fare; **9.** a lavorare; **10.** di lavorare; **11.** per piacere; **12.** a piacere; **13.** in memoria; **14.** a memoria;

Soluzioni

15. a te; **16.** in te; **17.** da vivere; **18.** per vivere; **19.** al volo; **20.** in volo.

6 **1.** A; **2.** A; **3.** A; **4.** con, con; **5.** in; **6.** di; **7.** d'; **8.** in; **9.** Nelle; **10.** dei; **11.** Tra; **12.** Al.

12. GLI AVVERBI

1 **1.** Anzi; **2.** Ecco; **3.** mica; **4.** addirittura; **5.** Magari; **6.** Magari; **7.** Addirittura; **8.** anzi; **9.** Mica; **10.** Magari.

2 **1.** mai; **2.** oggi; **3.** peggio; **4.** sempre; **5.** male; **6.** male; **7.** meglio; **8.** vicino; **9.** poco; **10.** poi.

3 **1.** Eccola; **2.** Eccoli; **3.** Eccotene; **4.** Eccoci; **5.** Eccoglielo; **6.** Eccoveli; **7.** Eccomi; **8.** Eccolo.

4 **1.** lavorando; **2.** Parlando; **3.** Sentendo; **4.** sbagliando; **5.** bevendo; **6.** bevendo; **7.** Stando; **8.** scherzando; **9.** guardando; **10.** Ragionando.

5 **1.** Sfortunatamente; **2.** nuovamente; **3.** esclusivamente; **4.** inavvertitamente; **5.** rapidamente; **6.** incessantemente; **7.** estremamente; **8.** lievemente; **9.** personalmente; **10.** gradualmente; **11.** appositamente; **12.** quotidianamente; **13.** permanentemente, momentaneamente; **14.** telefonicamente.

6 *La soluzione è soggettiva.*

lettura 5. IL GALATEO

1 **1.** sia; **2.** facciano; **3.** dicessero; **4.** si divertano; **5.** evitassero; **6.** apra, guardi; **7.** cercassero; **8.** metta; **9.** cadano; **10.** storcano; **11.** gonfino; **12.** si stiri; **13.** facesse; **14.** parlasse; **15.** si meraviglino.

2 **1.** non perché; **2.** come se; **3.** a meno che; **4.** Magari; **5.** sebbene; **6.** Prima che; **7.** senza che; **8.** perché.

3 **1.** annuserei; **2.** fossi; **3.** dovessi; **4.** ragliasse; **5.** troverei; **6.** avrebbero detto; **7.** stavo; **8.** volevo; **9.** ride; **10.** chiedo.

4 **1.** fa; **2.** sarà; **3.** sarebbe partito; **4.** direi; **5.** avevo creduto; **6.** sarebbe; **7.** mangerei; **8.** hanno avuto; **9.** vorrei; **10.** voglio.

5 **1.** Non porgerglieli!; **2.** Non fateli!; **3.** Non facciamoceli!; **4.** Non ce lo metta!; **5.** Non parlarne!; **6.** Non ne rida!; **7.** Non stiriamoci!; **8.** Non guardateci dentro!; **9.** Si lamenti!; **10.** Sbadiglia!; **11.** Si svegli!; **12.** Evitatelo!; **13.** Lo senta!; **14.** Porgimelo!; **15.** Faccia attenzione!; **16.** Non raccontarmeli!

6 **1.** agli; **2.** con; **3.** al; **4.** a; **5.** a; **6.** dei/ai; **7.** nel/sul; **8.** Dal; **9.** di; **10.** in; **11.** al; **12.** dei; **13.** dal; **14.** delle; **15.** da; **16.** a.

7 **1.** vi stiriate; **2.** vi comportaste / vi sareste comportati; **3.** conosciate; **4.** avesse scritto; **5.** abbiate capito; **6.** abbia; **7.** hai; **8.** sia; **9.** mi stiro; **10.** sia; **11.** sei; **12.** abbia letto; **13.** pensiate; **14.** capiate; **15.** leggessero; **16.** vi offendiate; **17.** mi annoierei.

13. I VERBI IN *-ARRE, -ORRE, -URRE*

1 *Orizzontali*: **1.** conducevo; **4.** tradotto; **5.** sottrarrete; **9.** traduce; **10.** impongo; *Verticali*: **2.** detraevamo; **3.** porresti; **5.** suppongo; **6.** traendo; **7.** conduci; **8.** posto; **9.** trai.

2 *Soluzione possibile*: **1.** ha proposto; **2.** produce; **3.** deduceste; **4.** sedotta; **5.** si è protratta; **6.** trarremo; **7.** mi distraggo; **8.** ha tradotto; **9.** abbiamo posto.

14. AGGETTIVI E ARTICOLI IRREGOLARI

1 A2; B3; C1; D3; E1; F2; G2; H2.

2 **1.** l'; **2.** lo; **3.** lo; **4.** gli; **5.** l'; **6.** i; **7.** La; **8.** L'; **9.** il; **10.** Lo; **11.** lo; **12.** L'; **13.** Lo; **14.** gli.

3 **1.** nero; **2.** verde; **3.** rosa; **4.** rosse; **5.** grigia; **6.** azzurro; **7.** rosa; **8.** bianca; **9.** bianca; **10.** blu.

4 a. San, b. Santa, c. Santa, d. San, e. San, f. Santo; **1.** E - **2.** A - **3.** F - **4.** D - **5.** B - **6.** C.

5 **1.** Il; **2.** il; **3.** i; **4.** il; **5.** gli (i); **6.** gli; **7.** lo.

15. VERBI PRONOMINALI E ALTRI PRONOMI

1 *Vederci*: *ci vedo*, ci vedi, ci vede, ci vediamo, ci vedete, ci vedono; *Sentirsela*: me la sento, te la senti, *se la sente*, ce la sentiamo, ve la sentite, se la sentono; *Starsene*: me ne sto, te ne stai, se ne sta, ce ne stiamo, ve ne state, *se ne stanno*; *Avercela* (*con*): ce l'ho, ce l'hai, ce l'ha, *ce l'abbiamo*, ce l'avete, ce l'hanno.

2 *Vederci*: ci ho visto, ci hai visto, *ci ha visto*, ci abbiamo visto, ci avete visto, ci hanno visto; *Sentirsela*: *me la sono sentita*, te la sei sentita, se l'è sentita, ce la siamo sentita, ve la siete sentita, se la sono sentita; *Starsene*: me ne sono stata/o, te ne sei stata/o, se n'è stata/o, ce ne siamo state/i, *ve ne siete state/i*, se ne sono state/i; *Avercela* (*con*): ce l'ho avuta, *ce l'hai avuta*, ce l'ha avuta, ce l'abbiamo avuta, ce l'avete avuta, ce l'hanno avuta.

3 **1.** F - **2.** A - **3.** B - **4.** C - **5.** D - **6.** E.

4 **1.** O - **2.** P - **3.** G - **4.** N - **5.** B - **6.** H - **7.** A - **8.** I - **9.** Q - **10.** C - **11.** D - **12.** L - **13.** E - **14.** F - **15.** M - **16.** S.

5 **1.** te la senti; **2.** me la sento; **3.** se l'è sentita / se la sentiva; **4.** ce la faccio; **5.** ce la fai; **6.** ce la facciamo; **7.** me ne vado; **8.** ve ne andate; **9.** Se n'è andato; **10.** Non ne posso più; **11.** non ne può più; **12.** non ne possiamo più; **13.** se la cava; **14.** te la sei cavata; **15.** me la cavo.

6 **1.** ce la faccio; **2.** me ne frego; **3.** ce l'avesse messa tutta; **4.** ci ho messo; **5.** farla franca; **6.** ce l'ha con; **7.** ci sa fare; **8.** la pensiamo; **9.** me la sono sentita; **10.** se la sono presa; **11.** Smettila.

7 **1.** ci tenessi, ti metteresti; **2.** ti svegliassi, me la dormirei; **3.** te la sentissi, capirei; **4.** me ne andassi, faresti; **5.** tradissi, te la prenderesti.

8 **1.** ci avessi tenuto, ti saresti messa/o; **2.** ti fossi svegliata/o, me la sarei dormita; **3.** te la fossi sentita, avrei capito; **4.** me ne fossi andata, avresti fatto; **5.** avessi tradito, te la saresti presa.

9 **1.** *Se n'è andato* è fuori luogo, non adatto a un'informazione storica; **2.** *Se ne è stato* non è adatto a una comunicazione informativa; **3.** *Se ne è tornato* è troppo familiare per una notizia di questo tipo; **4.** *Se ne sono partiti* è fuori luogo perché si tratta di informazione "non partecipata"; **5.** *Se ne è stato* è in questo caso adatto al contesto perché l'azione di "starsene" trasmette l'idea di "partecipazione emotiva" da parte del soggetto.

10 **1.** *me ne infischio*: non mi interessa; **2.** *te ne vai*: vai, *te le ha date*: ti ha picchiato, *le prendi*: prendi le botte; **3.** (*chi*) *la dura la vince:* (chi) è più tenace, alla fine ottiene quello che vuole; **4.** (*chi*) *la fa l'aspetti:* (chi) fa qualcosa di brutto, prima o poi subirà lo stesso trattamento; **5.** *ve la danno a bere*: vi inganna; **6.** *Me ne frego*: non mi interessa.

11 **1.** Ormai ti ci sei abituato; **2.** La bambina ci si è divertita molto; **3.** Daniele e Tommaso ci si sono specializzati; **4.** Vi ci siete messi sul serio; **5.** Non mi ci rassegno.

ettura 6. ORE PASTI

1 **1.** V; **2.** F; **3.** V; **4.** V; **5.** F; **6.** V; **7.** F; **8.** V; **9.** V; **10.** V.

2 **1.** stanno riducendo; **2.** trovano; **3.** abitudine; **4.** guarda; **5.** che; **6.** quegli altri; **7.** non le fa; **8.** Se ne può; **9.** migliore; **10.** benissimo; **11.** bene; **12.** tutta la sera; **13.** buono; **14.** che beve.

3 **1.** tra / fra; **2.** al; **3.** allo; **4.** su; **5.** a; **6.** dell'; **7.** alle; **8.** di; **9.** a; **10.** nel; **11.** alle; **12.** all'; **13.** da; **14.** a; **15.** di.

4 **1.** Smettila; **2.** prendertela; **3.** te la passi; **4.** ci metto; **5.** ce la faccio; **6.** me la cavo; **7.** me la sono bevuta; **8.** starmene; **9.** ci vedo; **10.** ci vuole.

5 **1.** *Me ne sono andata/o alle otto*; **2.** Lui se l'è cavata benissimo da solo; **3.** Domenica mattina noi ce la siamo dormita di gusto; **4.** Ce l'avete fatta a finire in tempo quel lavoro?; **5.** Se ne sono fregate/i di quello che abbiamo detto; **6.** Ce l'abbiamo messa tutta per riuscire; **7.** Quanto ci avete messo per arrivare a casa?; **8.** Loro se la sono passata bene; **9.** Te la sei presa così per una cosa da niente; **10.** Te ne sei ritornata/o a casa dalla tua mamma?; **11.** Non ce la siamo sentita di dirgli la verità; **12.** Ve la siete spassata in vacanza, vero?; **13.** Me ne sono stato buono buono a guardare la TV; **14.** Economicamente se l'è vista brutta; **15.** Ce n'è voluto per farmi cambiare idea; **16.** Per fare quella strada ci sono volute due ore.

6 **1.** GIUSTO; **2.** GIUSTO; **3.** GIUSTO; **4.** SBAGLIATO; **5.** GIUSTO; **6.** GIUSTO; **7.** SBAGLIATO.

7 **1.** Se si mangia molto, si ingrassa; **2.** Se avevo tempo, andavo al cinema; **3.** Se lo sapevo prima, non perdevo tempo; **4.** Se ci si comporta bene, qualche volta non ci si guadagna; **5.** Se devo essere sincero, non so proprio cosa dirti; **6.** Se devo dire la verità, io non sono d'accordo con te; **7.** Se rimandi il problema, non hai nessun vantaggio; **8.** Se bevi così, ti rovinerai il fegato; **9.** Se fai così, non fai una bella figura.

8 **1.** Non ho mai bevuto; **2.** Non capisco niente; **3.** Non ho detto niente; **4.** Nessuno ha; **5.** Non ha protestato nessuno; **6.** Non bevo nessun; **7.** Non ero per niente stanco; **8.** Non sono mai più; **9.** Mica male.

9 **1.** ci vede; **2.** Ci stai; **3.** c'entra; **4.** ci vogliono; **5.** ci sente; **6.** ci ho messo; **7.** ci sono voluti / ci vogliono; **8.** ci vuole; **9.** ci rimetterei; **10.** ci ho visto.

EST 1

1 **1.** il; **2.** X; **3.** La; **4.** l'; **5.** X; **6.** la; **7.** l'.

2 **1.** Le solite questioni; **2.** Gli ultimi mesi; **3.** *Due* città cinesi; **4.** I miei zii; **5.** *Due* paia di scarpe; **6.** *Dei* bei ragazzi; **7.** *Quattro* patate arrosto.

3 **1.** a; **2.** di; **3.** alle; **4.** alla; **5.** da; **6.** da; **7.** dal.

4 **1.** sanno; **2.** è potuta; **3.** abbiamo tradotto; **4.** dicevi; **5.** erano andate; **6.** immaginavo; **7.** è piaciuto.

5 **1.** potrebbe; **2.** avrei / sarei vissuto; **3.** sarei voluto; **4.** piacerebbe / sarebbe piaciuto; **5.** sarei venuto; **6.** saresti; **7.** avrebbe.

6 **1.** faccia; **2.** restasse; **3.** deste; **4.** dicessi; **5.** fossero; **6.** scriva; **7.** sia.

7 **1.** lo; **2.** le ho viste; **3.** le ho telefonato; **4.** li ho letti; **5.** glieli ho regalati; **6.** gliene ho date; **7.** me lo / me ne; **8.** vacci.

16. LA FORMA PASSIVA

1 l'armistizio.

2 **1.** *La Primavera* è stata dipinta da Botticelli; **2.** *La Pietà* è stata scolpita da Michelangelo; **3.** *La dolce vita* è stato girato da Federico Fellini nel 1960; **4.** *La Mole Antonelliana* è stata progettata da Alessandro Antonelli; **5.** Il telefono è stato inventato da Antonio Meucci; **6.** La *Stazione Spaziale Internazionale* è stata raggiunta da Samantha Cristoforetti nel 2014; **7.** Il premio *Nobel* per la letteratura è stato vinto da Grazia Deledda nel 1926; **8.** L'America è stata scoperta da Cristoforo Colombo il 12 ottobre 1492; **9.** *O sole mio* è stata cantata anche da Pavarotti; **10.** La macchinetta del caffè è stata inventata dal signor Bialetti; **11.** Le colonne sonore di molti film italiani e stranieri sono state composte da Ennio Morricone; **12.** La *Nutella* è stata inventata da Michele Ferrero nel 1964; **13.** Carlo Petrini è stato inserito tra gli "eroi del nostro tempo" nella categoria "Innovatori" da *Time Magazine*.

3 **1.** *I Promessi Sposi* è stato scritto da Alessandro Manzoni; **2.** Alcuni terroristi sarebbero ricercati dalla polizia anche in Italia; **3.** Spero che verrà avvertito della festa da qualcuno; **4.** La musica italiana dell'Ottocento era amata da tutti gli stranieri; **5.** L'organizzazione italiana non è apprezzata da tutti gli stranieri; **6.** *La Barcaccia* di Bernini è stata restaurata dai tecnici italiani; **7.** L'Aquila è stata distrutta da un terremoto; **8.** Gino Strada, il fondatore di *Emergency*, è stimato da tutti; **9.** Il Presidente americano verrà / sarà accompagnato dal Segretario di Stato.

4 erano stati rubati, erano stati nascosti, erano chiusi, è stata notata, è stato aperto.

5 sono stati inseriti; sono stati ricoperti; è stata consacrata; sono stati rappresentati; è stata eretta; è stato realizzato; è stata giudicata. *La città è* Ravenna (*la soluzione è l'esercizio 7*).

6 **1.** L'UNESCO ha inserito nella Lista del Patrimonio Mondiale otto suoi monumenti, considerati dei capolavori dell'arte paleocristiana e bizantina; **2.** mosaici policromi hanno ricoperto le pareti, e in alcuni casi anche i soffitti; **3.** la Basilica di San Vitale l'hanno consacrata nel 547; **4.** nell'abside hanno rappresentato in tutto il loro sfarzo l'imperatore bizantino Giustiniano e sua moglie Teodora insieme alla corte; **5.** la Tomba di Dante l'hanno eretta qui; **6.** Hanno realizzato l'edificio nel 1780-81; **7.** hanno giudicato la città come la prima in Italia per "qualità della vita".

7 **1.** SBAGLIATA: ~~ed è venuta mangiata~~ → viene mangiata; **2.** GIUSTA; **3.** GIUSTA; **4.** GIUSTA; **5.** SBAGLIATA: ~~va richiesta~~ → viene richiesta; **6.** GIUSTA; **7.** SBAGLIATA: ~~a visitare~~ → da visitare; **8.** GIUSTA; **9.** GIUSTA; **10.** GIUSTA.

8 **1.** Questa lettera si deve spedire / va spedita / è da spedire oggi; **2.** Questo libro si deve tradurre / va tradotto / è da tradurre in inglese; **3.** Questo discorso non si deve fare / non va fatto / non è da farsi mai più; **4.** Pensavo che queste tasse non si dovessero pagare / non andassero pagate / non fossero da pagare; **5.** Questo giornale di dovrebbe leggere / andrebbe letto / sarebbe da leggere; **6.** Credo che le offese si debbano dimenticare / vadano dimenticate / siano da dimenticare; **7.** Certi errori non si dovranno ripetere / non andranno ripetuti / saranno da non ripetere; **8.** Questi bambini si dovevano punire / andavano puniti / erano da punire.

9 **1.** non vanno usati, non vanno indossate; **2.** vanno messi; **3.** va gestito, vanno pubblicati; **4.** va indossato; **5.** va preso; **6.** vanno lasciate; **7.** va utilizzata.

10 **1.** vanno letti / vengono letti; **2.** vengono ritenute; **3.** venga abbinato; **4.** vengono discriminati / vanno discriminati; **5.** viene seguito; **6.** andrebbe provata; **7.** veniva chiamata; **8.** andrebbe guardata; **9.** verrebbe guardata; **10.** verrà riformato / andrà riformato.

11 *L'agente del verbo passivo non è indicato.*

17. LE FORME SPERSONALIZZATE

1 **1.** riflessivo; **2.** passivante; **3.** passivante; **4.** passivante; **5.** riflessivo; **6.** impersonale; **7.** impersonale.

2 **1.** H - **2.** G - **3.** L - **4.** E - **5.** C - **6.** B - **7.** I - **8.** A - **9.** F - **10.** D.

3 **1.** o; **2.** i/e; **3.** i; **4.** a; **5.** o; **6.** o; **7.** i; **8.** o, i; **9.** i; **10.** i, i.

4 **1.** *Si lessano le patate*; **2.** Si sbucciano e si schiacciano le patate; **3.** Si mettono le patate schiacciate su un piano; **4.** Si aggiunge un pizzico di sale; **5.** Si impasta il tutto; **6.** Si divide l'impasto in tanti filoni; **7.** Si inizia a tagliare gli gnocchi; **8.** Si praticano le caratteristiche rigature degli gnocchi; **9.** Si cuociono gli gnocchi in una pentola; **10.** Si scola quando gli gnocchi salgono a galla; **11.** Si prepara il condimento che più vi piace; **12.** Si condiscono gli gnocchi.

5 **1.** *Si sono lessate le patate*; **2.** Si sono sbucciate e si sono schiacciate le patate; **3.** Si sono messe le patate schiacciate su un piano; **4.** Si è aggiunto un pizzico di sale; **5.** Si è impastato il tutto; **6.** Si è diviso l'impasto in tanti filoni; **7.** Si è iniziato a tagliare gli gnocchi; **8.** Si sono praticate le caratteristiche rigature degli gnocchi; **9.** Si sono cotti gli gnocchi in una pentola; **10.** Si è scolato quando gli gnocchi sono saliti a galla; **11.** Si è preparato il condimento che più vi piace; **12.** Si sono conditi gli gnocchi.

6 **1.** *Le patate sono state lessate*; **2.** Le patate sono state sbucciate e schiacciate; **3.** Le patate schiacciate sono state messe su un piano; **4.** Un pizzico di sale è stato aggiunto; **5.** Il tutto è stato impastato; **6.** L'impasto è stato diviso in tanti filoni; **7.** *Il cambiamento al passivo non è possibile perchè il verbo "iniziare" è usato in modo intransitivo*; **8.** Le caratteristiche rigature degli gnocchi sono state praticate; **9.** Gli gnocchi sono stati cotti in una pentola; **10.** *Il cambiamento al passivo non è possibile perchè il verbo "scolare" è usato in modo intransitivo;* **11.** Il condimento che più vi piace è stato preparato; **12.** Gli gnocchi sono stati conditi.

7 **1.** *Perché si è intelligenti, quando non si diventa astuti*; **2.** Perché si è immediati, quando non si diventa impulsivi; **3.** Perché si è imprevedibili, se non si diventa inaffidabili; **4.** Perché si è geniali (nessuno è altrettanto bravo a trasformare una crisi in una festa); **5.** Perché si è gentili e capaci di bei gesti (e poi si hanno difficoltà a trasformarli in buoni comportamenti); **6.** Perché si ha gusto. Si sa istintivamente cos'è bello; **7.** Perché, talvolta, si antepone l'estetica all'etica; **8.** Perché si è interessanti: con noi non ci si annoia; **9.** Perché nelle feste si balla anche senza essere sbronzi; **10.** Perché negli alberghi si capisce subito chi sei, e spesso se lo ricordano; **11.** Perché si è sempre saputo dipingere, scolpire, raccontare, cantare, recitare, arredare e vestire la vita; **12.** Perché si è scoperta l'America per caso; **13.** Perché in America vanno dallo psicanalista mentre in Italia ci si siede a cena con i figli; **14.** Perché si scrivono leggi così complicate che talvolta ci si dimentica di rispettarle; **15.** Perché si è troppo indulgenti con imbroglioni e farabutti, ma li si riconosce subito.

8 **1.** *Perché si è stati intelligenti, quando non si è diventati astuti*; **2.** Perché si è stati immediati, quando non si è diventati impulsivi; **3.** Perché si è stati imprevedibili, se non si è diventati inaffidabili; **4.** Perché si è stati geniali (nessuno è altrettanto bravo a trasformare una crisi in una festa); **5.** Perché si è stati gentili e capaci di bei gesti (e poi si sono avute difficoltà a trasformarli in buoni comportamenti); **6.** Perché si è avuto gusto. Si è saputo istintivamente cos'è bello; **7.** Perché, talvolta, si è anteposta l'estetica all'etica; **8.** Perché si è stati interessanti: con noi non ci si è annoiati; **9.** Perché nelle feste si è ballato anche senza essere sbronzi; **10.** Perché negli alberghi si è capito subito chi eravamo, e spesso se lo sono ricordato; **11.** Perché si è sempre saputo dipingere, scolpire, raccontare, cantare, recitare, arredare e vestire la vita; **12.** Perché si è scoperta l'America per caso; **13.** Perché in America andavano dallo psicanalista mentre in Italia ci si è seduti a cena con i figli; **14.** Perché si sono scritte leggi così complicate che talvolta ci si è dimenticati di rispettarle; **15.** Perché si è stati troppo indulgenti con imbroglioni e farabutti, ma li si è riconosciuti subito.

9 **1.** Quando lo si beve non viene mai mal di testa; **2.** Con la crisi economica non lo si spende per comprare stupidaggini!; **3.** In Italia lo si preferisce a tutti gli altri sport; **4.** Quando lo si vizia, poi tutto diventa difficile con lui; **5.** Tutti amano la mamma, ma qualcuno dice che in Italia la si ama un po' troppo; **6.** Quando la si fa al bar la giornata comincia più allegramente; **7.** Se una persona cambia la tua vita, non la si dimentica più.

10 **1.** Ce le si dimentica; **2.** Non ce la si fa senza aiuto; **3.** Ce la si mette tutta senza grandi risultati; **4.** Da te ce lo si aspetta; **5.** Ce la si ha con il mondo.

18. FAR FARE

1 **1.** E - **2.** F - **3.** G - **4.** B - **5.** H - **6.** C - **7.** D - **8.** A.

2 **1.** D - fai prendere un colpo; **2.** A - ha fatto cadere le braccia; **3.** E - fa venire l'acquolina in bocca; **4.** F - ha fatto venire la pelle d'oca; **5.** B - fa venire il latte alle ginocchia; **6.** C - fai venire i nervi; **7.** I - ha fatto perdere la testa; **8.** H - ha fatto vedere i sorci verdi; **9.** G - fanno ridere i polli.

3 **1.** B (la); **2.** A (le, *far*la); **3.** D (le, la, la); **4.** E (la); **5.** C (ci).

4 **2.** Lasciami parlare! È un'ora che ti ascolto!; **3.** Mi lasci studiare in santa pace?; **6.** Lasciatemi entrare, per cortesia!; **7.** I miei genitori mi lasciano fare tutto quello che voglio; **11.** Lasciatemi dormire, sono stanca; **12.** La maestra non mi lascia uscire dalla classe. *Il cognome della prima donna dell'esercizio 3, Lucrezia, è* BORGIA.

5 **1.** F - **2.** A - **3.** E - **4.** C - **5.** B - **6.** G - **7.** H - **8.** D.

6a **1.** A. mi fa fare il bucato, B. me lo fa fare; **2.** A. mi fa lavare i vestiti, B. me li fa lavare; **3.** A. mi fa lavare i piatti, B. me li fa lavare; **4.** A. mi fa pagare le bollette, B. me le fa pagare; **5.** A. mi fa curare il giardino, B. me lo fa curare; **6.** A. mi fa portare le bambine al corso, B. me le fa portare al corso; **7.** mi fa portare Federica dal pediatra, B. me la fa portare dal pediatra; **8.** mi fa tenere pulito il cane, B. me lo fa tenere pulito; **9.** A. mi fa portare fuori il cane, B. me lo fa portare fuori; **10.** A. mi fa cenare da solo; **11.** A. mi fa morire di gelosia.

7 **1.** A; **2.** C; **3.** B; **4.** A; **5.** B; **6.** A; **7.** B; **8.** B.

8 **1.** Parlo lentamente per far capire bene agli studenti le mie parole; **2.** Lui sta facendo di tutto per farmi cambiare idea; **3.** Le manderò un sms per non farle dimenticare il nostro appuntamento; **4.** Gli ho scritto più volte per farmi venire a trovare; **5.** Mi ha portato il suo libro per farmelo leggere; **6.** Mi ha supplicato per farmi dire tutto quello che so; **7.** Per farlo addormentare gli ho cantato una ninna nanna; **8.** I genitori hanno fatto di tutto per non farlo sposare con quella donna; **9.** Mi hai portato questo regalo solo per farti perdonare, vero?; **10.** Lo porterò al cinema per farlo divertire un po'.

lettura 7. COSE DI COSA NOSTRA

1 **1.** ~~Signore Falcone~~ → Signor Falcone; **2.** ~~otterrerà~~ → otterrà; **3.** ~~un'altro~~ → un altro; **4.** ~~vi la regalo~~ → ve la regalo; **5.** ~~lo ha risposto~~ → gli ha risposto; **6.** ~~nessuno appellativo~~ → nessun appellativo; **7.** ~~Grazie delle indagini~~ → Grazie alle indagini; **8.** ~~libro scritto per Falcone~~ → libro scritto da Falcone; **9.** ~~sono venuti arrestati~~ → sono stati arrestati; **10.** ~~un anno fa~~ → un anno prima.

2 **1.** era; **2.** si trovano; **3.** sapeva; **4.** voleva; **5.** ha chiesto; **6.** è; **7.** sono state; **8.** era; **9.** era; **10.** è nato.

3 **1.** Il Giudice Falcone ci ha raccontato questi episodi; **2.** Falcone nel 1991 ha scritto *Cose di Cosa Nostra*; **3.** Un mafioso ha chiamato Falcone "Signor Falcone"; **4.** Un mafioso usa l'appellativo "signore" in senso negativo; **5.** I mafiosi chiamano *Zio* o *Don* un uomo con un ruolo importante nella mafia; **6.** Falcone ha voluto le leggi anti-mafia più moderne.

4 **1.** Il posto di Procuratore viene / è ottenuto dal magistrato cretino; **2.** Molti fatti interessanti sono / vengono raccontati da Falcone nel suo libro; **3.** La mentalità mafiosa era / veniva capita benissimo da Falcone; **4.** Molti super-boss mafiosi sono stati messi in prigione da Falcone; **5.** Il Giudice Falcone è stato assassinato dalla mafia nel 1992.

5 **1.** a; **2.** in; **3.** dal; **4.** nel; **5.** di; **6.** da; **7.** da; **8.** nell'.

6 **1.** ce ne; **2.** lo; **3.** ne; **4.** lo; **5.** Ce ne; **6.** la; **7.** ne; **8.** ne / gliene; **9.** ne; **10.** lo.

7 **1.** *raccontarmi*; **2.** lo; **3.** ne; **4.** la; **5.** gli; **6.** lo; **7.** lo; **8.** ci; **9.** ne / gliene; **10.** li; **11.** gliene; **12.** gliele; **13.** ci; **14.** ne.

8 **1.** *Non abbiamo visto nessun uomo*; **2.** Non abbiamo parlato con nessun amico; **3.** Non abbiamo ottenuto nessuna risposta; **4.** Non abbiamo incontrato nessuno straniero; **5.** Non abbiamo avuto nessun appoggio politico; **6.** Non abbiamo scritto nessun libro; **7.** Non abbiamo trovato nessuna informazione; **8.** Non abbiamo avuto nessuna reazione; **9.** Non abbiamo avuto nessun problema; **10.** Non abbiamo detto nessuna parola offensiva; **11.** Non abbiamo avuto diritto a nessun appellativo.

9 **1.** assassinasse; **2.** capiscano; **3.** sia; **4.** debbano; **5.** corrispondesse; **6.** possa / potesse; **7.** rischiassero; **8.** fosse; **9.** siano stati uccisi.

19. I TEMPI VERBALI NEL DISCORSO INDIRETTO

1 **1.** H; **2.** B; **3.** G; **4.** D; **5.** L; **6.** C; **7.** A; **8.** F; **9.** I; **10.** E.

1a *Soluzione possibile*: **2.** che, a proposito dei bambini, preferiva cominciarne cento che finirne uno; **3.** che ricordava la sua delusione quando suo padre le aveva fatto vedere la *Giuditta* di Caravaggio... Era colpita perché l'autore aveva concentrato tutta l'emozione sull'uomo e evidentemente non riusciva a immaginare che una donna fosse in grado di pensare. Lei invece ha detto che avrebbe voluto dipingere i suoi pensieri, se una cosa del genere fosse stata possibile; **4.** che in quel momento avrebbe voluto interpretare un vecchio Tarzan. Era certo, dopo averlo detto, che lo avrebbero preso in giro perché lui non era mai stato un uomo giovane e robusto. Gli sarebbe piaciuto darla a bere perché non si poteva pretendere che a quella età uno avesse i muscoli; **5.** che amava ferocemente, disperatamente la vita. E che credeva che quella ferocia, quella disperazione lo avrebbero portato alla fine. Diceva di amare il sole, l'erba, la gioventù, che l'amore per la vita era divenuto per lui un vizio più micidiale della cocaina e che lui divorava la sua esistenza con un appetito insaziabile. Come sarebbe finito tutto ciò? Lo ignorava; **6.** che quando un uomo con la pistola incontrava un uomo con il fucile, l'uomo con la pistola era un uomo morto; **7.** che trovava che ci fosse una bella parola in italiano che era molto meglio della parola "felice" ed era "contento", "accontentarsi". Era convinto che uno che si accontenta è un uomo felice; **8.** che lui era di una regolarità deprimente perché d'estate si sveglia alle sei e d'inverno alle sette. Si lava, si sbarba, si veste, attraversa il pianerottolo ed entra nel suo studio. Poi ha detto anche di non saper scrivere "sciamannato". Ha detto che lavora ininterrottamente fino alle undici, che scrive quello che gli è venuto in mente la sera prima e che ha una memoria ferrea. Poi tre pomeriggi a settimana corregge; **9.** che sui libri di psicologia aveva imparato a educare suo figlio. Ha detto che se un bambino cresce libero è molto più contento! Poi ha detto che aveva lasciato fare suo figlio... e che gli era venuto l'esaurimento!; **10.** che gli avrebbe fatto un'offerta che non avrebbe potuto rifiutare!

2 **1.** Sono stanco di questa situazione; **2.** Ho letto questo libro una settimana fa; **3.** Mi piacerebbe andare a casa loro per prendere un tè; **4.** Tra un mese parto per New York; **5.** Telefonami subito!; **6.** Marco è partito con Lucia?; **7.** Credo che loro abbiano paura; **8.** Ho saputo ieri che era il suo compleanno; **9.** Se domani potessi, tornerei sicuramente in città; **10.** Questo museo sarà interessante, ma non mi va di visitarlo; **11.** Ma devono capitare proprio tutte a me le disgrazie!; **12.** Ehm... veramente... preferirei non sentire certe cose; **13.** Sia puntuale, Signor Rossi!

3 A. 3; B. 11; C. 7; D. 6; E. 10; F. 4; G. 13; H. 1; I. 5; L. 8; M. 2; N. 9; O. 14; P. 12; Q. 15.

4 *Soluzione possibile*: **1.** Arricciando il naso, ha chiesto cosa gli avesse dato da mangiare perché dall'odore sembrava cibo per cani; **2.** Ha urlato facendo una smorfia di dolore; **3.** Ha detto che la risposta era sbagliata, scrollando la testa; **4.** Gli hanno chiesto dove fosse via La Spezia e ha risposto che era proprio lì, indicandola; **5.** Ha imprecato dicendo che non ne poteva più e allargando le braccia; **6.** Ha confermato che ci stava, strizzando l'occhio; **7.** Saltellando dalla gioia ha detto che finalmente partiva per le vacanze; **8.** Ha chiesto se dicesse

sul serio, incrociando le dita; **9.** Ha detto, sfregandosi le mani, che se l'affare fosse andato in porto, sarebbero diventati ricchi; **10.** Ha detto, ridendo a denti stretti, che ride bene chi ride ultimo.

lettura 8. AL RISTORANTE, DOMANI

1 **1.** Magari; **2.** anzi; **3.** mica; **4.** addirittura; **5.** Ecco; **6.** magari; **7.** anzi; **8.** Mica.

2 **1.** Ti va un antipasto?; **2.** Gli va una mozzarella; **3.** Le va di mangiare; **4.** Ci vanno le olive; **5.** Vi va un dolce?; **6.** Gli va (A loro va) un piatto di salmone; **7.** Mi vanno due carciofini.

3 *Soluzione possibile*: Il cameriere ha salutato e ha chiesto se il cliente volesse un antipasto. Il cliente ha detto di sì e ha chiesto cosa gli consigliava. Il cameriere ha domandato se lui preferisse un antipasto italiano o un antipasto di mare e il cliente ha detto che preferiva un antipasto di mare e ha chiesto preoccupato se il pesce era surgelato. Il cameriere glielo ha garantito dicendo che quello era un ristorante serio. Il cliente allora ha detto che gli poteva portare un antipasto di mare. Il cameriere gli ha chiesto se per primo gli andava una pastasciutta e il cliente ha detto che la pastasciutta gli piaceva molto. Per secondo il cameriere gli ha chiesto se volesse carne o pesce. Il cliente ha detto che voleva qualcosa di leggero e allora il cameriere gli ha consigliato una mozzarella. Il cliente ha accettato e ha detto che si fidava. Il cameriere gli ha detto che era un vero intenditore e gli ha chiesto se voleva anche un'insalata. Gli ha detto anche di stare tranquillo perchè era di serra. Il cliente ha detto che era difficile stare tranquilli al giorno d'oggi con tutti i prodotti biologici che c'erano. Comunque ha ringraziato e ha detto che prendeva un'insalatina. Per dolce il cameriere gli ha consigliato il loro tiramisù speciale dicendo che era conservato in contenitori di metallo all'uranio che gli dava quel leggero sapore frizzante. Il cliente ha detto che così gli veniva l'acquolina in bocca e il cameriere gli ha ancora chiesto se volesse vino bianco, rosso o blu.

20. LE CONGIUNZIONI

1 Allora, invece, Insomma, sennò, cioè, Infatti, né, né, quindi.

2 **1.** Dal momento che; **2.** Anche se; **3.** piuttosto che; **4.** come se; **5.** che; **6.** perché; **7.** benché; **8.** a patto che; **9.** Nel caso che; **10.** nemmeno se.

3 **1.** come se; **2.** purché; **3.** Quanto a; **4.** anziché; **5.** Dal momento che; **6.** come se; **7.** come se; **8.** come se; **9.** Pur senza; **10.** purché; **11.** purché; **12.** purché; **13.** come se; **14.** in modo che; **15.** anziché; **16.** cosicché; **17.** in modo da; **18.** in modo che; **19.** Appena; **20.** Dopo; **21.** Prima che; **22.** Ogni volta che; **23.** Nel caso che; **24.** Dato che; **25.** purché; **26.** al punto che.

4 *Soluzione possibile*; **1.** nonostante; **2.** perché; **3.** in modo che; **4.** affinché; **5.** prima che; **6.** purché / a condizione che; **7.** come se; **8.** tranne che; **9.** malgrado; **10.** Per quanto.

21. IL PARTICIPIO

1 **1.** proveniente; **2.** parlante; **3.** latitanti; **4.** amante; **5.** volente; **6.** raffigurante; **7.** sorridente; **8.** contenente; **9.** uscente; **10.** seguente; **11.** gratificante.

2

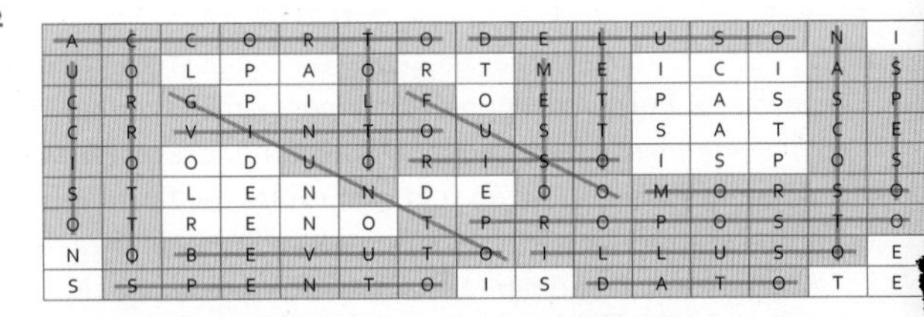

A	C	C	O	R	T	O	D	E	L	U	S	O	N	I
U	O	L	P	A	O	R	T	M	E	I	C	I	A	S
C	R	G	P	I	L	F	O	E	T	P	A	S	S	P
C	R	V	I	N	T	O	U	S	T	S	A	T	C	E
I	O	O	D	U	O	R	I	S	O	I	S	P	O	S
S	T	L	E	N	N	D	E	O	O	M	O	R	S	O
O	T	R	E	N	O	T	P	R	O	P	O	S	T	O
N	O	B	E	V	U	T	O	I	L	L	U	S	O	E
S	S	P	E	N	T	O	I	S	D	A	T	O	T	E

IL PARTICIPIO PASSATO DI SPLENDERE NON ESISTE

3 *Soluzione possibile*: **1.** Pur offesa; **2.** Superati gli esami; **3.** Finito di mangiare; **4.** Pur (Anche se) sorpreso; **5.** Appena nominato; **6.** Se restaurata; **7.** Finiti i soldi; **8.** Cambiato lavoro.

4 **1.** D - **2.** F - **3.** C - **4.** E - **5.** B - **6.** H - **7.** A - **8.** G.

5 **1.** viste/i; **2.** ascoltati; **3.** guardata; **4.** credute/i; **5.** fatta.

6 **1.** va bevuta; **2.** va disperso; **3.** vanno dimenticati; **4.** va aggiustato; **5.** va bevuto; **6.** va persa (perduta); **7.** va letto; **8.** vanno spente.

7 **1.** La vodka deve essere bevuta fredda; **2.** Il denaro viene disperso – il denaro deve essere disperso; **3.** Certi ricordi vengono dimenticati – certi ricordi devono essere dimenticati; **4.** Se il computer non funziona deve essere aggiustato; **5.** L'alcool viene bevuto senza moderazione – (*ironico*: L'alcool deve essere bevuto senza moderazione); **6.** Con l'età che avanza l'energia fisica viene perduta; **7.** Questo libro è bellissimo, deve essere letto assolutamente; **8.** Le sigarette devono essere spente nel posacenere e non per terra!

22. L'INFINITO

1 **1.** *avere*; **2.** agire; **3.** contrarre; **4.** differire; **5.** esigere; **6.** esplodere; **7.** fingere; **8.** essere; **9.** giungere; **10.** muovere; **11.** morire; **12.** porre; **13.** raccogliere; **14.** rendere; **15.** spegnere; **16.** stare; **17.** tenere; **18.** tradurre.

2 **1.** calpestare; **2.** aver bevuto; **3.** fare, mescolare, aggiungere; **4.** aver finito; **5.** essere andato; **6.** avere (aver avuto); **7.** riuscire, tenere; **8.** aver mangiato; **9.** Poterlo rivedere (averlo potuto rivedere).

3 **1.** a; **2.** X; **3.** di; **4.** X; **5.** di; **6.** per; **7.** X; **8.** Ad; **9.** Per; **10.** di; **11.** A, a; **12.** per; **13.** X; **14.** a; **15.** X; **16.** di; **17.** da; **18.** a; **19.** a; **20.** a; **21.** a.

4 **1.** DI / A - **2.** A / D - **3.** DA / B - **4.** SENZA / C - **5.** TRANNE CHE / E - **6.** PER / H - **7.** OLTRE / I - **8.** ECCO / F - **9.** NEANCHE / G - **10.** CHE / L.

5 *Soluzione possibile:* **1.** Se devo dire la verità; **2.** Se giudichiamo dai fatti; **3.** Quando avremo finito il corso di italiano; **4.** Se dessimo ascolto ai grandi; **5.** per cui mi sveglio in piena notte; **6.** Quando ho parlato con lui; **7.** che aveva ragione; **8.** perché potessi guadagnare qualcosa; **9.** Se parliamo di stanchezza, è vero che sono stanco; **10.** Se parliamo di raccontare bugie; **11.** neanche se glielo chiedessi in ginocchio; **12.** *Non credo si possa fare altro.* Possiamo solo sperare *che tutto vada bene*; **13.** se lo sapessimo...; **14.** purché io possa avere.

6 **1.** calcolare, essere, Versare, superare, Inserire, Avvitare; **2.** Mettere, portare, togliere, capovolgerla, raccogliersi; **3.** Servire, dimenticare, lavare, asciugarla.

7 **1.** Il lavoro stanca; **2.** Mi piace la lettura; **3.** Lo studio della matematica è noioso; **4.** Il mangiare troppo la sera non fa bene; **5.** Il fumo nuoce gravemente alla salute;

6. Il collezionismo di farfalle è non solo un *hobby* interessante ma anche utilissimo!; **7.** La visita a Napoli è un'esperienza incredibile.

8 **1.** Prima di fare; **2.** prima di leggere; **3.** dopo aver caricato; **4.** prima di andare; **5.** Dopo essere andati; **6.** Dopo aver sentito parlare; **7.** Prima di mangiare; **8.** prima di informarti / prima di esserti informato; **9.** dopo aver bevuto; **10.** dopo aver preparato.

9 **1.** L - **2.** P - **3.** O - **4.** M - **5.** Q - **6.** I - **7.** A - **8.** B - **9.** H - **10.** N - **11.** G - **12.** F - **13.** E - **14.** C - **15.** D.

10 **1.** *Pensare maliziosamente è una colpa, ma spesso il pensiero malizioso è giusto;* **2.** *La mancanza di potere consuma più che il potere stesso;* **3.** *È importante vedere riconosciute le proprie ragioni;* **4.** *È meglio vivere che morire (gioco di parole con il verbo* tirare*);* **5.** *Chi crede di poter far funzionare le Ferrovie dello stato è pazzo come chi crede di essere Napoleone.*
Il personaggio è Giulio Andreotti.

23. IL GERUNDIO

1 **1.** Mettendo, imparando, scrivendo, parlando, ascoltando; **2.** Trovando; **3.** Tenendo, studiando; **4.** Divertendosi; **5.** Tornando, facendosi, parlando, facendo, sbagliando; **6.** Osando, mettendosi; **7.** Ascoltando, osservando; **8.** Parlando; **9.** Rilassandosi, preoccupandosi, imparando.

2 FRASE TEMPORALE: 4, 5, 14; FRASE IPOTETICA: 6, 10, 11; FRASE CAUSALE: 1, 3; FRASE MODALE: 7, 9, 12; FRASE CONCESSIVA: 2, 8, 13.

3 **1.** *Dato che ho lavorato molti anni per...;* **2.** Benché non lo conosca bene...; **3.** Poiché è arrivato in Italia...; **4.** Quando sono uscito...; **5.** ...mentre ascolta la musica; **6.** Se ne avessi l'opportunità...; **7.** ...in modo che non le mancasi mai il divertimento; **8.** Anche se non ho che pochi euro; **9.** Non è con l'andare sempre a spasso...; **10.** ... se si ha un papà che fa il politico; **11.** ...se ne avesse l'occasione...; **12.** Dato che scrive su un blog...; **13.** Anche se non ha fatto l'università; **14.** Lo so che quando si mangia...

4 **1.** Avendo bevuto troppo ieri sera, sono tornato a casa in taxi; **2.** Avendo comprato una casa, adesso devono pagare un bel mutuo alla banca; **3.** Essendo andata a dormire tardissimo, questa mattina non si è svegliata; **4.** Essendo già stati sulle Dolomiti, abbiamo deciso di andare in vacanza in Val d'Aosta; **5.** Non avendo avuto istruzioni, ha fatto di testa sua.

5 mangiando, mettendosi, mangiare, stando, presentato, trascurati, utilizzati, spiegato, chiamate, prodotte, controllate, bloccare, stimolare, ripetere, gratificanti, accattivante, ripetere.

6 **1.** Anche se studia / Benché (Nonostante / Sebbene) studi molto, i suoi risultati non sono eccezionali; **2.** Anche se sto / Benché (Nonostante / Sebbene) stia a dieta, non dimagrisco di un grammo; **3.** Anche se aveva lavorato / Benché (Nonostante / Sebbene) avesse lavorato molti anni, non aveva esperienza in quel campo; **4.** Anche se guadagna / Benché (Nonostante / Sebbene) guadagni molto, non spende mai soldi per viaggiare o divertirsi; **5.** Anche se conoscevano / Benché (Nonostante / Sebbene) conoscessero la verità, loro non ti hanno detto niente; **6.** Anche se avevamo / Benché (Nonostante / Sebbene) avessimo la febbre alta, non abbiamo voluto prendere medicine.

7 **1.** Pur avendo dormito molto, avevo ancora sonno; **2.** Pur di mangiare qualcosa credo che ruberei!; **3.** Pur essendo offesa / Pur offesa, ha detto che verrà ugualmente alla festa; **4.** Pur essendo domenica, i negozi erano tutti aperti; **5.** Pur amando gli animali, ha deciso di non averli in casa; **6.** C'è chi è pronto a farsi uccidere, pur di sostenere le proprie idee; **7.** Pur essendo poco preparato, ha ugualmente superato l'esame.

8 **1.** veneranda; **2.** crescendo; **3.** Reverendo; **4.** laureanda; **5.** educanda; **6.** tagliando; **7.** addendi; **8.** maturanda.

9 *Possibile soluzione:* **1.** Non è stando a casa tutto il giorno che lo troverai!; **2.** Non è andando a casa delle tue amiche che lo troverai!; **3.** Non è guardando la TV tutto il giorno che lo supererai!; **4.** Non è giocando alla *Playstation* che li incontrerai!; **5.** Non è truccandoti come un clown che lo sembrerai!

lettura 9. LE ORIGINI DELL'ITALIANO

1 *L'indovinello Veronese è una metafora della scrittura: i buoi sono le dita, il campo bianco è la carta, il bianco aratro è la penna d'oca, il seme nero è l'inchiostro.*
La soluzione è quindi "l'azione di scrivere".

2 **1.** *potendo;* **2.** Va detto che, pur essendo, e; **3.** far, in modo da; **4.** da, e pensare che; **5.** A, a; **6.** Per quanto; **7.** Passati.

3 **1.** affinché si mantenesse omogeneo nell'impero; **2.** perché pensava che gli sbagli degli studenti erano sempre gli stessi; **3.** Se vogliamo pensarci bene; **4.** Se lo sapesse; **5.** Dopo che erano passati alcuni secoli.

4 **1.** F - **2.** G - **3.** I - **4.** D - **5.** B - **6.** H - **7.** L - **8.** A - **9.** C - **10.** E.

5 **1.** insegnassero; **2.** stia; **3.** farsi; **4.** aver usato; **5.** dica; **6.** diventasse.

6 **1.** *N* - **2.** S - **3.** H - **4.** Q - **5.** A - **6.** L - **7.** R - **8.** D - **9.** G - **10.** P - **11.** F - **12.** C - **13.** E - **14.** I - **15.** M - **16.** O - **17.** B.

7 **1.** *fiore;* **2.** piazza; **3.** freddo; **4.** specchio; **5.** occhio; **6.** raggio; **7.** oro; **8.** fratello; **9.** padre; **10.** mese; **11.** chiesa; **12.** maestro.

24. IL PASSATO REMOTO E IL TRAPASSATO REMOTO

1 **1.** V - nacque; **2.** V - vinse; **3.** F - dipinse; **4.** V - cantò; **5.** V - visse; **6.** V - compose; **7.** V - vinse; **8.** V - recitò; **9.** F - morì; **10.** F - scrisse.

2

C	O	N	O	B	B	E	R	O	G
R	U	P	P	E	R	O	F	U	I
E	U	R	A	V	O	L	L	I	V
B	S	E	V	V	I	N	S	E	O
B	C	S	O	E	I	D	R	I	L
I	I	E	L	B	A	S	I	L	L
E	S	P	L	O	D	E	S	T	E
B	T	D	E	S	T	E	D	E	R
B	I	I	R	F	E	C	E	R	O
I	S	C	O	M	P	A	R	V	E

Il nome del personaggio è: Garibaldi.

3 **1.** Dopo che ebbi preparato; **2.** Dopo che ebbi finito di

Soluzioni

studiare; **3.** Appena fu arrivato; **4.** Non appena ebbe detto; **5.** Una volta che fu partito; **6.** Dopo che ebbi sentito.

4 nacque, c'erano, governavano, partecipò, andò, scappò, si sposò, restò, rimase, decise, partecipò, fallì, fu condannato, aveva, Si arrese, Riuscì, si imbarcò, fu, Eravamo, voleva, era inseguito, era, Decise, Arrivò, Si arruolò, preferiva, divenne, Prese, fu assegnato, partecipò, fu, si occupò, combatté, conobbe, raggiunse, Morì.

lettura 10. TRA MOGLIE E MARITO...

1 *La soluzione è il testo della lettura.*

2 **1.** a; **2.** a; **3.** per; **4.** all'; **5.** al; **6.** all'; **7.** allo; **8.** tra / fra; **9.** a; **10.** di; **11.** agli; **12.** di.

3 **1.** gliela portò in regalo; **2.** portarglieli; **3.** lo cambiò; **4.** non ve li lascerò; **5.** entrarci; **6.** ce la posò; **7.** parlarvene; **8.** gliele buttò al collo; **9.** parlarne; **10.** se lo scambiarono; **11.** gliela fece; **12.** ce lo accompagnarono; **13.** Datemelo; **14.** se lo prese; **15.** l'ho vista; **16.** per non farla piangere.

4 **1.** aveva adornato; **2.** aveva pianto; **3.** era venuto; **4.** di aspettarlo; **5.** per fargli; **6.** era andato; **7.** sapeva; **8.** era alzata.

5 **1.** avesse fatto; **2.** avrebbe lasciato; **3.** fosse stato; **4.** sarebbe stato; **5.** fosse andato; **6.** avrebbero potuto; **7.** avesse avuto; **8.** sarebbe rimasto; **9.** avesse potuto.

6 **1.** fece; **2.** aspettava; **3.** si mise; **4.** ebbe fatto; **5.** era alzata; **6.** erano; **7.** cadde.

7 **1.** Santa disse ad Alfio che aveva ragione a portare dei regali a sua moglie; **2.** Alfio esclamò che se lei non aveva visto bene non le avrebbe lasciato gli occhi per piangere, a lei e a tutto il suo parentado; **3.** Turiddu chiese a Compare Alfio se aveva comandi da dargli; **4.** Alfio rispose di no e che era un pezzo che non lo vedeva e voleva parlargli di quella cosa che lui sapeva benissimo; **5.** Alfio disse a Turiddu che se la mattina dopo fosse voluto andare nei fichidindia avrebbero potuto parlare di quell'affare; **6.** Turiddu rispose di aspettarlo sullo stradone e ci sarebbero andati insieme; **7.** Alfio chiese alla mamma se si ricordava di quando era andato soldato, quando credeva che lui non sarebbe tornato più. Poi le disse di dargli un bel bacio come allora, perché la mattina dopo sarebbe andato lontano; **8.** Turiddu disse che sapeva di avere torto e si sarebbe lasciato ammazzare. Ma prima di andare lì aveva visto sua madre che si era alzata per vederlo partire. Quindi lo avrebbe ammazzato per non far piangere la sua vecchierella; **9.** Compare Alfio gridò di aprire bene gli occhi.

25. ALTRO SUL CONGIUNTIVO

1 Sei la cosa più bella che sia mai esistita.

2 **1.** imparino; **2.** ascoltassero; **3.** avessi; **4.** dovrei; **5.** faccia; **6.** cerchiate; **7.** sentiste; **8.** nascessero; **9.** sono; **10.** avrebbe potuto; **11.** parlino; **12.** guarda; **13.** distingua; **14.** bisognerebbe; **15.** siano; **16.** fumino; **17.** vivono; **18.** avresti pensato; **19.** sentano; **20.** possa.

3 **1.** trovano; **2.** obbliga; **3.** hai; **4.** sappia; **5.** venda; **6.** ho; **7.** abbia; **8.** facciano; **9.** capisca; **10.** festeggia; **11.** costa; **12.** sa; **13.** venga.

4 **1.** dispiace; **2.** abbia telefonato; **3.** è; **4.** sappia; **5.** capisco; **6.** ho conosciuto; **7.** veniste; **8.** andasse; **9.** stia; **10.** dica; **11.** hai dormito; **12.** faccia; **13.** avessi; **14.** ha sbagliato / sbaglia; **15.** cambino; **16.** studino; **17.** studiano; **18.** Vuole; **19.** passava; **20.** passasse.

5 **1.** dici; **2.** hai; **3.** abbia; **4.** faccia; **5.** sei; **6.** cambia; **7.** tornasse; **8.** ho.

6 **1.** Si cerca un agente immobiliare che sia diplomato, abbia massimo 30 anni, abbia esperienza e forte motivazione alla vendita, spiccate doti di comunicazione e che conosca l'inglese; **2.** Famiglia con due bambine cerca una colf che sia referenziatissima, che sia disposta a lavorare a tempo pieno, cucini, pulisca e faccia la baby sitter. Ottimo stipendio; **3.** Albergo ristorante in Trentino Alto Adige ricerca per periodo estivo una cameriera che conosca la lingua italiana e tedesca, che abbia esperienza. Si offre vitto e alloggio; **4.** Supermercato ricerca cassiera che sia di bella presenza, che risieda nella provincia di Perugia, che sia anche alla prima esperienza. Inviare CV con foto; **5.** Si cerca barman maschio o femmina che abbia al massimo 35 anni per locale in Sardegna, che sia capace di lavorare in gruppo e che sia disponibile immediatamente.

7 **1.** avesse immaginato; **2.** creda; **3.** smetta; **4.** fosse; **5.** fosse; **6.** capitasse; **7.** avesse perduto; **8.** ripercorra; **9.** sia; **10.** tradisse; **11.** sia; **12.** fossero; **13.** stesse; **14.** superi; **15.** avesse avuto; **16.** sia; **17.** sia avuto.

TEST 2

1 **1.** il; **2.** l'; **3.** le; **4.** camere; **5.** notti; **6.** inglesi; **7.** giovane; **8.** a; **9.** di; **10.** in; **11.** fuma; **12.** dorme; **13.** puoi; **14.** vogliono; **15.** ho fatto; **16.** è tornata; **17.** avevo; **18.** l' / lo; **19.** ci; **20.** mangiate; **21.** gli; **22.** lo; **23.** Gli; **24.** il; **25.** un; **26.** telegramma; **27.** difficile; **28.** vecchia; **29.** a; **30.** dalle; **31.** dal; **32.** preferisce; **33.** leggendo; **34.** fate; **35.** bevevo; **36.** ho messo; **37.** si è arrabbiata; **38.** telefonarle; **39.** te li; **40.** glieli; **41.** un; **42.** le; **43.** persona; **44.** vacanze; **45.** da; **46.** negli; **47.** alla; **48.** degli; **49.** si è fatta; **50.** è durato; **51.** esci; **52.** vorrai; **53.** vada; **54.** avessi; **55.** sarei diventato; **56.** fa / farà; **57.** me li; **58.** piacerebbe; **59.** darmene; **60.** Le.

2 **1.** lo; **2.** è apparsa; **3.** volevo; **4.** avrò finito; **5.** parta; **6.** avessi immaginato; **7.** resteremmo; **8.** me la sono cavata; **9.** per; **10.** cui; **11.** a; **12.** ve li; **13.** ci; **14.** andò; **15.** capissero; **16.** ci si; **17.** portamelo; **18.** capisca; **19.** è stato letto / viene letto; **20.** Nonostante / Sebbene / Benché.

Fonti iconografiche

p.9 - Featureflash/Shutterstock.com; p.12 - Viacheslav Lopatin/Shutterst; p.17 - Karol Kozlowski/Shutterstock; p.26 - Jiri Hera/Shutterstock, alexandro900/Shutterstock, THPStock/Shutterstock, Luisma Tapia/Shutterstock, Coprid/Shutterstock, Newnow/Shutterstock, dio5050/Shutterstock, Zavatskiy Aleksandr/Shutterstock.com, ermess/Shutterstock.com, verbaska/Shutterstock.com; p.30 - BestPhotoStudio/Shutterstock; p.60 - Natalia Bratslavsky/Shutterstock; p.74 - CC0 license, CC0 license; p.82 - vgstudio/Shutterstock; p.92 - Adwo/Shutterstock; p.101 - Arek Olek https://farm9.staticflickr.com/ 8369/8563269684_7ab9b28a0a_o_d.jpg; p.102 - elovena https://farm5.staticflickr.com/ 4152/5195223642_36d8baf889_o_d.jpg; p.108 - vvoe/Shutterstock; p.115 - Ramon L. Farinos/Shutterstock, Natasha Breen/Shutterstock; p.116 - StepanekPhotography/Shutterstock; p.117 - Kzenon/Shutterstock; p.149 - Pixeless/Shutterstock

NDICE ANALITICO

ndice analitico in ordine alfabetico degli argomenti grammaticali trattati nel testo. Il numero in blu si iferisce al capitolo/paragrafo. Nel caso dei box di "curiosità linguistiche" è indicata la pagina.

AGGETTIVO

ARTICOLO

AVVERBI

CONGIUNZIONI

DISCORSO INDIRETTO

FRASI IPOTETICHE

NDEFINITI

NOME

PREPOSIZIONI

PRONOMI

PRONOMI COMBINATI

PRONOMI RELATIVI

VERBI

CONDIZIONALE

CONGIUNTIVO

INDICE ANALITICO